Bessmertnaia, Anna.
Rebro i glina

Лучшая
современная
женская
проза

Анна
Бессмертная

Ребро и глина

Я положил к твоей постели
Полузавядшие цветы,
И с ними…
Мои усталые мечты…

Я нашептал моим левкоям
Об угасающей любви,
И ты к оплаканным покоям
Меня уж больше не зови.

ЭКСМО
МОСКВА
2010

УДК 82-3
ББК 84(2Рос-Рус)6-4
Б 53

Оформление серии А. *Саукова, П. Иващука*

Бессмертная А.

Б 53   Ребро и глина / Анна Бессмертная. — М. : Эксмо,
2010. — 416 с. — (Лучшая современная женская
проза).

ISBN 978-5-699-39252-0

Новый роман Анны Бессмертной «Ребро и глина» — это захватывающая современная семейная сага, в которой соединились достоинства конспирологического детектива и мелодрамы.

Главная героиня Людмила приезжает в Москву учиться и — заодно — найти мужа. В результате одного из ее бурных романов рождается дочка, которую Людмила без сожаления оставляет в роддоме. Судьба благоволит Людмиле и вводит ее в круг сильных мира сего — появляются деньги и связи. Но спустя годы матери и дочери суждено встретиться и оказаться соперницами — они полюбят одного и того же мужчину, но достанется он только одной из них.

Интриги и авантюры богатых и власть имущих, любовь мужчин и предательство женщин — старо как мир, но каждый раз впервые!

УДК 82-3
ББК 84(2Рос-Рус)6-4

ISBN   978-5-699-39252-0

ЧАСТЬ I

Инга начала засыпать. Сначала ей привиделось тоскливое белое поле под черным беззвездным небом. По полю быстро шла молодая женщина, а за ней спешил маленький мальчик. Он торопился, но никак не мог ее догнать, и расстояние между ними делалось все больше и больше. Женщина шла, не оглядываясь. Внезапный порыв ветра взметнул снег, и мальчик исчез в его белых одеждах. Женщина продолжала идти вперед. Инга хотела закричать: «Остановись!» — и проснулась от собственного крика. Вместе с ней проснулся и Зверь. Он сказал: «Спи. Это еще не самое страшное».

НАЧАЛО

Катя как чувствовала, что добром все это не кончится. Она очень не хотела отпускать мужа на поминки и уж тем более идти сама: все-таки три месяца беременности, пусть даже и второй, — не шутка, тем более что она боялась сглаза и скрывала свое интересное положение даже от золовки. О том, что она ждет ребенка, знал только Николай, мечтающий о сыне, и он клятвенно ее заверил, что все будет в порядке, они помянут деда Шапкина — и

5

сразу же домой. Оба понимали, что не пойти нельзя, такая обида на селе не прощается, и что одной рюмкой дело не ограничится. И вот теперь, таща мужа на себе, она молилась только об одном: чтобы он все-таки хоть как-нибудь продолжал переставлять свои заплетающиеся ноги. Позвать на помощь было некого, потому что все мужики на поминках были примерно в одинаковом состоянии, а бежать за золовкой, проживавшей на второй половине их дома, она сама не хотела. Антонина и так считала, что Николай пьет из-за Кати и, женись он в свое время на другой, этого бы не было. То, что у той, «другой», муж тоже пил, не имело никакого значения.

Снег даже не скрипел, он визжал под ногами, а поземка, лизавшая целый день дорогу, к вечеру стала брать все выше и выше и теперь кидала в лицо обжигающе холодные языки мелкого снега, сметаемого с сугробов. К середине пути Николай перестал даже мычать, и Катя боялась думать о том, что ей делать, если он все-таки упадет. То ласково его уговаривая, то ругая на чем свет стоит, то плача, она подпирала его огромное грузное тело, как могла, и ей казалось, что, если бы не наст, она бы под мужней тяжестью вошла в землю, как гвоздь, и выбраться уже не смогла бы.

Проклиная себя за то, что закрыла на засов калитку, она буквально повесила мужа за подмышки на частокол, стянула варежки и, прилипая пальцами к металлу, стала пытаться ее открыть. Когда ей наконец удалось это сделать, она бросилась к сползающей на снег бесчувственной туше мужа, в последнюю секунду подхватила его и повела к крыльцу. Но тут удача ей изменила: Николай поскользнулся и упал прямо у ступенек, перегородив дорогу в дом.

Кое-как перебравшись через него, Катя отперла дверь, включила свет в сенях и опять спустилась вниз. Надо было сделать последнее усилие. С трудом усадив мужа, она развернула его на пятой точке, зашла к нему за спину, обхватила и рывком усадила на первую ступеньку. Отдышавшись и отдохнув, она проделала еще раз то же самое, потом еще раз. Оставалось преодолеть еще две, но тут он замычал, дернулся, выгнулся дугой и сполз вниз. Катя озверела. Она бросилась к нему и, отвешивая пощечины, стала кричать:

— А ну поднимайся, боров проклятый! Давай, вставай, скотина пьяная, а то брошу тебя тут замерзать!

Ей удалось посадить его сразу же на вторую ступеньку. Боясь, что он опять сползет, она еще раз обхватила его сзади и потянула изо всех сил. Втащила в сени, из сеней — в прихожую. Там раздела, сняла сапоги и дальше маленькими рывками поволокла в комнату. Сбросила с дочкиной кровати матрас, благо та ночевала у тетки, и перекатила на него мужа. Взмокшая и безмерно уставшая, она залпом выпила целую кружку воды, разделась сама и легла спать.

Уснуть ей не удалось: сначала не давала ломота во всем теле, потом в животе начало что-то мелко-мелко дрожать, потом стало ныть, а когда она сообразила, что начались схватки, уже не смогла встать с постели. Она безрезультатно пыталась разбудить мужа, несколько раз принималась кричать Антонине, но та не откликнулась. Видимо, крепко спала.

Около трех часов ночи она скинула плод и до пяти провалялась в полузабытьи на мокрой холодной постели. Когда она немножко пришла в себя, поняла, что ее трясет от холода. Она попробовала сесть, и ей это удалось. Немного посидев, Катя встала, доплелась до двери и включила свет, достала из шкафа чистое белье и с ним подошла к кровати. За собой надо было убрать.

То, что она увидела, повергло ее в ужас. Комочек, лежавший на простыне, был похож то ли на спрута, то ли на какое-то большое мясистое насекомое: у него было несколько ручек и ножек. И еще ей показалось, что у него было две головы, но не отдельные, а как бы кое-как слепленные вместе. Боясь только одного, чтобы кто-нибудь ненароком не увидел ее позора, она трясущимися руками схватила кухонное полотенце, обернула им плод, молниеносно оделась и, прихватив в сенях лопату, вышла во двор. Отрыв на задворках яму, Катя положила в нее сверток, засыпала снегом и плотно его утрамбовала. Она надеялась днем улучить момент, когда поблизости не будет лишних глаз, и захоронить его в другом месте, более надежном, но вышло все иначе.

Днем у нее поднялась высокая температура, и смурной с похмелья Николай хотел уже ехать за врачом, но Катя не разрешила. Она боялась, что врач потребует предъявить плод, а этого она допустить не могла. Три дня она провалялась в горячке, пила какой-то антибиотик, имевшийся дома в наличии, ночью бредила и звала дочку. Ей казалось, что она что-то проглядела, и у ее Людмилки есть то ли третья ножка, то ли третья ручка, и с этим надо было срочно что-то делать, пока не увидели односельчане. На четвертый день температура упала, и дело пошло на поправку. Антонину о случившемся в известность не поставили. Ей сказали, что у Кати грипп, и под предлогом карантина в дом не пустили.

Немного окрепнув, Катя, воспользовавшись тем, что муж на работе, пошла на то место, где зарыла плод, но обнаружила там пустую ямку. Это было ужасно.

Более или менее налаженной и размеренной жизни пришел конец. Ночью, стоило лишь закрыть глаза, она снова и снова возвращалась к этому комочку плоти, и ей все казалось, что, когда она брала его полотенцем, чувствовала слабое шевеление. Она понимала, что ей это только кажется, но вся покрывалась гусиной кожей, и сон отлетал прочь. Близости с мужем она теперь всячески избегала, а когда увильнуть не удавалось, со страхом ждала последствий, и если таковые были, ездила на пару дней в райцентр и возвращалась домой заплаканная. Муж дулся, Антонина ругалась с ней, но в своем решении Катя была тверда: больше детей у нее не будет. Тем более после первого же аборта врач ее долго расспрашивал о том, где работает она, где муж и не было ли в семье каких-либо отклонений, физических недостатков, и когда Катя рассказала, что муж несколько лет проработал на химии, тот покачал головой, сказал «Понятно» и посоветовал больше не рожать. Из всех его объяснений она запомнила только слова «с множественными уродствами», и этого было вполне достаточно.

Сгоряча Катя хотела даже развестись с Николаем, уехать куда-нибудь подальше, но поняла, что слишком многое их связывает, что начинать что-то строить на пустом месте страшно, да и нет сил, и не факт, что ей удастся что-то построить вообще.

Она со страхом наблюдала, как растет Людмилка, но вроде бы все шло нормально. Девочка обещала стать красавицей, характер имела ровный и покладистый, прекрасно училась. Прибежав из школы, она первым делом доставала из портфеля учебники и тетради и садилась делать уроки. Все же свое свободное время она тратила на чтение, так что, если забегать вперед, к концу учебы в школьной библиотеке практически не осталось не прочитанных ею книг.

Со временем Катя успокоилась, поклявшись себе рассказать о случившемся дочери, когда та будет достаточно взрослой. И еще она твердо решила, что сделает все для того, чтобы жизнь Людмилки сложилась лучше, удачнее, интереснее, чем ее собственная.

1983 ГОД. ВЗЯТКА

Теплый весенний ветер слишком рано принес страшный сладковатый запах из ближней балки, приспособленной местными жителями под скотомогильник, растопил снег и сделал грязь непролазной. Люди старались лишний раз не выходить из дома, и село со своими черными скособоченными домами казалось вымершим. Старики по углам каркали об ожидаемых природных катаклизмах, которые не дадут вырастить или собрать урожай, о предполагаемом курином море, падеже скота, подорожании спиртного и скором конце света. Когда у Зойки, бойкой продавщицы из сельпо, обнаружили сифилис и новость эта пошла гулять по селу, ибо такого шила в мешке не утаишь, богомольная тетка Антонина высказалась прямо: «Вот и до нас антихрист добрался». Антихрист не антихрист, а это, однако, означало, что каждый пятый дом имел потенциального клиента областного кожвендиспансера. Мужички понуро и старательно лечились самогонкой в надежде как следует продезинфицировать себя изнутри, а жены со страхом и вместе с тем с каким-то злобным удовлетворением ждали, что из этого всего выйдет, тайно собирались вечерами и планировали, ежели чего, спалить Зойкину избу. Атмосфера в селе накалялась, злоба копилась, и дело кончилось пьяной дракой, в которой один зарезал насмерть двоих и, прихватив с собой бутыль, закрылся в ветхой баньке, где продолжил пьянствовать. Видимо, от оброненной папироски вспыхнула пакля, которой так и не нашлось достойного места в хозяйстве, и банька загорелась. Огонь перекинулся на соседские сараи и пошел жрать все, что находилось в пределах его досягаемости. Так и сгорело пять домов. К счастью, обошлось без жертв, кроме, конечно, виновника пожара, который, впрочем, и жертвой-то считался весьма условно.

Вот такая случилась весна в том году, а весна Кате всегда давалась тяжело. На плохое физическое самочувствие накладывалась затяжная депрессия. Ей казалось, что длить эту распроклятую жизнь нет смысла, дальше будет только хуже и хуже, силы с годами будут убывать, а болячки множиться. И без того нелегкий характер мужа сделается еще тяжелее, золовка Антонина окончательно свихнется на почве религии, а дочь Людмилка проживет такую же никчемную трудную жизнь с каким-нибудь местным алкашом, нарожает от него детишек и точно так же к сорока годам будет тосковать и подумывать о петле. А ей ли, с ее светлой головкой, с ее красотой, прозябать в этой дыре? Ей надо бежать отсюда, выбираться из этого вечного непосильного труда, смердящих оврагов, бездорожья, безденежья и безнадежья... А тут еще обещанная директрисой золотая медаль, похоже, уплывала из рук... Уж, казалось бы, кому, как не Людмилке, круглой отличнице с первого класса, дать медаль... Так нет... Поставила ей в полугодии эта гнида четверку по физике... А куда больше заниматься? Девочка и так все глаза себе испортила за этими учебниками да книгами... Только и сидит, корпит над заданиями...

Мысль о взятке окончательно оформилась в ту ночь, когда горели дома. Кате от бабки досталось в наследство старинное колечко. Не сказать чтобы какое-то там особое... Так... Тонюсенькое, жиденькое, камушки некрупные, даже, скорее, мелкие, однако сделанное затейливо. Одним словом, работа мастера была очевидна, не ширпотреб. Перед свадьбой бабка тайно вручила его и сказала:

— Я тебе его даю не для носки. Ты даже мужу не показывай. Никому не показывай. Спрячь его где-нибудь во дворе, под дровами, и пускай лежит. Это тебе на самый крайний случай. Мало ли что в жизни может случиться. Не спонадобится — слава Богу. Детям оставишь. Больше тебе я ничего не могу дать, сама знаешь, нищие мы.

Откуда оно взялось у бабки, Катя не могла даже предположить: сколько она себя помнила, жили они бедно, и никогда ни у кого в семье не было никаких золотых украшений.

Когда они с Николаем обосновались в мужнином селе, Катя решила держать кольцо в доме, но, раз заметив, что ее золовка Антонина, жившая через стенку, имеет привычку тайно шариться у них по ящикам, поспешила сделать так, как говорила бабка: завернула его в тряпочку, тряпочку положила в жестяную круглую коробочку из-под монпансье и, улучив момент, подкопала под дровами ямку, сунула коробочку в углубление и замела следы.

Часто случалось так, что в семье не было денег на самое необходимое, но кольцо она не трогала. И вот теперь, пристально глядя на бушующее пламя, Катя решила, что настал именно такой момент, когда оно должно сыграть роль в судьбе ее дочери.

Как-то раз, ближе к вечеру, она извлекла заветную коробочку, достала оттуда кольцо, надела его на безымянный палец и отправилась к директрисе, Светлане Григорьевне, на разговор.

На стук долго не открывали дверь, потом колыхнулась оконная занавеска, мелькнула тень, звякнула щеколда, и на пороге появилась хозяйка.

— Светлана Григорьевна, здравствуйте! Мне очень надо с вами поговорить. Можно мне войти? — скороговоркой выпалила Катя.

— Ну что ж, входите, коли пришли. — С недовольной гримаской Светлана Григорьевна впустила гостью и, оглядев улицу, закрыла дверь.

Миновав темные сени, Катя вслед за хозяйкой вошла в большую комнату, обставленную почти по-городскому: диван-книжка с зеленой обивкой, полированный журнальный столик с двумя креслами по бокам; гардероб, два книжных шкафа и горка между ними образовывали подобие стенки, в углу телевизор на тумбочке, на стенах ковры и даже две картины в золоченых витиеватых рамках. И хрусталь, хрусталь... Светлана Григорьевна осталась довольна произведенным эффектом и, милостиво указав на одно из кресел, сказала:

— Раздевайтесь, присаживайтесь.

Катя сняла свое видавшее виды пальто и замешкалась, держа его в руках.

— Давайте мне, я повешу. — Светлана Григорьевна приняла у нее пальто, вышла в сени. Тут же вернулась и села в кресло напротив. — Так о чем вы хотели со мной поговорить?

— Я хотела поговорить о Людмиле.

— Очень, очень хорошая девочка. Старательная, трудолюбивая. Воспитанная. Активная. Мы ею очень довольны. Могу о ней сказать только самое хорошее.

— Не знаю даже, с чего начать...

— А вы начните с главного, — приободрила ее директриса.

— Ну, так... Светлана Григорьевна, я хочу для своей дочери лучшего. Чтобы она училась и дальше, чтобы получила образование...

— У нее есть все шансы...

— Если бы у нее была золотая медаль, сами понимаете, ей было бы проще поступить в институт. Вы же знаете: сдавать только один экзамен... Извините, я очень волнуюсь... — Катя сжала руки, хрустнув пальцами, и стала нервно крутить кольцо. Колечко поймало лучик света и маняще заиграло синим, красным и зеленым.

Светлана Григорьевна не поверила своим глазам: откуда у простой деревенской бабы такая роскошь? Мысль лихорадочно заработала, и она догадалась о цели визита Кати: скорее всего, пришла показать, что у нее есть что продать и расплатиться за золотую медаль дочери. Директриса, за эти несколько мгновений наметанным глазом оценив украшение, воспряла духом.

— Я понимаю ваше волнение, но давайте говорить откровенно. Последнее время Людмила стала учиться несколько хуже.

— Она устала, она просто сильно устала. Вы не представляете, как она занимается! Ни одной минуты не тратит зря. Все за учебниками, все за учебниками...

— И тем не менее полугодовую контрольную она написала плохо.

— Светлана Григорьевна, это случайность. Ведь Людмилка десять лет училась только на «отлично»!

— Да, это правда. Но я же не могу подменить ее контрольную на другую... Вы меня тоже должны понять... Что же касается золотой медали, то у нас ведь есть еще один претендент — Саша. Он тоже прекрасно учится...

— Сашка — парень, и отец у него — председатель колхоза! Ему будет проще устроиться в жизни с таким тылом. А у моей Людмилки другого случая не будет вырваться отсюда...

— Я не буду темнить, Екатерина... извините, не знаю вашего отчества...

— Да какое там отчество! Просто Екатерина, и все...

— Так вот, Екатерина, вы должны меня понять... Алексей Федорович помогает школе, чем только может. Мы без него просто пропадем. Если я отдам медаль Людмиле, с какими глазами я пойду к нему просить уголь или ремонт? А ведь я пойду просить, сами понимаете... Тем более что Саша получит эту медаль действительно по заслугам, а не потому что...

— Я все понимаю, Светлана Григорьевна, но и вы меня поймите...

— Давайте попьем с вами чайку и все хорошенько обсудим. — Светлана Григорьевна встала, захлопотала, и через несколько минут на журнальном столике был сервирован чай с вареньями и печеньями в хрустальных вазочках. И разговор продолжился.

— А разве нельзя на один выпуск получить две золотых?

— Теоретически можно и двадцать две. Но практически...

— Ну просто подать документы на две — и все! — не сдавалась Катя.

— Как у вас все просто! Обивать пороги, выпрашивать, доказывать — это не так уж и просто.

— Но у вас же наверняка есть какие-то связи...

— Ну, раз уж мы договорились до связей, то вы должны понимать, что любые связи не бескорыстны...

Они долго еще говорили, ходя вокруг да около. За окном уже было темно, когда Катя, так и не поняв, будет ли ей помогать директриса или нет, решилась на отчаянный шаг.

— Ладно, Светлана Григорьевна. Совсем я вас утомила. Пора домой. Но, как бы там ни было, я все-таки буду рассчитывать на вашу помощь, что вы не оставите Людмилку бе́з внимания. — Проговорив это, Катя поднялась и, неловко качнувшись, угодила пальцами в розетку с вареньем. — Ой, испачкалась. Можно мне руку помыть?

Светлана Григорьевна провела ее на кухню к рукомойнику и вышла:

— Мойте. Я вам сейчас чистое полотенце дам.

— Да не беспокойтесь, тут чистое висит, — откликнулась Катя. Она ополоснула руки, сняла с пальца кольцо, положила его на полочку, на видное место, и вышла. — Я уже. Спасибо вам большое за все, Светлана Григорьевна. До свидания. Я все-таки буду надеяться на вашу помощь... — И, накинув пальтишко, вышла в непроглядную темноту.

Светлана Григорьевна так тоже ничего и не поняла: то ли эта Екатерина намекала, что отдаст ей кольцо в случае получения золотой медали Людмилкой, то ли продаст его и отблагодарит деньгами... «Все это на воде вилами писано... Хлопот не оберешься, а вдруг она потом не отблагодарит... Странная какая-то...»

Она собрала посуду со столика и понесла ее мыть на кухню. На полочке что-то вспыхнуло зеленым... Как завороженная, она поставила чашки в раковину, потянулась к кольцу, взяла его и с трудом надела себе на мизинец. С кольцом на мизинце прошла к себе в спальню-кабинет, вынула из письменного стола лупу, включила лампу и стала под лупой рассматривать пробу и камни. Зеленый — изумрудик, красный — скорее всего рубинчик, синий — сапфир... Камешки мелкие, но редкие. Несомненно, золото, старинное... Вот какое-то клеймо, судя по всему, мастера... Светлана Григорьевна прикинула, сколько за него можно получить в комиссионке, и приуныла: скорее всего, Екатерина за ним вернется, потому как сумма получалась немалая. «Хватило бы и половины... Даже трети...» — подумала она. И тут ей вдруг нестерпимо захотелось, чтобы кольцо досталось ей, именно кольцо, а не деньги. «Если вернется, предложу выкупить за хорошую сумму... С учетом золотой медали. Да, так я и сделаю. А если не вернется — сама дура».

До полуночи она ждала Катю и даже прикидывала, а не притвориться ли, что никакого кольца у нее в доме нет и что оно могло потеряться по дороге домой. Но Екатерина не пришла. Не пришла она и назавтра. И тогда Светлана Григорьевна все поняла: это была взятка, данная вот таким странным манером, и что теперь эту взятку надо отработать, потому что с такими дорогими вещами не шутят. Подопрут дверь да спалят вместе с домом, если что пойдет не так.

Что она предприняла, да и предпринимала ли что-то, Катя так и не узнала, но школе дали две золотые медали, и после выпускных Людмилка поехала в Москву. Сдав на пятерку первый экзамен, она поступила в институт.

ИНСТИТУТ. 1-й КУРС

Комната в общаге была предназначена для проживания четырех человек, но жили в ней втроем: сама Людмилка Сулешева, Машка Вербина и Томка Улетова. Четвертая девочка, Лена Щукина, проживала где-то в Подмосковье и каждый день ездила домой, однако койко-место держала за собой на тот случай, если вдруг придется допоздна задержаться в Москве: мало ли, дискотека какая или день рожденья. Но за весь первый курс такой оказии не представилось: Ленка Щукина фанатично училась и все прелести жизни откладывала на потом. Машка и Томка тянули лямку учения трудно и занудно, а Людмилка успевала и посидеть в библиотеке, и оторваться на дискотеке, и написать толковый реферат. А на первый Новый год умудрилась приглядеть приходящего к ребятам с третьего курса парня-прибалта Арунаса, полулитовца, полулатыша.

Свое Труново она считала гиблым местом. Вот соседнее село Грачевка было каким-то светлым, хорошим, благополучным. Маленькая белая церковь, окруженная вековыми плакучими березами, видная отовсюду, была действующей, в клубе был хоровой кружок, и в него ходили попеть даже старухи. И жили люди как-то дружно, весело и чисто. А их Труново как будто проклял кто. Почти в каждом дворе был либо ненормальный, либо законченный алкаш, либо уголовник. Жизнь теплилась исключительно за счет баб, которые в попытке хоть как-то свести концы с концами надрывались как на работе, так и каждую свободную минутку на своем хозяйстве. Мужики работать не хотели, и вместо того чтобы испытывать чувство благодарности к своим женам за жрачку, добытую неимоверным трудом, за чистоту в доме, за детишек, считали их вторым сортом, отказывали им в наличии ума и били смертным боем. Они быстро спивались или же гибли по пьяни: кто тонул, кто замерзал, кто травился паленым пойлом. А то и убивали друг дружку. Вдовы исправно голосили на похоронах, на девятинах и на сороковинах, а потом начинали жить теперь уже без драк, без лишнего большого и жадного рта и без оттока значительных средств на спиртное. И Людмилка с раннего детства подспудно, со сладким ужасом, ждала, когда же что-нибудь подобное случится с ее отцом, и почему-то была уверена, что того же самого ждет и ее мать.

Лично для себя она такой судьбы не хотела и возвращаться в село после окончания института не собиралась. Раз уж Бог наградил ее красотой и умом, нужно было использовать свой шанс и сделать все, чтобы за время учебы выйти замуж и осесть если не в Москве, то в каком-нибудь приличном месте. Конечно, размениваться на мелочи было бы глупо. Хотелось получить взамен что-нибудь весомое, готовое или, на худой конец, перспективное. Но до взрослых, уже состоявшихся мужчин надо было еще добраться, а молодых в общаге имелось в избытке, так как вуз был «мужской». Поэтому она решила пока что не метить очень высоко, но и не шарить по низам. К тому же тратить время попусту она не собиралась, а Арунас устраивал ее по многим параметрам, и в первую очередь тем, что Прибалтика, даже по сравнению с Москвой, была почти что заграницей.

После знакомства с ним она целый вечер бормотала про себя: «Даугавпилс, Даугавпилс» — и уже потом никогда не путалась в произношении, в отличие от Машки с Томкой, которые нет-нет да и ляпали что-то вроде «Давгапилс, Даугалипс, Дагвапилс». С Тамарой Людмилка вроде бы даже сдружилась, а вот Машка ей не нравилась. Сонная, с немытой головой, неодетая, вечно что-то жующая, со своим ужасным южным акцентом, она даже не пыталась вписаться в столичную жизнь, только вяло училась и все время рвалась домой. Именно из-за нее ребята прозвали их троицу «мани из тьмутаракани», относились к ним слегка свысока и крайне редко приглашали в свою компанию. Однако Людмилка довольно быстро поняла одну простую вещь: проходными билетами на их сейшены были бутылка спиртного и пара пачек импортных сигарет типа «Мальборо».

Несмотря на крайнюю ограниченность в средствах — к стипендии ей время от времени, в основном к праздникам, родители высылали то тридцатник, то пятьдесят рублей, — она никогда не приходила с пустыми руками, и вскоре ее присутствие стало само собой разумеющимся, и, таким образом, она имела возможность видеться с Арунасом.

Людмилка жестко экономила на всем, жила впроголодь и, когда совсем уж припирало, «ходила в рейд». Она пропускала занятия и целый день ездила в автобусах, занимая место у кассы. Зажав в руке полтинник, она просила пассажиров не опускать пятачки. Набрав таким образом копеек сорок, а если позволяла обстановка, то и больше, улучала момент, когда никто за ней не наблюдает, бросала вместо полтинника три копейки, отрывала билет и на следующей остановке выходила. Садилась в другой автобус — и история повторялась. Бывали удачные дни, бывали не очень, но эти деньги часто ее выручали. А так как собирались компанией не каждый день, она могла себе позволить явиться не с пустыми руками.

Каждый раз после вечеринки она подсчитывала свои заработанные очки, как это делали сестры и мачеха Золушки на балу, но с неизменным постоянством выходила «проклятая неизвестность», которая и мучила, и распаляла. Арунас был вежлив, предупредителен, внимателен, но не более того.

1985 ГОД. 2-й КУРС

С зимних каникул второго курса она привезла из дома бутыль самогонки и бутыль настойки на травах, которую ее тетка делала по какому-то особому старинному рецепту. Самогонку она приурочила к 23 февраля в качестве подарка мальчикам и тогда же, на праздновании, намекнула, что у нее есть что-то особенное, сногсшибательное, которое пьют в исключительных случаях и которым угощают только самых близких друзей, и что, может быть, она даст им когда-нибудь чуть-чуть пригубить. Людмилка так разрекламировала настойку, что ребята прямо-таки загорелись ее попробовать и решили выманить драгоценное питье на живца, на Арунаса, ибо ее заинтересованность в этом красивом и статном парне ни для кого не была секретом.

Однако с Арунасом все как-то не получалось, и поэтому Людмилка, проявив характер, водила их за нос вплоть до окончания весенней сессии, и, наконец, назначив день, они собрались маленькой тесной компанией отметить сдачу экзаменов и продегустировать напиток. Томку с Машкой звать не стали — у ребят были свои девчонки. Людмилка надела свою козырную джинсовую юбку, пикантную маечку, рассыпала по плечам отросшие за год роскошные светлые волосы, сделала себе боевой раскрас и настроилась на победу.

Сработала ли эйфория долгожданной свободы, или же настойка действительно оказалась волшебной, но они славно просидели всю ночь за разговорами, выкурили неимоверное количество сигарет, а под утро, когда уже стало светать, вылезли в окно на первом этаже и пошли гулять в ближайший парк. Довольно быстро парочки разбрелись в разные стороны, и Арунас остался с Людмилкой. Они целовались на скамейке, он что-то шептал на своем языке, она не понимала, что он говорил, но это было что-то очень важное, очень нужное, очень счастливое. Не могло не быть... И все бы кончилось так, как, по ее понятиям, должно было бы кончиться, но город проснулся, в парке сначала появились собачники, потом беглецы от инфаркта... Очарование пропало, пришло отрезвление, и они, взявшись за руки, побрели к общаге. Входная дверь была уже открыта, уборщица намывала пол в вестибюле. Арунас, поцеловав Людмилку на прощание легким поцелуем, ушел.

Три дня, оставшихся до отъезда домой, Людмилка ждала, что он придет, но она не могла целыми днями сидеть в комнате, потому что нужно было купить всякого-разного домой. И когда она очередной раз вернулась из похода по магазинам, Томка сказала, что заходил Арунас, ждал ее, но не дождался. У него на вечер билет. Он едет домой.

Лето прошло в метаниях. Она то торжествовала, вновь и вновь переживая ту ночь, то впадала в прострацию от безнадеги и от ревности к предполагаемой сопернице. Где-то глубоко внутри ее сознания время от времени она слышала тоскливый колокольный звон, и он приносил ей понимание того, что ничего не будет, что у Арунаса остался только год, он, закончив пятый курс, уедет домой, и, скорее всего, они больше никогда не увидятся. Мысли крутились вокруг одного: что можно сделать за этот год, чтобы привязать его, чтобы он не смог без нее жить, чтобы увез к себе...

Родители ее настроений не замечали. Дочка кушает хорошо, поздоровела, загорела, что еще нужно... А Людмилка торопила время, торопила лето, и когда оно подошло к концу, вздохнула с облегчением. В последний день она выкрала у тетки бутылку настойки, тщательно упрятала ее в пакете с трусиками и лифчиками и сунула его на дно огромной спортивной сумки. К счастью, тетка пропажи не хватилась...

Вернувшись в Москву, Людмилка прежде всего осторожно разузнала у ребят, где же Арунас учится, и толклась у входа в его институт все свое свободное время. Ей все-таки удалось подкараулить его, однако нельзя было сказать, что усилия увенчались успехом: Арунас шел, по-хозяйски обнимая за тощие плечики какую-то мелкую брюнеточку, ничем не примечательную, даже, можно сказать, страшненькую. Они о чем-то оживленно разговаривали на своем, прибалтийском. Один раз девушка толкнула его бедром, видимо, в ответ на какую-то шутку, он засмеялся и крепче прижал ее к себе. Людмилка поплелась в общагу с невеселыми мыслями о том, что время летит быстро и вхолостую, вот уже начинается третий курс, а она в личном плане пока еще ничего не достигла, что зря она делала ставку на этого прибалта и что нужно срочно искать кого-нибудь еще. Конечно, самолюбие ее было уязвлено, однако никто ей не мешал развивать несколько направлений.

ОСЕНЬ 1985 ГОДА. 3-й КУРС. СЛАДКА ЯГОДА

Начались занятия. После лекций она пару раз ездила к институту выслеживать Арунаса, каждый раз видела его все с той же девицей и никак не могла взять в толк, что же в ней есть такого, чего нет у Людмилки... У них в общежитии он давно не показывался, да и компания старшекурсников в преддверии выпуска практически распалась. Людмилка решила для себя так: это будет последняя попытка, и если ничего не получится, то она сделает ставку на кого-нибудь другого. Понимая, что само собой ничего не слепится, она придумала повод — отпраздновать начало учебы — и с этой идеей пошла к ребятам. Идею подхватили на ура и в ближайшее воскресенье решили устроить сабантуйчик в том же составе, что и в прошлый раз, летом. Вот только Людмилка настояла, чтобы пригласили Томку с Машкой. На тот случай, если вдруг понадобится комната.

Бронзовая от загара, похудевшая Людмилка выглядела сногсшибательно, и Арунас аж присвистнул, увидев ее. За лето он как-то возмужал, заматерел, черты лица стали резче, фигура худощавее, но плечи при этом раздались, волосы выгорели добела и стали практически одного цвета с Людмилкиными, а милый ее слуху акцент усилился.

«Я победю... побежду...» — Людмилка пыталась сформулировать для себя внутренний настрой, но слово «победа» никак ей не давалось, мысль выходила глупой, смешной, неубедительной, и от этого предвкушение праздника как-то тускнело, блекло. «Дура! Не раскисать! Все хорошо. Конечно же, я лучше этой шалашовки. И я пойду на все. И всех к чертовой матери!»

Сладку ягоду рвали большим коллективом у ребят на восьмом этаже. Стол получился на удивление хорошим, во всяком случае, со студенческой точки зрения: было много спиртного и было чем закусить, классная музыка и свечи обеспечивали необходимый интим. Людмилка, сама уже хорошая, убедившись, что Машка с Томкой основательно наклюкались, шепнула Арунасу, что пойдет к себе попудрить носик, и на нетвердых ногах стала пробираться к двери.

— Пойдем вместе, я тебя одну не отпущу, — ответил он ей, — а то тебя кто-нибудь украдет по дороге.

В комнате, едва закрыв за собой дверь, они начали целоваться. Плыл пол, плыли вещи, потом плыл потолок, от выпитого и выкуренного мутило и раскалывалась голова. Хотелось одного: чтобы скорее все кончилось, чтобы потолок перестал кружиться и хотя бы на секунду остановился. Когда же все кончилось, она почему-то поняла: то, что произошло, не имеет никакого значения, ничего в их отношениях не изменит и что больше ничего не будет.

А вот горьку ягоду рвать Людмилке пришлось одной. Убивала пошлость классики и то, что ненавистная тетка Антонина была права в части своих ханжеских предупреждений: ее соблазнили «по пьяни», и теперь она «несла в подоле». Арунас с тех пор в общаге не появлялся. Ребята говорили, что он в каком-то НИИ делает дипломную работу и что застать его практически невозможно. Адреса квартиры, которую он снял на этот год, якобы никто не знал. Людмилка догадывалась, что против закона мужской солидарности она бессильна, и поэтому потащилась в его институт и попыталась узнать в деканате, в каком конкретно НИИ он работает, но так как это был «ящик», тетка-секретарь сказала, что они таких сведений не дают, и отчихвостила ее по первое число, прямым текстом указав на то, что надо сперва ближе познакомиться и подумать о последствиях, прежде чем путаться с малознакомыми парнями, а потом разыскивать их, чтобы стребовать деньги на аборт.

Пришлось все рассказать Томке. Она, конечно, посочувствовала, но как-то вяло. В данной конкретной ситуации даже у сочувствия был свой ограниченный срок. Для начала стали осторожно разведывать среди подруг на предмет абортов и вышли на многоопытную Лильку с пятого курса. Лилька понимающе покивала головой и озвучила требуемую сумму, предусмотрительно заложив в нее неплохие комиссионные для себя, за хлопоты, и девчонки аж присвистнули. Восемьдесят рублей! Такие деньжищи надо было собирать.

— Ну, не знаю... Займите у кого-нибудь, продайте что-нибудь. Золото есть?

— Лиль, ты чего? Откуда золото? — выдохнула Людмилка.

— Любовничка тряхни. Пусть раскошелится на святое.

Глаза у Людмилки затуманились слезой.

— Понятно, — вздохнула Лилька. — Поматросил и бросил... Короче, мокрощелки, так: срок не заморозишь. Затянешь, — она повернулась к Людмилке и ткнула в нее длинным наманикюренным пальцем, — время упустишь, тогда вообще никто не возьмется делать. И ко мне тогда не бегай. Послезавтра, крайняк — суббота, ты мне говоришь, да или нет. Чао, бамбины.

К субботе Людмилка назанимала денег, но все равно немного не хватало — как раз Лилькиных процентов. Лилька встретила ее по-деловому:

— Ну что, набрала?

— Слушай, не хватает самую малость. Может, ты поговоришь с врачихой? Я обязательно отдам потом.

— Какое «потом»?! Людок, так дела не делаются. Ты пришла, отдала деньги, она тебя почистила, и все, вы разошлись. Ни она тебя не знает, ни ты ее.

— Лиль, а может, у тебя есть?

— Ты чего, Людок? Я — печатный станок, что ли? Я тоже в общаге живу, как и ты, тоже на степу кручусь.

— Лиль, что же делать? — И Людмилка заплакала.

Лилька задумалась.

— Ладно, я переговорю с врачихой, может, скостит тебе чего или отсрочит. Загляну вечером, сообщу результат.

Вечером Лилька вызвала Людмилку в коридор.

— Завтра идем на переговоры. Ты это... подмойся, бельишко получше...

Людмилка вспыхнула.

— Да ладно, не стесняйся. Дело житейское. Я же так, предупредить на всякий случай, может, ты не знаешь... Да, вот еще что. У меня время не казенное, а с тобой идти все равно придется. Так что возьмем такси. Туда и обратно. Я заплачу, но ты мне потом отдашь.

Людмилка закивала головой. Ей было уже все равно, десяткой больше, десяткой меньше...

БЛАГОДЕТЕЛИ

В воскресенье Лилька прямо у общаги тормознула как по заказу подъехавшего частника, поговорила с ним о чем-то через окошко, потом призывно махнула Людмилке рукой, они загрузились и поехали. Ехали долго, крутили по каким-то промышленным зонам, частично проехались даже по Кольцевой. Людмилка давно запуталась и перестала отслеживать маршрут, она только беспокоилась, чтобы водитель не оказался каким-нибудь бандитом или насильником. Но Лилька, сидящая рядом с ним, вела себя спокойно, курила, пуская дым в щелочку приоткрытого окна, и изредка перебрасывалась словами то с ним, то с Людмилкой, которой даже в голову не могло прийти, что он — давний Лилькин знакомый и один из ее постоянных любовников и что червонец за провоз она возьмет себе.

Наконец они заехали в какой-то переулок, объехали серое обшарпанное здание роддома и остановились с тыльной стороны, прямо под козырьком явно служебного входа.

— Давай мне деньги и выходи! — скомандовала Лилька Людмилке.

Та покорно отдала конвертик и вышла, Лилька задержалась в машине на несколько секунд и вылезла следом. Хлопнула дверца, машина взвизгнула и умчалась, а они вошли внутрь.

Их уже ждали. Миловидная женщина лет тридцати пяти в белом халате и накрахмаленной белой шапочке сухо кивнула им и повела к лифту. Они поднялись то ли на четвертый, то ли на пятый этаж, прошли длинный коридор, залитый мертвенным светом, завернули налево, в какой-то темный предбанник, женщина привычным движением вставила ключ в скважину и открыла кабинет. Усадив девочек на стулья у стола, она заняла свое место за столом и обратилась к Лильке:

— Ну, рассказывайте.

— Вот, подруга моя, Людмила, залетела. Рожать ей никак нельзя. Она из деревни, мать убьет. Галина Ильинична, помогите.

— Так, понятно. Лиля, ты выйди, посиди в коридоре.

— Конечно-конечно. Галина Ильинична, так, может, я больше и не нужна?

— В принципе, нет, не нужна. Дальше мы сами будем разбираться.

— А это? — Лилька повертела в руках конвертик.

— Потом, Лиля, потом.

— Тогда до свидания, Галина Ильинична.

— Всего доброго, Лиля.

Когда Лилька ушла, Галина Ильинична ободряюще улыбнулась Людмилке и сказала:

— Да не трясись, из любой ситуации всегда есть выход. Давай-ка ты мне сейчас расскажешь, когда, что.

Дальше все пошло и по протоколу, и не по протоколу. Когда протокол окончился и пылающая лицом Людмилка снова заняла свое место у стола, не по протоколу были заданы вопросы, чем Людмилка болела, были ли раньше у нее аборты, сколько в семье детей, нет ли алкоголиков, ненормальных, туберкулеза и много чего еще. А так как для Людмилки все это было впервой, то она подумала, что так и должно быть, и отвечала честно и откровенно, скрыв только пьющего отца и тот факт, что ребенок был зачат в пьяном состоянии. Признаваться и в том, и в другом было стыдно. Впрочем, для аборта это не имело ровным счетом никакого значения... Окончив допрос, Галина Ильинична вздохнула, помолчала и начала говорить:

— Послушай, ты, конечно же, в курсе, что аборт вреден для здоровья сам по себе. Я уже не говорю о том, что ты можешь навсегда остаться бездетной. Сейчас тебе кажется, что лучше никогда не иметь детей, чем рассказать матери все как есть и родить. Женщины потом ой как жалеют... Приходят, умоляют сделать хоть что-нибудь, чтобы забеременеть. Они согласны на любые операции, готовы заплатить любые деньги, только чтобы у них был ребенок. И все потому, что по дурости один раз совершили ошибку. Я уже не говорю о том, что любой аборт может иметь летальный исход. Риск всегда есть. Пусть маленький, но он есть. Роди. Напиши матери и роди.

— Я не могу, Галина Ильинична. Вы не представляете себе, что такое наше село. Все будут показывать на меня пальцем. Да отец меня на порог не пустит. Вы не знаете, как там у нас... Да еще тетка богомолка...

— Ну вспомни «Москва слезам не верит»... Не езди домой, устройся здесь на работу...

— Кто же меня, беременную, возьмет...

— Да, это правда... Никто не возьмет...

— Вот видите...

— Послушай, а как тебе такой вариант...

— Какой? — с надеждой спросила Людмилка.

— Одна состоятельная бездетная семья, кстати сказать, очень порядочные люди, уже несколько лет стоит в очереди на усыновление. Ты родишь и отдашь им ребенка. Все это время ты будешь жить не в общежитии, а на съемной квартире. Они будут тебя содержать. Ты ни в чем не будешь знать отказа. Когда ты отдашь им ребенка, получишь большие деньги, — и Галина Ильинична назвала космическую для Людмилки сумму. — Вот смотри, сейчас у нас ноябрь. Роды будем ждать в конце июня, двадцать пятого, скажем. Матери напишешь, что у тебя какая-нибудь там практика до августа. А в августе ты уже будешь свободна, приведешь себя в порядок и поедешь домой. Институт придется временно бросить. Осенью восстановишься. Лучше всего оформи академ. Как тебе мой план? И грех на душу не возьмешь, и людям доброе дело сделаешь, и сама поднимешься. Замуж выйдешь, все у тебя еще будет. Ты молодая, организм крепкий, нарожаешь себе детишек. Ну, как?

Оторопелая Людмилка сначала даже потеряла дар речи, но потом спросила:

— А подумать можно?

— Конечно можно, — улыбнулась Галина Ильинична. — Думай до среды. В среду придешь ко мне и скажешь, что надумала. Если нет — сделаем аборт, если да — анализы, — улыбнулась она еще раз. — Да, вот еще что. Ты, пока будешь думать, пожалуйста, не делись ни с кем. Лиле тоже знать ни к чему, о чем мы тут с тобой говорили. Скажи, что в среду пойдешь сдавать анализы. Но мой тебе совет: рожай. И решишь все свои проблемы. Такие деньги на дороге не валяются. Даже мне, чтобы скопить такую сумму, надо знаешь сколько отбатрачить? Да при этом еще не пить, не есть. Ну, как? Договорились?

Людмилка кивнула головой.

— Да, вот еще что. Захвати мочу на анализ. И обязательно приходи натощак.

Время до среды промелькнуло быстро, и она так и не смогла толком сосредоточиться, чтобы обдумать ситуацию и прийти к какому-нибудь решению. С одной стороны, хотелось мгновенного результата: раз — и все, и свобода. С другой стороны, деньги, и тоже свобода, но только через девять месяцев. «Хотя почему через девять? — думала она. — Уже через семь. До Нового года осталось всего ничего. Сдам зимнюю сессию — и в подполье. И никаких долгов не будет висеть, это раз. Заработаю — это два. Галина права: когда-то мне еще удастся такие деньги скопить... А так... Приоденусь как следует... Можно и в кооператив вступить, когда замуж выйду... И на обстановку кое-что останется».

В среду утром, пропустив лекции, она пошла к Галине Ильиничне, потому что идти надо было в любом случае. Та приветливо с ней поздоровалась и повела в лабораторию, разместившуюся в подвальном помещении, где Людмилка оставила свою баночку и сдала кровь из пальца и из вены. Галина Ильинична сунула лаборантке небольшую красивую коробочку конфет, и они прошли в уже знакомый кабинет.

— Ну, что ты решила? — спросила Галина Ильинична.

— Ничего, — честно ответила Людмилка. — Я не знаю, что делать...

— Квартиру тебе уже нашли. Недалеко от моей женской консультации. Вот здесь деньги на первое время, — и она протянула чистенький незапечатанный конвертик.

В нем было триста рублей. Пачка, состоящая из десяти- и пятирублевых купюр, была приятно полной, невыносимо волнующей и многообещающей. Таких денег в Людмилкином распоряжении никогда не было.

— Соглашайся, для тебя это шанс. Такое удачное стечение обстоятельств бывает раз в жизни.

— А можно еще подумать?

Глаза Галины Ильиничны нехорошо сузились, и лицо сделалось злым.

— Нет, нельзя. Не хочешь — не надо. Пойдем в операционную. И так у тебя срок на исходе. Думать уже некогда. — И она протянула руку к конверту.

— Я... Я... Сейчас...

— Дурочка! Ты и не заметишь, как пролетит время и все закончится. Никто и не узнает. Я буду тебя наблюдать, все будет под моим контролем. Не хочешь? Тогда пошли.

— Хорошо... Хорошо... Я согласна...

— Ну, вот и умница. Правильное решение. Тогда так. — Она набрала номер, сказала кому-то «Приезжайте» и потом принялась что-то писать на листке. — Это адрес женской консультации. Я принимаю по вторникам и четвергам с двух часов до семи. На следующей неделе придешь ко мне. Надо будет поставить тебя на учет. Что ты решила с институтом?

— Хочу сдать зимнюю сессию и в каникулы уйти.

— Что же, я думаю, можно. Только не нервничай. Теперь. Никаких сигарет, спиртного и интима.

Людмилка покраснела и соврала:

— Ну что вы... Я не курю, да и не пью...

— Мое дело предупредить. Считай, что ты поступила на очень ответственную и очень высокооплачиваемую работу. Так что уж будь добра соответствовать... Договорились?

Людмилка, сглатывая слезы, покорно кивнула.

— Ну что за детский сад... — мягко укорила Галина Ильинична. — Ну-ка, приободрись! Жизнь только начинается. Какие твои годы... Да, я вот еще что хочу тебе сказать. Никому ни слова. Никаких задушевных разговоров с подружками на эту тему быть не должно. Понимаешь, о чем я? Для посвященных скажешь, что сделала аборт. Хотя нет, не надо. Скажешь, что ошиблась насчет беременности. Дисфункция... Если хоть одна душа узнает об этом... Не дай тебе бог...

Людмилка опять покорно кивнула.

— Не так страшен черт, как его малюют. Если у тебя до сих пор нет токсикоза, то, скорее всего, уже и не будет. Так что отходишь беременность при нормальном самочувствии. Роды у тебя я буду принимать сама. Сделаем тебе обезболивающее, и ты не заметишь, как родишь. — Галина Ильинична тянула время. — Я сейчас расскажу вкратце, что тебе нужно знать, — и она начала общеобразовательную лекцию на тему «Беременность и роды».

В дверь тихонько постучали, и тут же заглянула женщина.

— Входите, — пригласила Галина Ильинична. Женщина зашла. — Добрый день еще раз. Вот эта девушка. Покажите ей квартиру.

СЪЕМНАЯ КВАРТИРА

Пока Людмилка жила еще в общаге, ей особенно некогда было задумываться о ситуации, в которую она попала. То есть, конечно, она думала об этом, но как-то вскользь. Она практически никогда не оставалась одна, и ее постоянно что-то отвлекало. Лекции, семинары, потом зачеты, Новый год, экзамены, старый Новый год... К ночи было только одно желание: завалиться в постель и заснуть. Кроме отсутствия месячных, беременность никаким образом не давала о себе знать, и получалось, что как бы ничего не происходит. Вот только низ живота на ощупь был каменным, и она немного располнела, но самую малость. Однако она переживала, что кто-нибудь заметит изменения в фигуре. Поэтому, сдав сессию, Людмилка на Татьянин день сказала подружкам, что едет домой, собрала вещички и ушла жить на квартиру. Домой же она заранее написала, что решила не тратиться на дорогу и провести каникулы в Москве и что у них последнее время часто воруют и вскрывают почту, и попросила мать посылать письма до востребования на такой-то номер почтового отделения.

Жизнь в квартире поначалу, в первые дни, показалась райской. Людмилка отдыхала от шума, суеты, толкотни общежития и института, но через какое-то время, сконцентрировавшись на самой себе, стала постепенно втягиваться в перемалывание неприятных мыслей и даже чуть не впала в депрессию. Она начала плакать сначала ночами, потом иной раз и днем, а потом поняла, что слезы уже просто не уходят из ее глаз. Однажды, после самой настоящей истерики, она почувствовала, что в животе что-то явно шевельнулось. И хотя она вроде бы и раньше время от времени испытывала подобное ощущение, но на этот раз оно было явным, грубо-реалистичным и ее испугало. Людмилка встала, пошла в ванную, умылась холодной водой, потом прошла на кухню, сделала себе пару щедрых бутербродов, налила чаю, от души накидала туда сахара и бездумно проглотила приготовленное. В животе опять что-то шевельнулось. «Пучит, наверное, — подумала Людмилка. — Не надо было утром есть столько капусты. Я знать не хочу никакой беременности, никакого такого ребенка. Нет там никого. Просто в положенное время я пойду в роддом и там вроде как пописаю или покакаю чем-то, что очень нужно каким-то там гражданам. Вот пусть они это забирают и делают с этим, что хотят. А я получу свои деньги и заживу теперь уже по уму. Больше я такой дурой не буду. Я все преодолею, всех обману, я вылезу наверх и еще пройдусь по головам всех этих дур и придурков, я еще им докажу. А там, в животе, нет ничего такого, о чем стоило бы думать или переживать».

ОТРАБОТАННАЯ СХЕМА

Все было очень хорошо продумано. Медсестра отпускалась пораньше, часиков в шесть, потому что жила в Подольске и ей надо было успевать то ли на какую-то определенную электричку, то ли на автобус, а Людмилке назначалось время — половина седьмого. Кроме того, Галина Ильинична завела две карты, одну на Людмилку, а другую — на некую Марину Сергеевну, и в обе заносила все данные о состоянии здоровья Людмилки. Когда сдавала анализы Людмилка, в тот же день сдавала анализы и Марина Сергеевна, и листочки шли по своим картам. Недостающие данные Галина Ильинична вписывала в карту Марины Сергеевны сама и убирала ее в сейф.

Часто за Людмилкой занимала очередь к врачу очень хорошо и дорого одетая женщина лет тридцати пяти, украдкой внимательно разглядывала ее, но никогда не заговаривала. По слегка округлившемуся животу было похоже, что у нее приблизительно такой же срок, как и у Людмилки.

Один раз с женщиной был мужчина, очевидно, муж, значительно старше ее, красивый солидный блондин, высокий, немного полноватый. Он без стеснения рассматривал Людмилку и, встречаясь с ней глазами, отводил взгляд, но через некоторое время опять принимался разглядывать. В кабинет муж и жена зашли вместе, сразу же после того, как оттуда вышла Людмилка.

В консультацию она ходила раз в две недели, докладывала о своем самочувствии и получала рекомендации.

В случае какой-либо непредвиденной ситуации или же если вдруг она почувствует себя плохо, Людмилке было предписано незамедлительно звонить той женщине, которая показывала квартиру. Обращаться к кому-либо еще, минуя этот телефонный звонок, было запрещено. Это считалось недопустимым нарушением и автоматически аннулировало договор.

1986 ГОД. ОБЛОМ

Людмилка так привыкла жить хорошо, что даже перестала думать о том моменте, когда ей придется распроститься со своей беззаботной жизнью и опять выйти в большой и суровый мир, жить в общаге, ходить на лекции. Да и чего было перемалывать воду в ступе? Деньги у нее будут, она приоденется, так что все усилия пойдут на поиски мужа. Она часто вспоминала ту роскошную женщину, которая обычно занимала за ней очередь в женской консультации, и ее холеного мужа и завидовала. Конечно, ей бы тоже хотелось вот так выйти удачно замуж, иметь свою квартиру, достаток, не работать, сидеть дома и не тревожиться о завтрашнем дне. Заниматься собой, ходить в парикмахерские, в бассейн, ездить отдыхать в санатории в Крым или на Кавказ, принимать культурных гостей... И она будет так жить.

В конце мая она опять увидела эту женщину и удивилась: живот, конечно, был заметен, но она не раздалась так, как раздалась сама Людмилка. Женщина опять пришла со своим мужем, и у обоих был виноватый, подавленный и, как показалось Людмилке, испуганный вид. Что-то у них не ладилось. «В каждой избушке свои игрушки», — еще подумала она, выйдя из кабинета и неторопливо складывая свои бумажки в сумочку. Зажглась красная лампочка, приглашая следующую посетительницу. Муж с женой поднялись и вошли. За дверью послышались громкие голоса, а потом Людмилка услышала, как женщина зарыдала.

Они сидели за столом растерянные и молчали. Хуже всех было Галине Ильиничне. Она мысленно перебрала сначала возможные наихудшие направления развития скандала и его последствия, затем все свои действия касаемо этого дела, потом похвалила себя за осмотрительность и осторожность и, наконец, сказала:

— Да-а... Вот это поворот... Давайте все успокоимся и подумаем, что тут можно сделать. Мы втянули девочку в эту историю и теперь в какой-то мере несем ответственность за ее дальнейшую судьбу и за судьбу ребенка.

— Безусловно, Галина Ильинична. Никто и не собирается пускать все на самотек. Но что вы предлагаете? — В тоне Геннадия Александровича проскользнули недовольные агрессивные нотки, и Галина Ильинична их четко уловила. — Не делать же Мариночке теперь аборт только из-за того, что мы... что эта девица...

— Понимаете, — встряла Марина Сергеевна, — мы хотели усыновить ребенка так, чтобы никто никогда не догадался о том, что он не родной. Любой другой вариант был для нас неприемлем. Если наш договор останется в силе и мы его усыновим, то как объяснить потом разницу в возрасте в несколько месяцев? Но даже если в пять-шесть лет она не будет уже видна и даже если мы уладим дело с датами в свидетельствах о рождении, где нам скрываться эти годы? Как это технически сделать?

— Вы же сами понимаете, у меня ответственная должность, я не могу оставить работу, уйти в безвестность, потерять все свои связи, — добавил муж. — Это нереально, да и не все от меня зависит.

— И, кроме того, мы не рассчитывали на двоих детей. И потом, я не знаю, как буду относиться к приемному, когда у меня будет свой. — Марина Сергеевна опять заплакала.

— То есть вы окончательно отказываетесь? И принятое решение не может быть изменено? — спросила Галина Ильинична.

— У нас просто нет выбора. Вы должны нас понять. Это все ужасно, но надо найти какой-то приемлемый выход из создавшейся ситуации. Такой, который бы устроил всех. — Было понятно, что Геннадий Александрович уже имеет свой план.

— И что вы предлагаете?

— До родов и плюс еще два месяца мы оплачиваем квартиру и выплачиваем ее ежемесячное пособие без изменений.

— Три, Гена. Мы же с тобой говорили о трех.

— Хорошо. Три. Далее: мы даем ей некую сумму, которую установим все вместе, с вашей помощью, Галина Ильинична, но, разумеется, не ту, о которой первоначально шла речь. А потом она может отдать ребенка в ясли и со временем подыскать для него приемных родителей. Или в роддоме отказаться от него. Насколько я помню, она хотела сделать аборт...

— Возникает несколько неприятных моментов. — Галине Ильиничне все больше и больше не нравился раздраженный тон Геннадия Александровича. — Ну, во-первых, кто сообщит девочке, что надобность в ее ребенке отпала и что она мало того что не получит обещанное вознаграждение, но и еще должна сама устраивать его судьбу? Во-вторых, совершенно неизвестно, как она сама ко всему этому отнесется, какая будет реакция. Здесь можно ожидать всякого. В-третьих, ни о каком отказе в роддоме речи быть не может. Это мой роддом, и, сами понимаете, скандала я допустить не могу. А вдруг она сгоряча кому-нибудь все выложит? Я так рисковать не могу. В-четвертых, у нас с вами было вполне деловое соглашение, я рисковала, я оказывала вам определенные услуги и полагаю, что, вне зависимости от сложившейся ситуации, должна получить именно столько, сколько было оговорено в самом начале. — Галина Ильинична нарочно оставила самый животрепещущий для нее вопрос напоследок, чтобы не возникло впечатления, что ее больше всего волнуют деньги.

Геннадий Александрович нахмурился.

— По первому пункту. Вы же понимаете, что мы не можем с ней иметь дело. Она ни в коем случае не должна знать, кто был заказчиком. Потому что тогда шантаж неизбежен. По второму пункту. Меня совершенно не интересует, как она к этому отнесется. Она получит не более того, что мы с вами решим. Не жирно ли ей будет, если она наживется на нас, а потом еще на ком-то, кому она отдаст ребенка на усыновление? По третьему пункту: тут мы будем полагаться исключительно на вас, и все это будет достойно оплачено. И, наконец, по четвертому, самому легкому и приятному... Галина Ильинична, неужели вы могли допустить, что конкретно наши с вами договоренности могут быть каким-то образом нарушены? Все, о чем мы с вами договаривались, остается в силе. Более того, мы готовы хоть сейчас произвести полные и окончательные расчеты, и, как я уже упоминал, даже увеличить оговоренную сумму, если вы поможете нам в переговорах с этой девицей, если возьмете хлопоты на себя.

Галина Ильинична задумалась: «Найти ребенку родителей вот так, с ходу, не удастся. Времени осталось всего ничего. Но это и не моя вина, что получилось именно так. Главное, чтобы Людмила не пошла в отказ прямо в роддоме, иначе может получиться недопустимый скандал. Кстати, остается еще один вариант: она может к нему привязаться и вообще не захочет никому отдавать. Так что пусть все идет своим чередом. На квартире она может пожить и больше, деньги у нее будут, а там — по обстоятельствам. А что, если...» В голове у Галины Ильиничны промелькнула одна мысль, надо сказать прямо, нехорошая, и она решила, что дома, в спокойной обстановке, обдумает ее, взвесит все риски и преимущества, а там уже решит, можно будет так действовать или нет, — и утвердительно кивнула головой.

ЛЕТО 1986 ГОДА. РОДЫ

Роды начались на десять дней раньше запланированной даты. Людмилка хорошо помнила, что Галина Ильинична говорила о 25 июня, и когда 16-го у нее вроде бы начались слабые схватки, она, как и было оговорено, сначала позвонила своей телефонной патронессе, но там совершенно незнакомый мужской голос сказал, что она ошиблась номером. Людмилка позвонила еще раз, извинилась и назвала номер, по которому ей было велено звонить, если что. Тот же голос сказал, что набирает она правильно, но здесь таких нет.

— Как же так? Я же должна в случае чего звонить по этому номеру, — удивилась Людмилка.

— Что значит — в случае чего?

— Да как вы не понимаете! У меня схватки!

— А я здесь при чем? Звоните в «Скорую». И не хулиганьте больше.

— Подождите! — закричала Людмилка, но на том конце раздались короткие гудки.

Она звонила туда еще несколько раз, но все время шли короткие гудки. Похоже было, что на том конце просто сняли трубку и положили ее рядом с аппаратом.

Людмилка заметалась в поисках номера телефона женской консультации. Он точно где-то был записан, на каком-то листке, но так как звонить туда случая не было, она куда-то его сунула и теперь не могла вспомнить куда. Обыскав безрезультатно всю квартиру, она попыталась через справочную узнать номер телефона женской консультации. Сначала долго не могла дозвониться до самой справочной — все время было занято. Когда дозвонилась и ей наконец его продиктовали, она принялась звонить теперь уже в консультацию, но опять наткнулась на короткие гудки. Через сорок минут бесплодных попыток трубку взяли и ответили, что Галина Ильинична сегодня не принимает. Только по вторникам и четвергам. И положили трубку.

Схватки между тем становились все сильнее и сильнее, и Людмилка запаниковала. Она еще сколько-то времени судорожно звонила в консультацию и опять натыкалась на короткие гудки. Потом та же девушка в регистратуре взяла трубку.

— Простите, — чуть не плача взмолилась Людмилка, — вы не могли бы дать мне домашний телефон Галины Ильиничны?

— Мы домашние телефоны не даем.

И трубку повесили. Это был кошмар. Людмилку осенило, что надо ехать в тот роддом, где она работает. Точный адрес она не знала, но приблизительно помнила, как туда ехать. «Нужно собраться, взять такси, — лихорадочно соображала Людмилка. — А вдруг ее там нет?» Людмилку прошиб холодный пот. «Ну и что? Нет так нет. Не выгонят же они меня. Завтра или послезавтра она придет на работу и найдет меня. Я какую-нибудь нянечку попрошу за ней сходить...»

Она потянулась к верхней полке стенки, на которой лежали документы, — и тут чудовищная сила так сдавила ей живот, что она от боли согнулась пополам. Дождавшись, когда отпустит, она сделала вторую попытку, достала документы, и тут ее опять скрутила боль. Дождавшись передышки, она принялась опять звонить в справочную, чтобы узнать номер вызова такси, но там было стабильно занято. Испугавшись, что ей придется долго пробиваться сквозь короткие гудки, она набрала 03.

Рожала Людмилка тяжело и долго на Соколиной Горе, в инфекционном отделении, потому что свободное место на тот момент было только там. Хотели делать кесарево, но обошлось. Девочка родилась слабенькой, и ее сразу же куда-то унесли, а сама Людмилка впала в забытье.

Кровопотеря была значительной, начались осложнения, и врачи даже опасались за ее жизнь. Безучастной, обессилевшей Людмилке ставили капельницы, делали какие-то уколы, пичкали таблетками, постоянно брали кровь на анализ то из вены, то из пальца, к ней в палату часто заходили врачи, о чем-то тихо переговаривались... Только через две недели, когда она первый раз смогла встать с кровати, врачи рискнули сказать ей, что дочка находится сейчас в детской больнице, куда ее направили с подозрением на сепсис. К концу третьей недели, в понедельник, полуживую, исхудавшую и похожую на смерть Людмилку выписали домой.

Открывая дверь, она услышала, что звонит телефон. Пока она возилась с ключами, он замолчал, но буквально через пять минут зазвонил опять. Женщина представилась ей новой хозяйкой квартиры, которую снимала Людмилка, и сообщила, что, к сожалению, так складываются обстоятельства, что она вынуждена попросить ее через неделю съехать. Голос был незнакомый.

— Послушайте, мне эту квартиру сдали люди, с которыми я связана одним важным договором. Я не могу вот так съехать отсюда, не переговорив с ними. Мне обязательно надо с ними связаться.

— Девушка, прежние хозяева продали нам эту квартиру и переехали куда-то то ли в Краснодар, то ли еще куда. Так что по документам квартира теперь наша. Они нас предупреждали, что у них живет студентка-квартирантка, но сказали, что вы их подвели и что ваши договоренности аннулируются. Это, как я понимаю, вы и есть.

— Но как же так?! Понимаете, мы с ними...

— Девушка, это вы с ними, а не с нами. Еще раз вам объясняю: мы — новые владельцы квартиры. И скажите спасибо, что мы даем вам неделю, чтобы найти другую. Так что будьте уж так добры. Не с милицией же нам решать этот вопрос.

Ошеломленная Людмилка, не понимая, как такое могло случиться, ответила «Хорошо» и повесила трубку. Во всяком случае, у нее была в запасе неделя.

На следующий день она поплелась в женскую консультацию. Там ей сказали, что Галина Ильинична со вчерашнего дня в отпуске и будет через месяц.

РЕШЕНИЕ ПРОБЛЕМЫ

Весь вторник Людмилка лежала и размышляла о том, что ей делать дальше и как жить. Она уже поняла, что совершила страшную ошибку, доверившись чужим людям, втянувшим ее в эту аферу и так подло бросившим в самый тяжелый момент, и теперь надо было как-то исправлять последствия катастрофы. Где-то в больнице лежал ее ребенок, а может быть, уже и не лежал, может быть, он умер... Если бы умер, не было бы проблем. А если жив? Вернее, жива? В любом случае надо идти туда и узнавать, что и как. А если ей скажут, что девочка выздоровела и ее надо забирать? Господи! Мало того, что ей не нужен этот ребенок, у нее нет ни детских вещей, ни коляски, ни молока... Ей надо съезжать с квартиры... Куда?! Деньги имеют обыкновение быстро заканчиваться... Остается только одно: ехать домой. «Здравствуйте, папа и мама, здравствуй, тетя, вот я и принесла в подоле, как ты каркала!»

И вдруг она обозлилась: «Пошли все в задницу! Так, спокойно. Ребенка в любом случае надо забирать? Надо. А почему? А потому, что, если я не заберу, они меня найдут в деревне, по адресу... по паспортным данным... Я его заберу и сдам в детский дом. Да. Сдам в детский дом. Сколько займет времени это оформить? А вдруг месяц или два? А если больше? Скорее всего, даже больше... Могут сообщить в институт. Попрут из комсомола... Нет, это не пойдет. Так. Хорошо. Тогда что? Я его забираю — и что? Что я делаю? Господи, что же делать?! А делаю я вот что: я его подбрасываю. И шито-крыто. Неизвестно чей ребенок... Меня точно не найдут... Подбрасываю. Куда я его подбрасываю? Все равно куда. Хоть у магазина оставляю коляску... Да, точно... Я оставляю коляску у магазина. Стоп. Коляски у меня нет. Придется ее купить. Черт! Нет, деньги мне тратить нельзя. Коляску можно украсть».

В среду Людмилка проснулась очень рано. Она встала, открыла импортную банку ветчины, хорошо поела, выпила кофе и принялась укладывать свои вещи. Для начала она подпорола подкладку в своей сумочке, спрятала туго завернутые в носовой платок (чтобы не шуршали) сэкономленные деньги и аккуратно зашила подкладку. Просмотрела шкафы, не оставила ли чего. Из холодильника выгребла то, что перенесло бы дорогу, и уложила все в чемодан. Затем пошла в ванную и сделала себе вульгарный макияж. Не стала только красить губы, но губную помаду, самую яркую, какая была у нее в наличии, положила в сумочку. Затем, хотя было тепло и сухо, надела длинный хозяйский плащ, висевший за ненадобностью в прихожей, повязала на голову платок, нацепила черные очки и подалась в «Детский мир».

Там она сказала продавщице, что хочет купить в подарок своей родившей подруге комплект для новорожденного: «Думала-думала, что подарить, и решила, что уж это никогда не будет лишним». Та, улыбаясь, набрала необходимых вещичек.

Оттуда Людмилка поехала в Морозовскую больницу, где находилась ее дочь. Девочка была уже здорова, и лечащий врач, выслушав историю родов, посочувствовала ей и, подозрительно поглядывая на Людмилкино размалеванное лицо, принялась оформлять выписку.

— Это правильный адрес? — Врач прочитала адрес съемной квартиры. Людмилка кивнула. — Завтра к вам придет районный педиатр. А в дальнейшем вы уже будете сами ходить в поликлинику наблюдаться.

— Знаете, я ведь снимаю квартиру и как раз собиралась ехать домой, в деревню. Забрать дочку и уехать. У меня сейчас мать живет. Помогать приехала, — на ходу сочиняла Людмилка. — Она считает, что там нам будет лучше. У нас корова, козы...

— Она правильно считает. Но вы же не сегодня уезжаете?

— Нет, не сегодня. Сегодня мы билеты не успеем взять. Завтра поедем. С утра.

Врач пожала плечами и сделала какую-то пометку у себя в бумагах:

— Рискованно, конечно. Девочка слабенькая. Да и вы тоже. Впрочем, как хотите. Это, конечно, вам решать. Вот на всякий случай номер вашей районной детской поликлиники.

— А какой у нее адрес? На всякий случай... Мало ли что, вдруг задержимся.

— Адрес? Сейчас посмотрим. — Врач взяла служебный справочник, заглянула туда и на отдельном листочке написала адрес. — Ну, что же, Людмила Николаевна, всего вам хорошего. Больше к нам не попадайте и не болейте.

— Мы не будем. Спасибо вам.

Медсестричка взяла детские вещи и ушла, а через несколько минут вынесла крошечный сверток. Людмилка откинула треугольник и заглянула: мирно посапывающая кроха сосала пустышку. В душе ничего не шелохнулось.

На улице было жарко и душно, парило, свинцово-сизое небо обещало грозу. Надо было торопиться. Людмилка проголосовала, и ее посадил к себе в машину какой-то сжалившийся частник. Она дала адрес детской поликлиники, и они поехали. Через полчаса были на месте. Слава богу, район был ей хорошо знаком. Людмилка, убедившись, что машина уехала, подошла к зданию. У входа стояло не меньше десяти колясок. Она воровато огляделась, сунула дочку в первую ближайшую, ухватившись за ручку, круто развернула коляску и буквально побежала к домам. Мелькнула запоздавшая мысль: «Идиотка, надо было просто положить ее и уйти», но теперь уже возвращаться было нельзя.

Дворами вышла на другую улицу, долго по ней шла, пересекла еще одну и направилась к двухэтажному продуктовому магазину-стекляшке с двумя входами-выходами. Боясь, что ее могут заприметить какие-нибудь востроглазые бабки, она быстрым шагом подошла почти вплотную к дверям, поставила коляску, наклонилась над ней, вынула из сумочки губную помаду, украдкой намалевала губы и вошла в магазин, на ходу стягивая с головы платок, затем сняла черные очки, встряхнула головой и рассыпала по плечам свои роскошные длинные волосы.

Сначала она подошла к очереди в бакалею. Постояла там чуть-чуть, сняла плащ и сунула его в пакет. Затем покрутилась у кондитерского отдела и пошла к другому входу. Выйдя из магазина, Людмилка, не оглядываясь и убыстряя шаг, направилась в сторону, противоположную той, откуда пришла. За спиной она услышала детский плач, горький и беззащитный, как будто бы ее крохотная дочка почувствовала, что мама уходит навсегда. Упали первые тяжелые капли дождя, и тут же полило как из ведра. Людмилка побежала прочь...

Ребенок кричал и кричал. Сначала сердобольные молодые мамаши, укрывая коляску зонтом, пытались качать ее и уговаривали, что мама сейчас придет, но мама не шла. Стали останавливаться вездесущие осуждающие старушки. Потом какой-то мужчина не выдержал, вошел в магазин и прокричал:

— Чей ребенок разрывается там, на улице?! Поимейте совесть, мамаша, подойдите! Ливень же!

Но на призыв никто не откликнулся. По одной начали выходить продавщицы, посмотреть, что происходит. Скоро стало понятно, что ребенок бесхозный. Доложили директору магазина. Тот вышел, поговорил с собравшейся толпой и, недолго думая, позвонил в милицию. Приехала милиция, опросила свидетелей; вызвали неотложку, и ребенка увезли. Толпа еще долго не расходилась. Кто-то говорил, что мамашей была приличная женщина лет тридцати, кто-то — что непотребного вида алкоголичка, кто-то — что молодая девчонка в косынке и светлом длинном плаще, а кто-то — что и вовсе мужчина. Постепенно народ стал расходиться: у всех была своя жизнь, свои дела.

БЕГСТВО

Промокшая насквозь Людмилка дворами пробралась на квартиру. Времени терять было нельзя. Она переоделась в сухое, тщательно смыла косметику, подхватила чемодан и сумку, оставила ключи на столе, вышла и захлопнула за собой дверь. Затем она уже городским транспортом поехала на вокзал, сдала вещи в камеру хранения и пошла к кассам за билетом. Билетов, естественно, не было. Она пошаталась по магазинам, поела в забегаловке, вернулась на вокзал, забрала вещи из камеры хранения и села дожидаться своего поезда. Когда подали поезд, она договорилась с проводницей и через час уже устраивалась на верхней полке купе: кто-то то ли передумал ехать, то ли опоздал на поезд.

Пассажиры суетились недолго. Вскоре мужчина, кряхтя и чертыхаясь, залез на вторую верхнюю полку и затих, две женщины внизу немного поговорили и тоже угомонились, и милосердный полумрак купе окутал измученную и окончательно выбившуюся из сил Людмилку. Поезд тронулся. Мимо поплыли сначала медленно, а потом быстрей и быстрей огни. Опять пошел дождь, и грязное стекло окна начало плакать. И тут на нее навалилось: она, как наяву, увидела одиноко стоящую в темноте у опустевшего продуктового магазина коляску, которую заливает ливень, и услышала жалобный плач ребенка. Волосы на голове зашевелились от ужаса, и Людмилка села. «Господи! Что же я наделала! Что я наделала?!» И, загоняя вой куда-то в глубь своего сердца, она беззвучно заплакала. Уже пришла спасительная мысль, что, конечно же, девочку забрали, что не может такого быть, чтобы коляска так и осталась на улице, но перед глазами все стояло личико ребенка, которое она видела единственный и последний раз, а руки ощущали слабое тепло, исходящее от маленького сверточка. «Как я могла? Как только мне в голову могло такое прийти? Сойду на первой же станции и поеду обратно...» А поезд уносил ее все дальше и дальше, и было понятно, что «первая станция» в ближайшем времени не предвидится, огни мелькали, окна плакали, колеса что-то выговаривали, но что — понять было невозможно. Она, все еще беззвучно сотрясаясь от рыданий, опять легла и стала думать о том, как будет искать свою дочь, и что ей придется говорить в милиции, и что скорее всего ее если не посадят, то лишат материнских прав за то, что она натворила. Потом сообщат в институт. Будет скандал. Все об этом узнают и будут шушукаться на ее счет. Но тогда какой в этом смысл? Ошибка уже совершена, и теперь вряд ли что-то можно исправить. Веки стали тяжелыми от слез, от нервного напряжения, усталости, и, засыпая, она поняла, что говорили колеса: «переждать-переждать, переждать-переждать». Она прислушалась. Нет, скорее «переждать-пережить, переждать-пережить».

В весенне-летние месяцы автобусы ходили нерегулярно: то посевная, то уборочная... Но последний автобус все-таки пришел, и водитель сам с удовольствием утрамбовал последних бойких ядреных пассажирок, смеющихся и матерно костерящих его на чем свет стоит, и закрыл двери. Потом он, не торопясь, принимал передававшиеся через головы деньги за проезд, беззлобно переругиваясь и обещая всех высадить и вообще отменить рейс, но в конце концов повез. Сначала долго и медленно ехали по пыльному, вымирающему к девяти часам городу, потом посвежело, запахло скошенной травой — выехали на большак. Примерно через час на предпоследней остановке Людмилка вышла и поплелась с тяжелой кладью в сторону своего села. Идти было километра три, и в другое время она бы и не заметила, как дошла, но не теперь. Чемодан и большая спортивная сумка отмотали ей руки, они ныли и, казалось, стали длинными, как у обезьяны. Сумочка с тупым упорством сползала с плеча, и ее все время приходилось поправлять, а скорости это не прибавляло. Так что домой она постучала, когда уже было темно. На кухоньке горел свет, и сквозь щелочку в занавесках было видно, что за столом, помимо отца с матерью, сидит тетка Антонина. Людмилка собрала остатки сил и бодрым голосом крикнула:

— Открывайте, свои приехали!

— И много вас, своих, прибыло? — отозвалась тетка Тоня, отпирая дверь.

— Сколько ни есть — все ваши, — отшутилась Людмилка.

Мать жалела исхудавшую и как бы даже составившуюся Людмилку и винила себя, ибо именно она сделала все для дочери, когда та надумала ехать в Москву за высшим образованием. С тревогой и сожалением вглядываясь в старообразное лицо дочери, она думала, что муж с Антониной были правы: дите без присмотра, без еды, без ласки, в каком-то общежитии... И это она еще института не закончила... А что будет, когда работать пойдет? Опять общежитие? Девка-то, конечно, видная, но там, в Москве, своих невест хватает. Тем более она без жилплощади... А вернется сюда, кем ей здесь работать? Разве в райцентр подаваться... Что то же самое получается: опять одна-одинешенька, без присмотра... Отец помалкивал, но было видно, что и он заметил разительную перемену в дочери, и страшно этим недоволен.

А вот Антонину как подменили: она ходила тихая, какая-то благостно-вопросительная, каждый раз за столом норовила подложить Людмилке кусок получше да повкуснее и с тревогой, виновато, но понимающе заглядывала ей в глаза. «Догадывается, — думала Людмилка, — проклятая Антонина обо всем догадывается, вот-вот с разговорами полезет». Но проходили дни, а тетка все не лезла и этим несказанно мучила Людмилку. «Уж лучше бы спросила, а я бы ей ответила, как ни в чем не бывало. Пусть там думает, что хочет, а ничего не было. И все тут. Буду стоять насмерть». К концу второй недели Антонина вроде как захворала и залегла у себя, на своей половине. Людмилка сразу почуяла военную хитрость тетки и со страхом ждала развязки. Поэтому, когда мать попросила ее отнести болящей блинцов и молочка, Людмилка покорно поплелась.

Тетка лежала на высокой железной кровати, и вид у нее был такой, что Людмилка даже испугалась.

— Тетечка, болит что-нибудь? Температуру мерили?

Тетка отмахнулась.

— Давайте я сбегаю за градусником...

— Не надо, Людмилка. Чего намерять? Старость это...

— Да какая старость? О чем вы говорите?

— Не скажи. Я на двенадцать годочков старше твоего отца буду, а он полтинник давно перевалил. Вот и я, считай, седьмой десяток разменяла... О-хо-хонюшки... Вся разваливаюсь, как драндулет старый...

Песенка эта могла быть бесконечной, и Людмилка поспешила переменить тему:

— Поели бы блинцов, пока горячие. Остынут — невкусно будет.

— Эх, Людмилка, Людмилка... Это у вас, молодых, вкусно-невкусно... Не хлебнули...

Тетка Антонина довольно проворно села на постели и, взяв Людмилку за руку, неожиданно спросила:

— Что с дитем сделала?

Людмилка опешила до такой степени, что вместо заготовленного нахального «С чего вы взяли?» прошептала:

— Откуда вы знаете? — И тут же поняла, что сдала самое себя с потрохами, что обратной дороги нет, что теперь, пока тетке не будет известно все, она не отстанет, и что начинается тот самый позор, которого она так боялась и из-за которого натворила дел.

— Не слепая. Вижу — обабела ты... Даром что худющая... Как только мать с отцом не заметили, не знаю.

Глаза у Людмилки наполнились слезами, и, к своему удивлению, испытывая облегчение, она начала рассказывать тетке, как было дело.

К концу рассказа обе плакали, хлюпая носами. Тетка Антонина, перетянув Людмилку к себе, обняла ее и, поглаживая голову, принялась утешать:

— Бедная ты бедная, головушка садовая, сколько же тебе перетерпеть довелось... Как же ты там одна-одинешенька вынесла все это? Как подумаю, сердце мое кровью обливается... Ничего, ничего, мы с тобой что-нибудь придумаем... Только мамке с отцом не сказывай. Сами разберемся. Главное, что родила все-таки, не сгубила душу. А то вон мать твоя из больниц не вылезала, каждые полгода — аборт, полгода — аборт... Шутка ли: одиннадцать нерожденных на ней висят... Толпятся их души вокруг нее и денно и нощно и покоя не дают... Плачут... Как я с ней воевала, уж как воевала... А у тебя все еще будет. Захочешь — найдем дите, а то, может, усыновил уже кто, так еще родишь себе, замуж выйдешь. Ты сейчас живи, ни о чем не думай. Тебе сил надо набраться, окрепнуть, а там видно будет...

ОСЕНЬ 1986 ГОДА.
ПОПЫТКА НОМЕР ДВА

Людмилка уезжала в Москву с твердым намерением никогда больше не возвращаться в свою деревню. Она еще не знала, как будет жить дальше, удастся ли восстановиться в институте, что делать, если не удастся, где тогда жить... Но, как бы там ни сложилось, она что-нибудь придумает, как-нибудь исхитрится, но сюда не вернется ни за что, по крайней мере, пока жива тетка Антонина, которая своим навязчивым, назойливым сочувствием, причитаниями и душеспасительными разговорами чуть не довела Людмилку до умопомешательства.

С непроницаемым лицом Людмилка нагло прошла мимо дремлющего старичка-вахтера, поднялась на свой этаж и — слава богу, в свое время додумалась сделать дубликаты ключей, — вошла в свою комнату. Судя по пыли на мебели, девчонки еще не приехали. Вещи она распаковывать не стала, вынула только самое необходимое, запихнула кое-как чемодан и все ту же огромную спортивную сумку во встроенный шкаф и поплелась в душевую. На ночь она поела из того, что собрала ей мать в дорогу, и уснула как убитая.

На следующий день, на всякий случай уложив волосы, подкрасившись и приодевшись, она пошла в деканат узнавать, как ей быть дальше. Декан, крикливая, грубоватая, но добрая женщина, с которой можно было бы как-то договориться, была в отпуске, и в кабинете восседал замдекана, молодой и вальяжный Лев Владимирович Трубкин, в студенческом обиходе Труба или просто Левчик.

— Ты ко мне? Заходи. Что у тебя?

Людмилка долго и складно рассказывала, как тяжело болела ее тетка, и как за ней некому было ухаживать, и как потом тетка умерла, а на похоронах отец напился, и у него случилось прободение язвы желудка, и его пришлось везти в районную больницу, и что операция была неудачной, и ей, Людмилке, приходилось разрываться между хозяйством и райцентром... Лева слушал, понимающе кивал головой, листал ее папку и в уме прикидывал, что скорее всего так оно и было, как она говорит, но что денег за безболезненное восстановление, конечно же, с нее слупить явно не получится, потому как деревня. Однако же получить натурой тоже было бы недурно. Он закрыл папку, вздохнул и сказал:

— Должен тебя огорчить, но, боюсь, восстановиться будет сложновато.

Людмилка заплакала и опустила голову так, что с плеч на грудь заструился водопад волос.

— Ну-ну, только не реви. Подожди. Я же еще не все сказал. Вот что, сейчас уже двенадцать, а я еще не завтракал. Пойдем-ка с тобой в кафешку, посидим, обсудим. Пока декана нет, я тут решаю все. — И нараспев добавил: — Я — тут — все — ре — ша — ю...

Они посидели в кафе, поговорили о том о сем, потом он попросил ее зайти с ним в универмаг и помочь выбрать галстук к новому костюму. Потом он сказал, что ему нужно заехать домой взять какие-то бумаги и вернуться в деканат, где Людмилка должна будет написать объяснительную и заявление. Они зашли к Леве домой, потом уже в постели пили какое-то кислое красное вино, курили и опять говорили о том о сем. Время бежало быстро, и Лева решил, что будет лучше, если она придет завтра, и тогда он все быстренько оформит, пока нет декана.

— Ох, и влетит же мне за тебя, Людмила! Фактически я совершаю противозаконное действие, подлог, можно сказать...

Обещание свое он выполнил, и Людмилка восстановилась на третий же курс, с потерей года. В общаге ее поселили опять с Томкой и Машкой, и жизнь пошла по своей накатанной дорожке.

Первый семестр ей делать было нечего: у нее имелись все лекции, все конспекты, и она частенько прогуливала занятия у Левы. Ему было тридцать шесть, он был холост, вернее, разведен, кстати, по инициативе жены, что было немаловажно для карьеры, жил в своей квартире, и Людмилка прикидывала в уме, что было бы совсем неплохо, если бы он на ней женился. Левчик любил вкусно поесть, поваляться на диване с книжкой или посидеть у телевизора, предоставляя Людмилке домашние хлопоты. Она перемывала накопившуюся без нее грязную посуду, делала полную уборку, стирала ему рубашки и потом наглаживала их, готовила что-нибудь вкусненькое, и, надо сказать, он никогда не скупился на похвалы. Она считала, что он староват для нее, но недостаток этот компенсировался тем, что он занимал в жизни прочные позиции, то есть имел прилично оплачиваемую работу, положение, кооперативную квартиру и не собирался останавливаться на достигнутом. Иными словами, он вполне подходил на роль мужа, тем более что, как казалось Людмилке, дело шло к предложению руки и сердца. Однако Левчик почему-то не торопился и всегда весело и непринужденно отшучивался, если вдруг разговор подходил слишком близко к этому скользкому вопросу.

Мучила только одна вещь: ее тайна. Людмилка часто просыпалась ночью в холодном поту от ужаса перед разоблачением. Конечно, вряд ли кто-нибудь начнет копать эту историю. Но у страха глаза велики, а где-то там лежали документы, в которых оставалась запись о месте ее учебы, и в случае чего можно было довольно просто ее найти. Но в случае чего? Кто будет искать? Мало ли кто... Недоброжелатели... Завистники... Соперница какая-нибудь... Вот Томка, например, так и вьется вокруг Левчика, так и вьется. А она, между прочим, в курсе ее якобы дисфункции... Сложит два и два — дисфункцию и ее, Людмилкино, отсутствие во втором семестре — и вот тебе все хитрости шиты белыми нитками. Подаст Левчику идею. Через Томку выйдут на Лильку, потом на Галину Ильиничну — и пошло-поехало...

А вдруг Галина Ильинична ищет ее, чтобы вернуть деньги, выданные за время беременности? Ведь сумма была огромной, а те люди так и не получили ребенка... Стало быть, выходит, что она — что-то вроде воровки, аферистки. Всю беременность каталась как сыр в масле, ежемесячно получала деньги, а потом исчезла... Надо было тогда снять новую квартиру, подождать месяц, дождаться, когда Галина Ильинична вернется из отпуска, объяснить ей, как и почему все так получилось, и уже вместе с ней решать, что делать. Подбросить-то можно было в любое время... А вдруг тогда ребенок простудился и умер и ее разыскивают как убийцу? Не надо было это делать в своем районе...

МЕСТО ПРЕСТУПЛЕНИЯ

Появившись однажды, эти ночные страхи зачастили и скоро приняли форму навязчивого замкнутого круга: стоило потушить свет и закрыть глаза, как в воображении появлялся сначала Арунас, потом тот единственный раз, когда у них случился секс, потом мерзкое и злое лицо Галины Ильиничны, требующей назад деньги. «Но я же звонила этой женщине!» — кричала мысленно ей Людмилка. «Ты просто пару раз не туда попала и все испортила, — шипела она. — А может быть, ты и не звонила? Деньги получила — и до свидания?» Дальше она бежала с коляской от детской поликлиники, и так далее, и так далее, а в конце к ней приходили милиционеры и обвиняли в убийстве ребенка. Из этого психоза надо было как-то выкарабкиваться, и однажды, в начале октября, она, собравшись с духом, отправилась на разведку к тому самому магазину-стекляшке. Она сама точно для себя не уяснила, что хочет узнать, а главное, как и у кого, и поэтому решила положиться на случай.

Она вышла из метро и медленно побрела пылающими осенним разноцветьем дворами, ощущая двойственность времени: с одной стороны, ей казалось, что с тех пор прошла целая жизнь, а с другой — что все это было только сегодня утром и что еще не поздно вернуться и забрать коляску с ребенком. Сердце гулко стучало, подступающие слезы щипали глаза: ей было жалко себя, ту наивную дурочку, ввязавшуюся в историю, себя настоящую, у которой теперь навечно в биографии было темное пятно, которое надо было прятать равно как от близких, так и чужих. Она подошла к магазину сбоку, завернула за угол и — наткнулась на коляску у той же самой двери. Ребенок, лежащий в ней, заплакал. Леденея от ужаса, Людмилка, сама не понимая, что делает, ухватилась за ручку и попыталась сдвинуть коляску с места. Как сквозь толщу воды она услышала визгливый женский голос, но разобрала только два слова: «воровать детей». Какие-то люди взяли ее под руки и куда-то повели. Потом был провал, а потом, как будто со стороны, она увидела себя сидящей на каком-то низком диванчике в тесном помещении и двух женщин, одну совсем молодую, в белом халатике, и другую, лет шестидесяти, в линяло-синем и рваном. Молодая наклонилась к ней и дала что-то понюхать. Резкий отвратительный запах ударил даже не в нос, а в голову, но зато туман тут же стал рассеиваться, и буквально через мгновение Людмилка почувствовала себя лучше, сознание прояснилось. Она находилась в подсобке. Возле нее суетились молоденькая продавщица и уборщица. Вскоре вошла еще одна, дала Людмилке таблетку валидола и велела подержать под языком. Заглянул мужчина и жестом вызвал уборщицу. Та вышла.

— Вот что, Нина Васильевна, между нами говоря, не нравится мне все это. То нам подбрасывают ребенка, то украсть пытаются. По идее, надо бы милицию вызвать, но уж очень не хочется опять разводить эту канитель... Вы уж улучите момент и разузнайте, кто она такая и откуда.

Уборщица понимающе кивнула головой, и они оба вернулись в подсобку.

— Все нормально, — обратился директор к собравшемуся персоналу. — Просто девушке стало плохо. Товарищи продавщицы, у вас очереди образовались. Идите работайте. Нина Васильевна теперь уже справится сама.

Людмилка посидела еще немного, вяло отвечая на вопросы Нины Васильевны. Силы почти вернулись, и она засобиралась уходить.

— Дочка, ты пойди-ка в туалет, ополосни лицо холодненькой водичкой, тебе сразу же полегчает. Идем, я тебя провожу. Тут рядом, через дверь. Пойдем, пойдем. Давай, я тебе помогу встать... Вот так... тихонечко...

Уборщица довела Людмилку до туалета. Щелкнула задвижка. Она прислушалась на секунду и метнулась в подсобку. Там, загородив собой стол, уборщица быстро раскрыла Людмилкину сумочку и прямо в ней же, не вынимая документов, опытно, четкими и точными движениями перебрала каждый, потом закрыла ее и положила на место, оторвала клочок бумаги и на нем записала данные, которые удалось почерпнуть из документов. Спрятала бумажку в карман халата и вернулась к туалету дожидаться, когда оттуда выйдет Людмилка.

Когда Людмилка ушла, Нина Васильевна сказала директору магазина, что узнать что-либо ей не удалось: уж больно девушка была не в себе.

— Как бы это не та кукушка, что подбросила нам тогда ребеночка... Не посмотрели ее документы?

— Не было при ней документов. Я в сумочке-то успела пошарить. Да нет... не она это... Уж больно приличная. Одета хорошо, дорого, при деньгах.

— Откуда вы знаете, что при деньгах? — хитро спросил директор.

— Так ведь она сказала, что такси возьмет, — нашлась Нина Васильевна, уверенная в том, что это именно та мамаша, которая бросила ребенка. Но у нее уже был свой план, и делиться с кем-либо грядущими барышами она не собиралась.

ОБМАН

Людмилка вернулась в общагу в жутком состоянии. Во-первых, она так ничего и не узнала. Во-вторых, еще раз туда идти теперь нельзя, потому что ее конечно же запомнили. И в-третьих, этот обморок ее испугал. Страшные подозрения отодвинули на задний план все остальные переживания. Она вооружилась календариком и, кляня себя на чем свет стоит за свою безалаберность, стала вспоминать, когда последний раз были месячные. Долго считала и так, и сяк, и выходило, что, вполне возможно, у нее задержка. Ее охватила паника. Рисковать еще раз Людмилка не собиралась, с нее было достаточно того раза. Не медля ни минуты, она покидала в сумку банные принадлежности, достала из загашника двадцать рублей и помчалась в баню, по пути прикупив в ближайшем магазине небольшую бутылочку коньяка.

Пьяная, она сидела в парилке до умопомрачения, потом шла в душ, наливала полную шайку воды и поднимала ее, поднимала, а затем опять шла в парилку, и так до тех пор, пока не закончился ее сеанс... Кое-как добралась до дома с твердым намерением хорошенько попрыгать со стула, но вместо этого плюхнулась на постель и заснула на ней, не раздеваясь. То ли принятые меры возымели свое действие, то ли она просчиталась, то ли действительно просто была задержка, но утро принесло ей радостную весть: она не беременна. Валяясь в постели и испытывая неимоверное облегчение оттого, что все обошлось, Людмилка принялась фантазировать: а вот интересно, как бы отреагировал Левчик, если бы она залетела. Покрутив эту мысль так и эдак, она не пришла к какому-то одному варианту. Он мог принять новость и плохо, и хорошо. И тут ее осенило: а если взять и сказать Левчику, что она ждет ребенка? Вдруг он отреагирует на это хорошо и наконец сделает ей предложение? «Предположим, что сделает, — думала она, — но когда выяснится, что ничего нет, он может пойти на попятный. Тогда что? А можно поморочить ему голову месяц-другой, а уж за это время точно залечу. Ведь предохраняться уже не будет нужды... Точно, надо попробовать. В любом случае я ничего не теряю. Если он откажется, то и хрен с ним. Тогда нечего тратить на него время. Надо искать кого-то другого. Время-то на месте не стоит». И Людмилка решила попробовать.

Выждав три дня, она понесла новость Левчику.

Левчик воспринял известие мужественно и достойно. Он поцеловал Людмилке руку, потом вообще поцеловал, и еще раз, потом они занялись любовью, и все было просто здорово! Когда она наконец захотела покурить и вытащила из пачки сигарету, он притянул ее к себе:

— Тебе теперь нельзя курить. Ты же у меня будущая мама.

— Не буду, — счастливо улыбнулась Людмилка.

Они помолчали.

— А все-таки жалко, что так получилось, — добавил он.

— Почему?

— Да понимаешь, пока мы подадим заявление, пока пройдет три месяца...

— Почему три? Два!

— Три. Ты что думаешь, я свою невесту поведу в какой-то заштатный районный ЗАГС? Нет уж, только во Дворец!

Людмилка ликовала: магические слова «заявление», «ЗАГС» и «невеста» были произнесены.

— И потом, — продолжал он, — всегда презирал браки по залету. Будут говорить, что ты женила меня на себе. А я и так собирался сделать тебе предложение весной.

— Да пусть говорят! А почему весной?

— Пусть, да не пусть. А весной потому, что мне на лето обещали поездку в Болгарию. И, честно говоря, я уже подал заявление на две путевки. Хотел сделать тебе сюрприз. Представляешь, мы бы могли провести медовый месяц в Варне... Я столько лет был невыездным, а тут вдруг разрешили... Когда-то теперь в следующий раз разрешат, если вообще разрешат... А так для начала съездили бы в соцстрану, а потом, глядишь, и на загнивающий Запад подались бы...

Людмилка поняла, что перехитрила саму себя, но все же сказала:

— Но ты же сможешь один поехать...

— Глупенькая, — рассмеялся он, — как же я тебя одну рожать брошу? Или с маленьким ребенком? Нет уж, не жили хорошо, и не хрена начинать. Эх, представляешь: мы подгадали бы и прямо из ресторана с чемоданами в аэропорт. И в Варну. Бросили бы чемоданы в номере — и в море! А так мы завтра поедем подавать заявление и — за кольцами.

Но назавтра подать заявление не удалось: Левчик был занят какими-то срочными делами. Решили отложить до выходных, но к выходным он слег с жестоким гриппом. Людмилка хотела приехать ухаживать за ним, но Левчик категорически запретил ей это делать: не дай бог заразиться в ее-то положении!

Много чего передумала Людмилка, пока Левчик болел. И о том, как здорово, как умно она все придумала, и как правильно Лева отнесся к ее «беременности», и о том, как было бы шикарно поехать в свадебное путешествие за границу... У нее не возникло даже тени сомнения в его искренности... Тем более что он заранее подал заявление на две путевки! Думала она, думала, и так ей захотелось пожить еще для себя, попутешествовать, понаслаждаться свободной замужней жизнью! Предложение он ей фактически уже сделал, как только выздоровеет, они подадут заявление. А вдруг он откажется от путевок? Скорее всего, откажется... Не может же он морочить голову такой организации! Вот, допустим, отказывается он от путевок, и тут выясняется, что она его обманула и никакой беременности нет. Он будет в ярости, и еще неизвестно, чем тогда все это закончится. Значит, надо будет срочно залетать. А тогда — прости-прощай Болгария. А если она вот так с ходу не залетит? Получался замкнутый круг. «Я так окончательно заврусь... Лучше скажу ему, что сделала аборт, обрадую его. И тогда мы сейчас женимся, а летом сможем поехать в Варну!» — осенило наивную Людмилку.

Как только Левчик позвонил и сказал, что можно его навестить, она тут же помчалась к нему на квартиру.

— Людмилочка, ну как же я по тебе соскучился!

— А как я соскучилась, Левочка! Как ты себя чувствуешь? Зря ты мне не разрешил за тобой поухаживать, я бы тебя быстро на ноги поставила.

— Как ТЫ себя чувствуешь? Что-то ты неважнецки выглядишь.

— Лева, я должна сказать тебе одну вещь...

— Что-нибудь серьезное?

Людмилка помолчала и затем начала:

— Понимаешь, я тут много думала...

— Люд, да не пугай ты меня, говори как есть!

— Лева, я сделала аборт.

— Как — аборт?! Какой аборт?

— Обыкновенный. Как все делают...

— Ты что — убила моего ребенка?!

— Ну почему «убила»? Там еще нечего убивать, кусочек мяса...

— Кусочек мяса? — Лева аж задохнулся от праведного гнева. — Да как ты можешь так говорить? Это был мой Димка или моя Маришка! Да как ты посмела?

— Лева, послушай...

— Не буду я тебя слушать! Как это у тебя все

легко получается! А может быть, тебе это не впервой? Таскаться по мужикам и делать аборты? Я не мальчик и кое-что понимаю. Ведь у тебя уже были мужчины.

— Левочка, но ты же так хотел в Болгарию... — растерянно залепетала Людмилка. — Я сделала это ради тебя...

— Здрасьте вам! С больной головы на здоровую! Какая, к чертовой матери, Болгария?! Тебе Болгария дороже ребенка? Для тебя что, сделать аборт — раз плюнуть? Где ты делала? Кто? Какой коновал?..

— Лева, он не коновал, он врач из консультации...

— Какой консультации? Как его зовут? Кто дал тебе его адрес?

— Девчонки...

— Так он прямо в консультации занимается криминальными абортами?

— Нет, дома...

— Так... еще и на дому... Ну, он у меня получит неприятности. Он помотается по судам.

— Лева, послушай... Лева... — испугалась Людмилка, — он здесь совершенно ни при чем. Ради бога, не надо ничего ему делать... Он же не насильно... Это же я сама, это же мое решение...

— Ах, твое решение... — зловеще протянул Лева. — Стало быть, ты у нас решаешь сама по себе, а я сам по себе. Вот оно как... Тогда мое решение будет таким. Ты сейчас же уйдешь отсюда и больше никогда сюда не придешь. Я не хочу иметь ничего общего с детоубийцей. — Лева снял ее пальтишко с вешалки, засунул в него Людмилку, надел на нее шарф, нахлобучил шапку и поставил перед ней сапоги. — Вон отсюда.

Дома Людмилка проревела до самой ночи. Ей

было обидно, что она так глупо упустила свой шанс, что Левчик унизил ее. Хотелось все бросить и уехать домой, но сначала пойти в деканат, в партком, в профком и официально нажаловаться на Левчика, сказать, что он принуждал ее к сожительству в обмен на восстановление в институте, то есть устроить скандал. Но она понимала, что если Левчик от всего откажется, то она ничем не сможет доказать их связь, да и стоило ли пачкаться в этой истории... Ничего это не даст, кроме плохой репутации, ибо сама она в этой истории выглядела не лучшим образом. Да еще, не дай бог, в ходе разбирательства ненароком всплывет ее тайна...

На какое-то время Людмилка затаилась. Левчик игнорировал ее, и было похоже, что сам он, по своей инициативе, мириться не собирается. Ближе к Новому году она робко подошла к нему и попросила хотя бы выслушать ее. Он, покривившись, согласился.

Они встретились вечером в кафе. Разговор получился коротким и грустным. Лева сказал, что любил ее, что очень хотел, чтобы она стала его женой, чтобы у них был ребенок, но то, что произошло, перечеркнуло все. И теперь у него к Людмилке нет никаких чувств, и это уже непоправимо.

— Левчик, поедем к тебе! Поедем! Ты поймешь, что ничего не ушло, ничего не перечеркнуто... Ты — мой самый родной человек, Левчик...

— Люда, пожалуйста, не зови меня Левчиком, я сколько раз просил... И ко мне мы не поедем. Понимаешь... Я сейчас скажу, наверное, очень жестокую вещь... Но мне придется это сделать... Понимаешь... я с тех пор... как бы это сказать... тобой брезгаю. Не могу даже подумать о том, что прикоснусь к тебе, или поцелую, или... — Левчик безнадежно махнул рукой. — И через это я переступить никогда не смогу. Вот такие дела. Единственное, что я могу обещать, так это не трогать твоего коновала и девчонок. Они и так еле учатся. Вылетят в два счета...

Долго еще Людмилка искала свою ошибку, свой просчет, и в результате ей пришла в голову мысль, что на самом деле она просто сыграла Левчику на руку и дала возможность красиво от нее избавиться. И что, если бы она действительно залетела, ей все равно пришлось бы делать аборт, и никогда, никогда Левчик бы на ней не женился.

1986—1987 ГОДЫ.
ПОПЫТКА НОМЕР ТРИ.
ГРУЗИНСКАЯ МАФИЯ

Итак, время опять было упущено. Мало того, она осталась без пусть небольшой, но все-таки финансовой поддержки с Левиной стороны. Впереди маячил Новый год, одинокий и никчемный. Она трезво и холодно перебрала всех своих сокурсников мужского пола, всех ребят из общаги, припомнила, что про кого слышала хорошего и плохого, прикинула свои возможности и остановилась на Баграте, красивом грузинском парне, о котором ходили слухи, что у него всегда водятся деньги и что его папашка — теневик, подпольный миллионер, а сам Баграт большим умом не отличается. Правда, он был на годик-полтора ее моложе, но это даже говорило в его пользу: будет легче на него давить. А то, что он не москвич, не имело особого значения. Были бы деньги, можно и Москву купить... Да и Тбилиси — не Труново.

На скопленные за время беременности деньги Людмилка разжилась у спекулянтов обновками, кое-какой импортной косметикой и ходила на лекции при полном параде. Садилась она всегда так, чтобы видеть Баграта и чтобы он, в свою очередь, мог видеть ее. Довольно скоро она стала ловить на себе его взгляды, но не кокетничала с ним, а отворачивалась со скромностью и достоинством. Тактика была правильной и вскоре принесла свои плоды: однажды в коридоре он неловко толкнул ее, и на пол посыпались учебники и тетради, которые она несла в руках. Людмилка села на корточки, чтобы собрать все с пола, и рядом с ней присел Баграт. Он извинился, помог ей подобрать книги, листочки, тетради и проводил до буфета. Там они посидели, поболтали, а уже вечером вместе пошли в кино.

Новый год они отмечали вместе в большой богатенькой компании в чьей-то роскошной четырехкомнатной квартире. Людмилка мысленно похвалила себя за то, что не пожадничала купить черное финское трикотажное платье, изумительно сидевшее на ней, подчеркивающее ее великолепную фигуру и выглядевшее очень дорого и достойно. С собой она захватила баночку красной икры, бутылку коньяка и пару кило мандаринов, что было как надо оценено хозяйкой квартиры, неприятно полной, некрасивой девушкой, имя которой Людмилка так и не запомнила. Они веселились до шести утра и, как ни странно, целомудренно разошлись по комнатам — мальчики отдельно, девочки отдельно.

После Нового года начались экзамены, которые Людмилка уже один раз сдавала, и ей по старой памяти проставили «автоматы», так что она смогла сосредоточиться на своем новом кандидате в мужья, не шибко усердствующем в учебе, добывать ему шпаргалки, конспекты, болеть за него и потом, после сдачи, гудеть в какой-нибудь «Метелице» или «Марсе».

К своему удивлению, а больше к удивлению отца, Баграт сдал сессию не только без хвостов, но даже и без троек, и растроганный Леван Арчилович — сын взялся за ум! — предложил ему самому выбрать, где провести зимние каникулы. Отец надеялся, что сын захочет побывать дома, в Тбилиси, но Баграт попросил достать две путевки в какой-нибудь пансионат получше, и двадцать пятого января Леван Арчилович вручил сыну путевки и деньги «на мелкие расходы».

Баграт долго уламывал Людмилку поехать вместе с ним, обещая, что комнаты у них будут раздельные, шикарные, с баром, холодильником и телевизором, что кормят там хорошо, что не будет проблем с досугом, и все-таки уломал. «Не Болгария, конечно, и не свадебное путешествие, но, как говорится, лучше синица в руке...» Собственно говоря, все шло по плану.

Перед отбытием Людмилка сходила в магазин и купила небольшой кусок замороженной печени. Когда дома печенка оттаяла, она аккуратно собрала стекшую кровь в целлофановый пакетик и вывесила его за окно на мороз. Утром она посмотрела: получилась маленькая красная ледышка, похожая на необработанный драгоценный камень. Она положила ее еще в один пакет, на случай, если вдруг в дороге растает, этот пакет завернула в газету и положила еще в один и взяла с собой в пансионат.

Красное пятно на простыне было для Баграта полной неожиданностью. Он был горд и вместе с тем чувствовал некоторую вину, что соблазнил девочку, не имея никаких серьезных намерений. Он был молод и не собирался жениться, и уж тем более на русской, да еще к тому же немосквичке. Да, разумеется, он был настойчив, даже более чем настойчив, он практически взял ее силой, но она тоже должна была соображать, что делает, когда согласилась ехать с ним в пансионат... Мало ли что он ей говорил! Не за ручки же держаться они приехали... Но тут уж что сделано, то сделано, главное, чтобы без последствий...

Однако последствия не замедлили сказаться: в конце февраля Людмилка объявила Баграту, что беременна, что собирается рожать и что неплохо было бы поторопиться со свадьбой, пока дело не дошло до скандала. Баграт в ужасе позвонил отцу, Леван Арчилович взял билет на ближайший же рейс и к вечеру уже был в Москве. Он имел с сыном серьезный разговор, после которого высказал желание познакомиться с Людмилкой.

Людмилка явилась скромно одетой, без косметики, с волосами, заплетенными в косу. Баграта отец отправил за шампанским, строго наказав по-грузински не торопиться обратно.

— Ай-ай-ай, как все нехорошо получилось, — начал он разговор.

— Да уж, чего хорошего, — убитым голосом поддержала его Людмилка. — Но я, Леван Арчилович, избавляться от ребенка не буду. Это грех.

— Да кто говорит, что не грех, а? Но ты сама подумай: вы еще молодые, в жизни ничего не достигли. Вам еще учиться три года...

— Два с половиной, — вставила Людмилка.

— Три, два с половиной — неважно! Где вы будете жить и на что?

— На первое время у меня есть кое-какие деньги, мне будут родители помогать. А жить — будем снимать квартиру. А потом я устроюсь куда-нибудь, где квартиры дают... По лимиту...

— Квартиры дают... по лимиту... Их ждать придется лет пятнадцать. А прописка?

— Так по лимиту и прописку получу.

— Да кто же тебя с образованием по лимиту возьмет?

— Я могу бросить...

— Только этого еще не хватало...

Разговор был трудный, неприятный, но Людмилка стояла на своем.

— Знаете что, Леван Арчилович, я сначала даже хотела устроить скандал... Но я люблю Баграта... Это его ребенок, ваш внук, и ребенок все равно родится, хотите вы этого или нет. Даже если Баграт на мне не женится. Значит, буду растить его одна. Не пропаду. И я никогда не буду препятствовать ни вам, ни Баграту видеться с ребенком. Если вы, конечно, этого захотите. Сможете помочь — спасибо, не сможете — значит, не сможете. Я в обиде не буду. Здесь есть и моя вина.

Леван Арчилович, владелец нескольких подпольных цехов по пошиву одежды, при всем своем снисхождении к шалостям единственного сына никак не мог одобрить брак такого сорта. Разумеется, у него было достаточно средств и связей, чтобы купить ему самую лучшую квартиру в Москве, сделать прописку и устроить на хорошую работу, но так складывались дела в последнее время, что светиться ему было нельзя. Да и, кроме того, он считал, что лучше быть нищим в своем городе, чем царем в чужом. Он был человеком умным и понимал, что лучшие времена на подходе, и к тому моменту, когда они наступят, его сын должен быть готов принять непосредственное участие в делах. А дела были очень серьезными и требовали незаурядного практического и аналитического ума, колоссальной энергии, умения ладить с людьми и много чего еще, но, самое главное, постоянного присутствия на месте. Поэтому Левану Арчиловичу совершенно не хотелось, чтобы сын осел в Москве. Он устал разрываться между двумя столицами и теперь жалел, что не оставил Баграта учиться в Тбилиси. А Баграт уже мужчина. Конечно, ему нужны женщины, но вот так таскаться от одной к другой нехорошо. Не дай бог зараза какая, дети... Да и скандал именно сейчас был бы очень некстати. «Можно подумать, что скандалы когда-нибудь бывают кстати, — усмехнулся своим мыслям Леван Арчилович. — Хотя... Чего только в жизни не бывает...»

Помимо всего прочего, у него было какое-то тайное предчувствие, касающееся Баграта, неоформленное, не сформулированное, но нехорошее, которое, раз возникнув, не давало ему покоя. А в предчувствия он верил. И посему решил, что пусть этот ребенок все-таки родится. «Вырастим, не обеднеем, — подумал он и вспомнил, что не далее как позавчера просадил в ресторане полторы штуки. — К тому же хороший якорь останется в Москве. Мало ли как дела будут складываться».

Времени, как всегда, было в обрез, поэтому Леван Арчилович сделал несколько звонков, потратил еще пару дней на переговоры со своими московскими друзьями и снова вызвал Людмилку.

— Значит, так у нас обстоят дела. Я тут все хорошенько обдумал, прикинул, кое с кем переговорил, и вот что я предлагаю. Тебя, дочка, мы выдаем замуж за одного человека... — Людмилка дернулась. — Да чего ты так? Фиктивно выдаем, фиктивно. И прописываем как жену в его трехкомнатной квартире, и в одной комнате ты будешь жить. Ты, таким образом, официально становишься москвичкой со всеми вытекающими правами. Не буду скрывать: твой будущий муж — алкоголик. Это, конечно, плохо, но и, с другой стороны, нам на руку. Со временем ты сможешь развестись с ним и разменять эту квартиру. А может быть, жизнь подскажет нам какие-нибудь другие варианты. Деньги на содержание ребенка я буду тебе давать.

— Мне не нужно денег, Леван Арчилович, мне нужен Баграт...

— Что за дела? Зачем старших перебиваешь? Деньги у тебя будут. И Баграт у тебя будет, если вы за время учебы не разлюбите друг друга и решите остаться вместе. Просто нужно переждать немного...

«Переждать-переждать, переждать-переждать», — вспомнила Людмилка стук колес поезда.

— Устроишься, — продолжал Леван Арчилович, — обживешься, а там война план покажет.

— Какая война? — испугалась Людмилка.

— Хе-хе-хе, — засмеялся Леван Арчилович, — это у меня поговорка такая. Никакой войны не будет. Будет все очень хорошо и замечательно. Все образуется, наладится, и все будут довольны и счастливы. Как тебе мой план?

— Ну, я не знаю даже... все это так неожиданно... и как-то не по-человечески, что ли...

— Почему не по-человечески?! Очень даже по-человечески! Соглашайся, дочка. Это твой шанс, хороший шанс. — Леван Арчилович посмотрел Людмилке в глаза и понял, что она не так проста, как показалось ему в первый раз, и что вся эта история, вполне возможно, не свалилась на голову сына с неба. И еще он понял, что это его предложение — может быть, и не совсем то, чего она добивалась, но оно ее очень даже устраивает, и что она сейчас согласится.

— Видно, другого выхода у меня нет, и придется соглашаться, — улыбнулась Людмилка сквозь слезы облегчения.

— Вот и ладно. А теперь давайте отметим это соглашение как следует в каком-нибудь ресторане. — И Леван Арчилович что-то по-грузински сказал сыну. Тот радостно кивнул головой.

ЗАМУЖНЯЯ ЖИЗНЬ

У входа в поликлинику Людмилку прошиб холодный пот: она вдруг ясно себе представила, как входит в кабинет, а там за столом восседает Галина Ильинична. Она остановилась у дверей и сделала то, чего не делала никогда: закурила на улице. Сигарета не пошла, но в голове прояснилось. Она подошла к стенду и изучила инициалы врачей. Среди гинекологов была одна Г.И., но сегодня она не принимала. Переведя дух, Людмилка поднялась на второй этаж и заняла очередь. Дождавшись момента, когда из кабинета вышла одна пациентка и зашла вторая, она на всякий случай заглянула туда и убедилась, что принимает другая женщина.

— Ой-ой-ой, — запричитала врач, полненькая моложавая блондинка с легкомысленными кудряшками на голове, — миленькая ты моя, где же ты была раньше-то? Опоздала ты на аборт... Что же затянула так?

— Да я не за направлением, — поспешила сказать Людмилка. — Я рожать буду.

— Рожать? Ну и правильно! Отстреляйся, пока молодая, пока силы и энтузиазм есть. А то потом не соберешься. Муж в курсе?

— А я не замужем еще. Я только собираюсь.

— Давай-давай, прижми его как следует, пусть женится.

— Мне как раз справка о беременности нужна, чтобы расписали побыстрее. Вы мне напишете?

— А как же! Я тебе напишу, еще и немножко сроку прибавлю, чтобы не расслаблялся. Студент?

— Нет. Работает уже.

— Тем более. — Врач принялась что-то писать, а потом задумчиво так произнесла: — Ну, у тебя где-то 10 недель. Поставлю-ка я тебе 11 недель, чтобы у него соблазна не было увиливать да уговаривать на аборт. — Закончив писать, она протянула справку Людмилке. — Поставишь печать внизу. Наблюдаться-то где будешь?

— Теперь уже по месту прописки, — ответила Людмилка, и в груди стало как-то тепло и спокойно. — Спасибо вам огромное.

— Успехов тебе! — ответила врач.

Справку о беременности Людмилка вручила Левану Арчиловичу, и в ближайшую субботу уже стояла в ЗАГСе рядом с серым испитым староватым мужичком и обменивалась с ним кольцами. Фамилию она по совету все того же Левана Арчиловича поменяла на мужнину. Прописка прошла без сучка без задоринки, и Людмилка теперь хлопотала с документами в деканате. Лева, неприятно удивленный такой оперативностью, все же поздравил ее с законным браком и пожелал счастья.

В захламленной и запущенной трехкомнатной квартире она заняла одну комнату и, наслаждаясь счастьем и покоем, наводила в ней порядок. Ее новоиспеченный муж Слава, сын известного в свое время советского писателя, ныне покойного, довольно быстро после смерти отца пропивший отцовские гонорары, по большей части отсутствовал, видимо, где-то пропивая теперь уже деньги, полученные за оформление фиктивного брака и прописки, и ей не мешал. Иногда он пропадал два-три дня, потом появлялся какой-то землистый, заросший, немытый, плохо пахнущий, долго сидел в ванной, после приводил в порядок свою одежду, а потом удалялся в свою комнату и там что-то писал. Правильная жизнь его длилась не очень долго: появлялась первая бутылка, за ней следующие, а потом творческий порыв иссякал, приходили дружки, такие же тихие, как и сам Слава, и тоже пьющие. Они о чем-то говорили, спорили вполголоса, а затем исчезали. К Людмилке они относились непонятно, вроде бы и с почтением, но и настороженно: все-таки жена. Но она к ним не лезла, не скандалила и даже иногда кормила чем-нибудь. Ведь теперь у нее были деньги.

И опять ежемесячно немолодая приятная пара привозила ей сто пятьдесят рублей. Спрашивали, как она себя чувствует, не беспокоит ли ее кто-нибудь, все ли в порядке с мужем. И хотя ситуация была удивительно похожей на тот, первый раз, но все-таки теперь она была сама себе хозяйка, и даже если бы вдруг ей перестали давать деньги, она могла запросто уехать домой: вот печать в паспорте о заключении брака, вот московская прописка... А почему приехала — так муж-алкоголик достал... И Людмилка с удовольствием раскрывала свой новенький паспорт, разглядывала печати и произносила: Бражникова, Людмила Николаевна Бражникова... Это вам не Сулешева какая-нибудь... Но теперь она была Бражниковой, Браж-ни-ко-вой...

— Я — москвичка. Я замужем. Я живу в трехкомнатной квартире почти в центре. И мне больше не надо торопиться, потому что впереди целая жизнь. Надо бы написать письмо домой... Пора им сообщить новости.

Весеннюю сессию Людмилка сдала на «отлично». Мозги и память у нее и так работали прекрасно, а тут еще слегка обозначившийся животик взывал к преподавательской совести и жалости... Девчонки из общаги ей страшно завидовали и все набивались в гости, но она отговаривалась ремонтом, который необходимо было закончить к рождению ребенка, и своим плохим самочувствием.

С Багратом они виделись почти каждый день, но при встрече только перекидывались несколькими словами. Леван Арчилович настаивал на строгой конспирации, по крайней мере на первое время. Мало ли кто чего заметит и заподозрит. Брак-то у Людмилки все-таки фиктивный. Сначала Баграт очень смущался, но Людмилка была тактичной, себя не навязывала, и он успокоился.

Сдав экзамены, Людмилка решила не расслабляться и разгрести завалы во второй комнате, бесхозной и запущенной. Слава в нее практически никогда не заходил, и Людмилка решила, что она вполне может подойти для ребенка. Она прикупила пару мотков бельевой веревки, натаскала домой пустой тары из магазина и только начала разбирать и складывать ненужное, по ее мнению, барахло, как появился Слава.

— А собственно говоря, чем это ты тут занимаешься?

— Я? Убираюсь... — Людмилка смутилась.

— Уборка — дело святое. А куда эти ящики?

— Так на помойку! Я туда барахло ненужное сложила...

— Барахло? Постой-постой, а с чего это ты взяла, что это барахло ненужное, как ты изволила выразиться? Это мои вещи, память о родителях. Давай-ка все ставь обратно, на свои места. Ты, знаешь ли, наводи порядок у себя и выкидывай свое барахло. Вот есть у тебя комната, там и делай уборку. А ко мне не лезь. И в следующий раз, когда надумаешь что-то выбрасывать, спроси разрешения у меня.

— Слава, но ты же в эту комнату даже не заходишь. А я подумала, она тебе не нужна...

— То есть? Я не понял. Ты подумала... Может быть, мне вообще уже ничего не нужно? А не жирно ли тебе будет занимать две комнаты? Насколько я помню, мы договаривались об одной. Давай-ка выметайся отсюда, и чтобы больше никаких поползновений с твоей стороны не было. — Слава начал распаляться. — А то ишь, платили копейки, а берут на рубль. Хочешь вторую комнату — доплати. — И он, больно ухватив Людмилку за руку, буквально выволок ее из комнаты. — Посади быдло за стол, так оно и ноги на стол, — зло прошипел он вдогонку.

Тут взорвалась Людмилка.

— Да, я — быдло. Девка деревенская. Второй сорт. Вот так уж мне не повезло, что родилась я не в Москве, а в своем Зажопинске, и отец у меня не известный писатель, а простой работяга. А тебе повезло! И твоей заслуги в этом — ноль! А теперь пойди посмотри на себя в зеркало! Ты давно себя видел, цвет нашей нации?! Ты себя понюхай, элита гребаная! От тебя общественным сортиром за километр воняет! Алкаш обосранный и обоссанный. Деньги пропил и теперь бесишься от злости? Да тебе, сколько ни дай, все мало будет. Да ты кто такой?! Ты — никто! Это у тебя отец был писатель, а ты — алкаш вонючий!

Слава молча размахнулся и со всей силой залепил ей пощечину. Людмилка почувствовала во рту вкус крови, но от этого ее ярость только усилилась.

— Давай, бей беременную женщину! Бей, интеллигент, аристократ помоечный!

Замахнувшийся во второй раз Слава застыл с поднятой рукой, открыл рот и уставился на Людмилкин живот.

— Ах вот оно что! Ну же вы и суки! Как же вы меня ловко сделали! — Он медленно пошел на Людмилку. — Значит, ты тут нарожаешь хренову тучу подзаборников и оттяпаешь у меня квартиру?! Тварь! Подстилка! Шлюха! Убью стерву!!!!

Людмилка, закрываясь руками от ударов по голове, по плечам, спине, нырнула в свою комнату.

«Ничего, ничего. Все хорошо. Это мне только на руку. Сейчас я немножко подумаю и придумаю что-нибудь хорошее, что-нибудь очень хорошее, очень полезное».

Думала Людмилка недолго. Дождавшись, когда Славик отбыл то ли за бутылкой, то ли в очередной загул, она позвонила Баграту. Всхлипывая и заикаясь, она сказала ему, что ее чуть не убил Слава, когда узнал, что она беременна. Про попытку занять вторую комнату она говорить не стала.

— Людочка, не плачь, пожалуйста, не плачь... Я сейчас приеду... Где этот подонок?

— Ушел куда-то, за бутылкой, наверное... Ты не приезжай, тебе нельзя здесь показываться...

— Да плевать! Никому не открывай, я тебе позвоню условно... Все, я беру такси и еду... Диктуй адрес.

Он появился разъяренный, прекрасный в своем гневе, и при виде трогательной Людмилки, в синяках и с разбитой губой, распалился еще больше.

— Я его урою!!! Я убью его!!!

— Багратик, тише, тише. — Людмилка нежно закрыла одной рукой ему рот, а другой тянула к себе, пятясь при этом в свою комнату. — Соседи могут услышать. Тебе нельзя здесь показываться. Они не должны тебя видеть.

Он еще что-то мычал, потом затих, обнял ее, прижал к себе и осторожно поцеловал разбитую губу. Потом стал целовать лицо, глаза...

— Не целуй глаза, Баграт, это к разлуке...

— Что ты говоришь, моя девочка... Мы и так разлучены... И я даже не могу тебя защитить...

— Не надо, Баграт, не говори так. Теперь уже ничего не поделаешь.

Он молча целовал ее в шею, расстегивая халат, спускался губами все ниже и ниже и медленно вел ее к разложенному дивану.

До вечера Славик так и не появился, и Баграт собрался уходить.

— Ты, главное, не беспокойся. Он тебя больше не тронет. Это я тебе обещаю. Но если вдруг что, звони немедленно.

— Хорошо.

— Слушай, я тебе тут на всякий случай оставлю денег... Мало ли... Наверное, надо что-то купить ребенку... — Баграт достал из внутреннего кармана фиолетовую пачку денег и положил на стол.

— Не нужно, Баграт. Забери. Рано еще. Примета плохая — покупать заранее... Забери. У меня все есть.

— Не заберу. Почему ты все время думаешь о плохих приметах? Ты не думай о плохих приметах, думай только о хороших. А как ты думаешь, кто родится, мальчик или девочка?

— Мальчик.

— Откуда ты знаешь?

— Знаю. Точно мальчик. Черненький, кудрявый, как ты, и зовут его Георгием.

— Георгием... — Баграт улыбнулся, поцеловал ее на прощание, тихо-тихо открыл дверь и неслышно ушел в темноту лестницы. Лампы, как всегда, на площадке не было.

«Вот так вот», — удовлетворенно подумала Людмилка, пересчитывая деньги. Она была уверена, что сделала все правильно.

Слава отсутствовал несколько дней. Как-то раз, вернувшись из магазина, Людмилка поняла, что в ее отсутствие он заходил домой. Видимо, что-то взял на продажу. После этого пил где-то еще три дня и вернулся, как всегда, грязный, вонючий, долго отмывался, стирал, а после ушел прямиком в свою комнату. Отношения они не выясняли, оба делали вид, как будто ничего не произошло. Людмилка жила в напряжении и все ждала, когда же он сорвется и запьет, однако его трезвый период все длился и длился.

Вскоре Людмилка заметила, что он подтаскивает у нее продукты из холодильника. Внутренне она вся кипела, но что-либо высказывать ему побоялась. Однако и оставлять такое хамство безнаказанным было нельзя. И вдруг она вспомнила: у какого-то писателя одна женщина споила свою соперницу. Людмилка порылась в памяти: «Точно! Сомерсет Моэм!»

В следующий раз, когда пришлось выходить в магазин, она прикупила бутылку водки, распечатала ее, отлила немного в маленький пузырек и поставила его на полочку в ванной комнате, положив рядом бинт и кусок ваты, а саму бутылку сунула в холодильник. На следующий день Славик пропал, и вместе с ним пропала бутылка водки, а пузырек в ванной опустел. На этот раз его не было неделю. А Людмилка купила еще одну бутылку водки, опять ее распечатала и оставила в холодильнике.

Наступило лето, долгое и довольно скучное. Несколько раз тайком от отца и соседей приезжал Баграт, ночевал и каждый раз оставлял деньги... Сначала она складывала их в одну кучку и прятала, время от времени меняя место, так, на всякий случай. Все-таки алкаш в доме. Но по мере того, как пачка пухла, росло и Людмилкино беспокойство. Она разделила ее на две равные части и нашла им хорошие тайники. «Даже если он одну украдет, вторая останется. Он не дотумкает, что у меня их может быть две». Некоторое время она жила спокойно, но потом стало жалко терять половину денег, и тогда ей пришла в голову мысль, что если каждую разделить еще на две, то получится, что возьмет он только четвертую часть. С удовольствием пересчитав деньги, она опять разделила надвое каждую пачку и еще раз перепрятала, но почти сразу же стала переживать и захотела опять все переделить и перепрятать, однако взяла себя в руки. «Если что, скажу Баграту. Он разберется». С тем и успокоилась. Разве что время от времени устраивала себе праздник: доставала их и пересчитывала.

Она регулярно ходила в женскую консультацию, и чувства, которые каждый раз испытывала в этом заведении, были приятными. Хорошо было сидеть в очереди такой полноценной, полноправной, с обручальным колечком на пальчике, поддерживать разговор с женщинами и порой вставлять что-нибудь вроде: «А мой муж считает, что покупать кроватку надо только новую».

Иногда она выбиралась в магазины, но ходить было уже тяжеловато, а просто сидеть дома было невыносимо. Чтобы занять себя хоть чем-нибудь, Людмилка обзвонила своих прежних сокурсников, растрясла их на лекции, конспекты и учебники и теперь занималась. Роды намечались на конец октября — начало ноября, и она наивно планировала в декабре-январе сдать все зачеты и экзамены, чтобы не терять еще один год. Тем более что обещала приехать мама. Заодно можно будет для родителей списать потерянный год на академический отпуск. Хотя все это было уже неважно: теперь она имела другой статус, и даже если бы сказала, что по неуспеваемости потеряла год, никто не стал бы ее за это ругать. Замужняя женщина, сама себе голова и хозяйка...

СВОБОДА

В сентябре она попыталась ходить на занятия и продержалась до октября. Но потом зарядили дожди, втискиваться в переполненный транспорт не было никаких сил, и она бросила это бесполезное занятие. Сделав усилие, Людмилка оформила академический отпуск.

Двадцать пятого октября приехала мама. К счастью, Славик был в очередном затяжном запое. Мать сначала попечалилась, потом тайно заглянула в Людмилкин паспорт и успокоилась: деревенскую жительницу алкоголизмом не удивишь и не испугаешь. Зато дочь пристроена раз и навсегда. Еще ее угнетало чувство вины, что она так и не сказала дочери о дурной наследственности, но изменить что-то уже было нельзя, так что оставалось только надеяться на лучшее.

Пятого ноября Людмилка проснулась рано утром и поняла, что началось. Она, кряхтя и охая, потихоньку пробралась на кухню и позвонила Баграту:

— Багратик, это я. Я еду рожать нашего Георгия.

— Я буду за тебя молиться... — только и успел сказать он, потому что Людмилка, услышав, что встает мать, повесила трубку.

Собрали вещи, вызвали неотложку. Людмилка украдкой порылась у себя в загашнике, достала пятьсот рублей и принесла их матери, на расходы. После того как дочь увезли, мать дала телеграмму отцу, чтобы он приехал помочь купить кроватку, коляску, манеж и приданое для ребеночка.

Утром шестого ноября в справочной роддома сообщили, что Бражникова Людмила Николаевна в пять утра родила мальчика. Рост тридцать семь сантиметров, вес — четыре сто. И мать, и ребенок чувствуют себя удовлетворительно. А утром восьмого ноября в дверь позвонили. Мать открыла дверь, думая, что это либо вернулся новоиспеченный зять, либо приехал муж, но за дверью стояли участковый милиционер и мужчина в штатском.

— Квартира Бражниковых? — спросил мужчина в штатском.

Мать кивнула.

— Вы кто такая будете?

— Я — мать Бражниковой Людмилы. А вы кто будете?

— Я — следователь, а это ваш участковый, — и он показал раскрытое удостоверение. — А где хозяева?

— Дочка у нас в роддоме, родила позавчера сына...

— Поздравляем вас с внуком. А где ее супруг?

— Да кто ж его знает? Пьет где-нибудь. А вы зачем пришли-то? Что случилось?

— Видите ли, тут у нас вот какое дело... — встрял участковый, — нужно опознать труп.

— Господи, какой труп? Чей труп?

— Мужа...

— Моего мужа? Николая?

Мать всплеснула руками: первое, что пришло ей на ум, что это ее мужа, Николая, надо опознавать. Она побледнела и прислонилась к стенке.

— Е-мое... — выругался следователь. — Ты хоть соображаешь, что говоришь? Да вы, гражданка, успокойтесь. Не вашего. Боюсь, что мужа вашей дочери. Разрешите нам войти?

Они прошли на кухню.

— Ребятушки, — залепетала мать, — да что же это такое? Дочка в роддоме, а зять умер...

— Н-да, ситуация. Похоже, убили зятя-то вашего, — сказал участковый. — Нужно труп опознать. Местные алкаши сказали, что это Вячеслав Бражников. Но, сами понимаете, нужно, чтобы родственники...

— Да как же я его опознаю, если я его еще ни разу не видела? Они ж поженились, ничего нам не сказав. Письмо мы от дочери получили, когда она уже на сносях была. Сами знаете, молодежь сейчас какая, самостоятельная. Все лучше всех знают, совета родительского не спрашивают. Вот и вышла замуж за алкоголика. Разве бы я ей такого посоветовала?

— Черт, как же быть-то? — участковый почесал затылок.

— Да никак. Пойду к соседям, — ответил без энтузиазма следователь.

В убитом соседи опознали Славика. Судмедэкспертиза установила, что он был под завязку накачан алкоголем. Между двумя гаражами нашли и орудие убийства — старый охотничий нож, с вполне четкими отпечатками пальцев на рукоятке. Прошерстили местную алкату и нашли-таки виноватого. И отпечатки-то были его, и на одежде были пятна крови, и сам он не помнил ничегошеньки. Так что вышедшую из роддома Людмилку практически не дергали. Так только, по необходимому минимуму.

Славика скромно, но достойно похоронили, и осталась Людмилка хозяйкой трехкомнатной квартиры у метро «Аэропорт» и, как выяснилось при разборе документов, дачи в писательском поселке. Дачка, правда, была старенькая, чуть ли не довоенных времен, но зато с водой и с газом и с московским телефоном.

«Все-таки я везучая», — думала Людмилка про себя.

НОВЫЙ СТАТУС

Отец неприкаянно поболтался какое-то время у Людмилки, а затем уехал домой, к своему хозяйству. Мать дотянула до середины декабря и вроде бы тоже засобиралась. По-хорошему ей надо было бы остаться с Людмилкой, и она это прекрасно понимала: ну как дочка будет справляться одна-одинешенька? Но и мужа она не хотела надолго оставлять одного. Дело такое, стремное... Это баба в пятьдесят лет — залежалый товар, а мужику-то самое время чудить. Людмилка видела, что мать мается, понимала почему, но проявить великодушие и отпустить ее она не могла себе позволить. Еще теплилась у нее слабая надежда, несмотря на академ, каким-то образом сдать эту сессию, проскочить ее с общим потоком, выкрутиться как-нибудь. Шпаргалки у нее уже были, Томка собирала специально для нее. Но если мать уедет, можно ставить точку. Поэтому Людмилка помалкивала. Мать тоже молчала, однако долго это продолжаться не могло. Однажды ее осенила, как она посчитала, блестящая идея, и она обратилась к дочери с предложением:

— Людмилк, я тут вот что надумала. Одной тебе, понятно, будет трудно. А я тоже не могу разорваться. Давай пошлем телеграмму Антонине. Пусть она приедет, подменит меня.

Людмилка пришла в ужас:

— Да никогда! Слышишь? Никогда я ее даже на порог не пущу! Даже и не думай!

— Но что же делать-то, доченька? Как я могу тебя тут одну колупаться оставить? Или поехали со мной.

— Мам, ты езжай, если тебе нужно. Я справлюсь. Все уже как-то наладилось, а если что, на крайний случай обращусь к Славиным родственникам, ну, тем, которые приходили как-то раз, помнишь?

— Да-да, помню, конечно. Вроде бы люди хорошие. А точно они помогут?

— Помогут, не сомневайся. Они даже говорили, чтобы я звонила им, если что-то понадобится. Уж лучше они, чем Антонина. Все-таки она ненормальная... Я еще летом хотела тебе сказать...

— Да что такое, Людмилка? Что Антонина?

— Заговаривается она. Про тебя с отцом плела всякое...

— Про меня с отцом? Ну-ка давай выкладывай!

— Не хотела я тебе говорить, но придется. Вроде бы только отец в район, а ты к себе мужиков водить начинаешь. Тищенко, старших, и вместе, и по очереди...

— Господи...

— Горохова...

— Горохов-то инвалид, чего его-то приплетать?!

— Она так и сказала: «Даром что инвалид, а я видела сама, как они приспособились».

— Вот ужас-то какой! Так и сказала — «приспособились»?! Стыд-то какой!

— Так и сказала! А еще сказала, что вроде бы ты, еще до отца, тайно родила ребеночка, девочку, да и оставила ее в коляске у магазина... Что ты ездила к какой-то бабке за приворотным зельем, чтобы отца к себе присушить, и что ты хочешь ее со свету сжить, чтобы домом целиком завладеть.

Теперь Людмилка была уверена, что если вдруг Антонина проболтается, то мать ей не поверит.

— Ну, Антонина, ну я ей покажу...

— Не надо ей ничего показывать. Ненормальная она. Не дай бог возьмет да отравит тебя. Или в бане ошпарит. Или дом спалит. С нее станется... Ты просто... это... имей в виду, что такие вот разговоры она ведет... Говорила, что ты одиннадцать абортов сделала, потому что не от отца дети были...

Мать сделалась белой.

— Одиннадцать абортов... Это правда... Да только потому и делала, что от отца...

Людмилка изумленно посмотрела на мать.

— Отец-то твой после армии решил подзаработать на машину и уехал из Трунова за рублем. В одном месте поработал — не понравилось, в другом — мало платят. Устроился куда-то на химию, отработал пять лет, а потом его списали по состоянию здоровья. Он помыкался-помыкался, потратил то, что заработал, да и вернулся. Устроился на завод в райцентре. Там мы и познакомились. Поженились, и через год ты родилась... А он вроде как расстроился, что девчонка. Сына хотел. А все никак не получалось... Тебе два годика было, когда я опять забеременела. Никому ничего не сказала, только Николаю. Его тоже просила помалкивать, чтоб не сглазили. Три месяца сроку было, когда все случилось. Тогда деда Шапкина еще лошадь насмерть забила... Николай на поминках набрался до невозможности, я его на себе тащила домой. Зима была, не бросишь... Ну вот... Притащила я его домой, кое-как, еле в дом втянула. А тяжелый он. Во мне как оборвалось что-то. Ну и к ночи вроде как схватки начались. Я его растолкать хотела, да куда там... Одним словом, к утру скинула я... — Мать заплакала.

— Мам, ну не плачь, не надо, ну что было, то прошло...

— А когда я увидела, что скинула, так сначала сама не поняла, что это такое: вроде как две головы вместе, сколько ручек-ножек — не поймешь... Я полуживая завернула это в тряпицу, кое-как оделась да за сараем в снег закопала. Земля мерзлая была, не под силу мне было яму глубокую рыть, а просить кого-нибудь помочь нельзя было... Утром Николаю сказала, что скинула, потому что его домой тащила на себе. Вот с тех пор и делаю аборты. Слава богу, ты у меня нормальная получилась... Я все хотела тебе рассказать, предостеречь, да видишь, как получилось с твоим замужеством... Слава богу, Гошенька у нас в порядке.

Обе долго молчали. Потом мать вздохнула и сказала:

— Поеду я домой, Людмилка. Ты уж меня прости. Сама видишь, что творится. А если она сейчас отцу начнет нашептывать, пока меня нет? А то подумай: может, махнешь вместе со мной домой? Все проще будет парня поднимать.

Людмилка отрицательно покачала головой:

— Нет уж... Буду выкручиваться здесь.

ШАНТАЖ

Мать уехала, и Людмилка осталась со своими проблемами. Благо молока у нее хватало, магазин был рядом, так что пока она со всем справлялась. И в какой-то мере даже радовалась, что опять сама себе голова. Гоша ночью спал хорошо и давал ей высыпаться. Днем ей тоже удавалось прилечь на часок-другой. Жизнь вошла в свой ритм, и можно было подумать о дальнейшем. Например, имеет ли смысл сейчас зазывать Баграта, чтобы показать ему ребенка, или же это лучше сделать месяца через два, когда Гоша подрастет немножко и перестанет быть похожим на личинку. Баграт еще мальчишка, вряд ли у него вот так вдруг проснутся отцовские чувства... Как бы так подкатиться к нему, чтобы вытянуть из него деньги на ремонт? Говорить ему о даче или не говорить? И вообще, что с ней делать? Как бы съездить посмотреть, что же это за наследство такое... Посоветоваться бы с кем... Но все эти проблемы были решаемы и могли подождать до весны...

Неприятность случилась, как это повелось, перед Новым годом.

Как-то днем, когда Людмилка, покормив Гошу, прилегла поспать, и уже было задремала, раздался звонок. Спросонья она бездумно открыла дверь и увидела на пороге женщину, не очень молодую, очевидно, пьющую и выглядящую довольно непрезентабельно.

— Мне нужно с вами поговорить, — сказала незнакомка и, оттерев Людмилку плечом, нахально вошла в квартиру.

Людмилка испугалась, но сообразила вдавить язычок замка, чтобы он автоматически не защелкнулся, и просто прикрыла дверь.

— А кто вы такая?

— Сейчас узнаешь. — Женщина прошла прямиком на кухню. По всему было видно, что в квартире она хорошо ориентируется. — Да... Порядок ты здесь навела... Не поторопилась ли?

— Да в чем дело? Кто вы? Что вам нужно?

— Кто я? Садись, а то упадешь.

— Не упаду. Говорите или уходите.

— Я — Бражникова Елена Алексеевна, жена Славика, царствие ему небесное... Вечный ему покой и память...

Чего-чего, а вот уж этого Людмилка никак не ожидала. Мозг лихорадочно стал просчитывать варианты. «Так, вопрос квартиры. Наверняка. Законной женой она быть не может. Либо бывшая, либо просто сожительница. Явно алкашка. Узнала о смерти Славика и хочет квартиру оттяпать. Или получить отступного».

— Удивлена? — продолжала женщина.

— Еще как, — ответила Людмилка. — Не каждый день узнаешь, что твой покойный муж двоеженец.

Женщина саркастически улыбнулась:

— Ну-ну... жена...

— Вам паспорт показать с печатью?

— Да ты печатью-то не прикрывайся. Сколько стоит твоя печать, мне хорошо известно. И как ты Славку спаивала, тоже знаю. Сам мне рассказывал, как ты ему водку в холодильнике оставляла, чтобы он сорвался.

— Да кто вы такая? Вы зачем сюда пришли?

— Я — его жена. Да! Бывшая! Но последний год мы снова сошлись и жили как муж и жена.

— Неправда! Слава здесь жил! Да, бывало, что он уходил на пару дней, но возвращался сюда, ко мне!

— Ко мне он уходил. И много чего интересного рассказывал. Так что, моя дорогая, мне все известно... И я тебе вот что скажу: у меня есть сын, и ему полагается его доля наследства. И я подаю на тебя в суд. И уж будь уверена, жилплощадь я у тебя отсужу как пить дать. Вылетишь ты отсюда на раз-два, да еще и в места не столь отдаленные — за фиктивный брак.

Людмилка стояла перед ней ни жива ни мертва.

— Что вы от меня хотите?

— А хочу я с тобой договориться полюбовно. Раз у тебя были деньги расписаться со Славкой и прописаться сюда, значит, найдешь еще. Ты мне платишь десять тысяч — и живи спокойно.

— Десять тысяч?!!! Да вы хоть представляете, что это за деньги?! Да вы с ума сошли!

— Не сошла, не сошла. Я очень даже в своем уме. И в своем праве. Ты думаешь, я сюда с кондачка пришла? Думаешь, дурочка? Я с юристами советовалась и права своего сына хорошо изучила. Короче, так: времени я тебе даю до тридцатого декабря. К двадцать девятому деньги должны быть у тебя на руках. Я позвоню и сообщу, как ты мне их передашь. Вот таким вот макаром. Если денег не будет, я после праздников иду в суд подавать иск на наследство. И заявление в милицию, что ты — брачная аферистка. И загонят тебя за Можай вместе с твоим сыночком. Ну, засим разрешите откланяться... — Она встала и двинулась в прихожую.

— Подождите! — крикнула ей вслед Людмилка. — Оставьте хоть телефон! Мало ли что...

— А вот «мало ли что» мне не нужно. Я тебе сама позвоню. Двадцать девятого. Привет твоему генацвале! А смерть Славки на твоей совести, и об этом будет у нас с тобой в скором будущем отдельный разговор, — кинула она на прощание.

Трясущимися пальцами Людмилка набрала номер телефона Баграта. Дома никого не было. Она звонила до самого вечера, но безрезультатно. Получалось, что она опять одна с ребенком и опять в самый трудный момент осталась кинутой. Вариант был один: ехать в институт и искать Баграта там.

На следующий день, утром, она собрала ребенка, положила в сумку запасные пеленки и подгузники, бутылочку с водой и уже перед выходом решила напоследок позвонить еще раз. Трубку снял Баграт.

— Баграт, это я... — Людмилка разрыдалась. — Баграт, у меня проблемы...

Баграт ходил по комнате с Гошей на руках. Пока он держал Гошу, тот молчал, но стоило только положить его в кроватку, как ребенок начинал заходиться в крике. Видимо, нервозность матери передалась ему, и теперь он никак не мог успокоиться. Баграт же испытывал смешанные чувства. Дело было в том, что в августе он женился. Вернее будет сказать, его женили.

Этот брак имел большое значение для обеих сторон. Он объединил две весьма влиятельные семьи, и, надо сказать, обе они весьма укрепили этим свои позиции. Что же до молодых, на то они и молодые, чтобы за них думали и решали старшие. Баграту на свадьбу подарили премиленькую четырехкомнатную квартирку практически в центре Тбилиси, тесть подарил машину, бесчисленные родственники тоже не оставили их без внимания. Что еще нужно для счастья и процветания? Только наследник, которому в свое время достанется все, что наработали его деды, ибо, как и Баграт, его жена Кети, поздний и долгожданный ребенок, была единственной дочерью довольно немолодой четы.

Родители обо всем договорились, потом Леван Арчилович поговорил с сыном, и, к его удивлению,

Баграт особо не упирался. Подготовили свадьбу — и вот он уже молодой муж. Медовый месяц сократили до двух недель, и Баграт уехал доучиваться, оставив молодую жену на попечении какой-то семиюродной тетки, выписанной для этого случая из маленького горного селения.

Он носил своего сына на руках и думал о том, что, возможно, скоро у него будет его собственный, настоящий ребенок. Тут же он одергивал себя: а этот не настоящий? Не его собственный? От того, что он записан как Георгий Вячеславович Бражников, суть дела не меняется. Даже сейчас уже видно, что мальчик пошел в их породу. Он, конечно же, будет всегда помогать Людмиле, но... Как же это все некстати! Баграт не был в курсе того, как, через кого и кто нашел в свое время этого Бражникова, как с ним договаривались и насколько хорошо люди, которые провернули эту аферу, были осведомлены о его родственниках. Теперь надо было опять обращаться к отцу, беспокоить его, а у него и так всяких проблем воз и маленькая тележка. Но и бросить Людмилку с сыном на произвол судьбы он не мог. Он то и дело поглядывал на Людмилку, невольно сравнивал ее со своей женой, и сравнение это было не в пользу жены, скорее ребенка, чем девушки. А здесь перед ним на диване сидит роскошная женщина... Голубые глаза смотрят преданно и доверчиво... Мраморная кисть правой руки механически разглаживает ткань халатика на ногах, левой она поправляет волосы... Вот она наклоняется, начинает тихонько всхлипывать, и они рассыпаются... Баграт осторожно кладет уснувшего Гошу в кроватку, и мальчик молчит. Баграт подсаживается к Людмилке и обнимает ее. Она обвивает его шею руками, утыкается в грудь личиком. Он поглаживает ее по голове.

— Ну-ну, не надо плакать. Все будет хорошо. Тебе не надо об этом беспокоиться. Я переговорю кое с кем, и они все уладят. Не думай об этом. Это не твоя забота. Эта женщина к тебе больше не придет. Я тебе обещаю. Ты мне веришь? Как, она сказала, ее зовут?

Елена Алексеевна Бражникова, бывшая машинистка солидного научного журнала, а ныне безработная, одетая, как капуста, в двух свитерах, кофте и осеннем задрипанном пальтишке, в облезлой шапке, в драных сапогах на совершенно лысой подошве, шла по утоптанной до льда дорожке к дому и беспокоилась только о том, как бы не упасть и не разбить две драгоценные бутылки «Столичной», купленные на деньги, взятые в долг под скоро ожидаемые большие денежные поступления. Видимо, поэтому ее внимание не зацепило троих прилично одетых мужчин, шедших за ней от самого магазина. Счастливо добравшись до подъезда, замерзшей рукой она с трудом открыла тугую дверь и, соблюдая меры предосторожности, стала протискиваться в образовавшуюся щель. Кто-то сзади произнес: «Позвольте вам помочь» — и легко распахнул неподдающуюся дверь. От неожиданности женщина поскользнулась, по привычке ругнулась и тут же с достоинством кивнула: «Благодарю вас». Она вошла в подъезд и стала подниматься на третий этаж. Мужчины тоже пошли по лестнице наверх, но она опять не насторожилась. Дойдя до своей двери, Елена Алексеевна достала ключ, открыла дверь и тут же получила толчок в спину такой силы, что долетела до угла, больно ударилась об него лбом и сползла на пол. Бутылки предательски звякнули, и запахло спиртным. Первой ее мыслью было: «Не донесла...» Она подняла мутные глаза, оглядела мужчин и разъярилась:

— Кто такие?! Вы чего сюда приперлись?! А ну вон отсюда! Плати за разбитые бутылки и — вон отсюда!

Елена Алексеевна поднялась с пола и грозно двинулась в их сторону. Один из мужчин, не снимая перчаток, размахнулся и ударил ее по лицу. Она опять упала.

— Вы... вы... кто такие? Вам чего нужно? У меня ничего нет... — Теперь в ее голосе был испуг.

— Так-таки ничего? — спросил тот, который ее ударил.

— Иди! Смотри! Если чего найдешь — твое! — Она поднялась с пола.

Мужчина опять ударил ее по лицу и разбил ей губу. Потекла кровь.

— Ребятки, не бейте... У меня правда ничего нет... брать нечего...

— Неправда, — тихо и спокойно сказал мужчина. — Всегда есть что взять. Вот, например, сына. У вас ведь есть сын, Елена Алексеевна?

Елена Алексеевна похолодела, а мужчина продолжал:

— Есть. Хоккеист растет. Вы бы ему курточку новую купили, а то он, как девочка, в розовой катается, в драненькой такой, с белым воротничком.

— Ну чисто девочка! — подал голос второй мужчина.

— Нежный такой, румяный, — подхватил третий. — Губки пухлые, реснички длинные...

— И пусть себе катается, — тихо сказал первый, — но если ты, пьянь, будешь заниматься шантажом, мы твоего сына сделаем девочкой. За два месяца сделаем. И вернем тебе. Без языка. Чтобы не болтал. И без пальцев, чтобы писать не смог. И без глазок, чтобы не узнал кого-нибудь не того. И ты будешь рада, что он такой, но живой. Ты меня понимаешь? — И он опять ударил ее по лицу.

Она закивала головой.

— А если ты все-таки сунешься еще раз, то, кроме места на кладбище, тебе и твоему сыну никакая квартира больше не понадобится, — подхватил второй. — Я понятно объясняю?

Елена Алексеевна, онемевшая от ужаса, кивнула еще раз.

— Вот и славно. Берегите сына, Елена Алексеевна. А деньги — что деньги? Прах.

Все трое бесшумно выскользнули из квартиры и захлопнули за собой дверь.

Несмотря на клятвенные заверения Баграта, что все будет хорошо, Людмилка со страхом ждала двадцать девятого декабря, но бывшая жена Славика так и не проявилась. Тридцатого ей принесли деньги, две огромные коробки с новогодним набором продуктов и маленькую пушистую елочку. Людмилка полезла на антресоли, где еще летом заприметила сложенные в полуразвалившуюся щербатую корзину елочные игрушки, достала их и нарядила елку. Первый раз в жизни она встречала Новый год одна. Хотя нет, почему одна? Не одна, а с сыном.

1988 ГОД. ДАЧА

Что и говорить, одной поднимать малыша было тяжело. Но Людмилка никогда не падала духом и так организовала свой быт, что он ей не доставлял особых хлопот. Ей удалось договориться с соседкой, бабой Валей, и та отпускала Людмилку на рынок, а сама сидела с Гошей. Для этих поездок Людмилка приобрела сумку-каталку и в ней привозила домой продукты. Она брала хороший кусок мяса, курицу, овощи и прочую необходимость, дома разделывала это все, раскладывала на порции и выставляла на балкон, на мороз, и целую неделю могла не выходить из дома, разве что за хлебом или молоком. Эти походы на рынок забирали довольно значительную часть той суммы, которую ей выдавали, но зато она, во-первых, полноценно питалась, а во-вторых, не толкалась по бесконечным очередям в магазинах и не носила домой заразу. Зима прошла без гриппа.

В конце февраля приехала мама и немножко разгрузила Людмилку. Пользуясь случаем, они взялись разгребать завалы все в том же злополучном кабинете. Сложили в ящики ветхие папки на тесемочках, исписанные блокноты, общие тетради с заскорузлыми обложками, кипы какой-то писанины. Мать хотела снести все на мусорку, но Людмилка не дала.

— С этими бумагами надо будет разобраться. А вдруг там найдутся документы еще на какую-нибудь дачу... Я летом, будет время, все просмотрю и тогда уже либо выкину, либо оставлю.

— Смотри, Людмилка, как знаешь. Тебе виднее. Только будешь ты об них спотыкаться, об эти коробки...

— А я, мама, перевезу их на дачу. Пусть там полежат, поумнеют. Все равно когда-нибудь надо будет поехать посмотреть, что за наследство мне досталось.

— Да уж... И не говори... Ты у меня теперь богатая невеста: и квартира трехкомнатная в Москве, и дача. И сынка вона какой растет!

— Ага! Особенно сынка — лакомый кусочек приданого! — засмеялась Людмилка.

— А не говори. Ты ж его не нагуляла где, не в подоле принесла. Родила в законном браке. Ты — не гулящая какая-нибудь, а вдова с ребенком. И не обязательно всем знать, что твой муж был пьянчужкой. Он сын писателя. А Гоша — внук писателя. И все тут. А ты — вдова. Две большие разницы.

Кабинет привели в божеский вид, прикупили дешевеньких обоев и оклеили ими стены. Теперь можно было временно переселяться с Гошей сюда и заняться своей комнатой. В комнату же Славика Людмилка старалась не заходить, однако понимала, что когда-нибудь и там надо будет навести порядок. Но откладывала это дело до лучших времен.

Очень не хватало мужских рук. Вот, например, было в наличии два пылесоса, но ни один из них не работал. А так хотелось избавиться от этой вековой пыли! Одна из книжных полок висела правым концом на шурупе, а левым упиралась в нижнюю полку, которая от такой нагрузки тоже собиралась левым концом сползти вниз. Новые чистые обои просили отциклевать и заново покрыть лаком обшарпанный до безобразия когда-то благородный дубовый паркет. А тут еще стало заедать раскладной диван, на котором спала мама...

Людмилка отправила мать гулять с Гошей, а сама вооружилась отверткой, пассатижами, гаечным ключом и полезла разбираться, что с ним не так. Открутила гайки, вынула болты и с трудом вытянула сиденье. Внутри дивана тоже оказались залежи исписанных листов, папки, тетради. Она чертыхнулась, сходила за оставшимися пустыми ящиками и стала перекладывать в них эту, как она называла, макулатуру. Вдруг что-то звякнуло. Людмилка наклонилась посмотреть, что же это такое, и увидела на дне дивана сережку. Она была тоненькой, явно золотой, с камешком. Людмилка плюнула на камешек и потерла его о брючину. Камешек просветлел, поймал лучик света и неожиданно заиграл. Людмилка никогда не держала в руках бриллиантов и даже не знала, как они, собственно говоря, выглядят вживую, но внутренним чутьем догадалась, что это именно он. Она призадумалась. Бражниковы были людьми состоятельными, и вполне возможно, что где-нибудь в квартире есть какой-нибудь тайничок с драгоценностями. Надо будет хорошенько обыскать все, когда мать уедет. Хотя, конечно, рассчитывать на что-то не стоит. Скорее всего, все, что было, давно пропил Славик. А эта сережка случайно запала в диван и только поэтому сохранилась. И тут ей пришла в голову мысль, что, вполне вероятно, если что-то и есть, оно спрятано на даче.

«Как только сойдет снег, надо будет поехать туда на разведку», — решила Людмилка. Матери о своей находке она ничего не сказала.

РАЗВЕДКА

Даже воздух в поселке был какой-то другой. Вот еще на автобусной остановке он был один, обыкновенный, воздух и воздух. А в поселке он был другой. Пахло достатком, довольством, устоями, традициями и чуть-чуть высокомерием. Вдоль длинных разномастных заборов центральной улицы густо, можно сказать, сорняками, росли молоденькие елочки.

Ближе к самой дороге, асфальтовой, добротной, — вековые липы, дубы, клены. За самими заборами также высились старые деревья, и было очевидно, что под их могучими кронами нет места для садово-огородной шелупони вроде редиски или укропа с петрушкой, не говоря уже о картошке.

Представившись в сторожке, Людмилка спросила, как ей пройти к 65-му участку. Благообразный старичок-сторож в самых изысканных выражениях выразил ей соболезнования по поводу смерти мужа и подробно объяснил дорогу.

— Вы на обратном пути непременно зайдите ко мне. Я немножко введу вас в курс дела.

— Спасибо вам огромное, я обязательно зайду.

Она прошла, как было ей сказано, до третьего поворота, завернула налево, дошла до конца, повернула направо и, опять-таки дойдя до конца, подошла к большим деревянным, изрядно покосившимся воротам с прибитым заржавелым металлическим номером «65». Соседние участки были справа и за домом, а слева и за спиной, через дорогу, — лес. Участок был крайним. Рядом с воротами была тоже покосившаяся калитка с навесным замком, заботливо прикрытым сверху потрескавшимся куском черной резины. Людмилка порылась в сумке, достала оттуда сначала маленький пузырек с машинным маслом, щедро налила его в замочную скважину и только после этого достала целлофановый пакет со связками ключей. Она собрала все, что нашла в квартире, и была уверена: что-нибудь да подойдет. Так оно и случилось. Ключ на одной из связок по-родному вошел в замок и после небольшого усилия сделал свое дело. Людмилка открыла калитку и вошла на участок, огромный, почти квадратный, великолепный в своем запустении. Ближе к противоположной стороне под высоченными плакучими березами стоял кирпичный двухэтажный дом с большой застекленной верандой. От калитки к дому вела мощенная плиткой дорожка, а от ворот — щедро усыпанная гравием дорога в деревянный гараж. Людмилка заглянула в щелочку гаража, чтобы разведать на предмет машины, но таковой не обнаружила. Он был заставлен коробками, ящиками, старой мебелью и еще бог знает чем.

По дорожке она прошла к дому, без труда открыла дверь и вошла на веранду. Стекла кое-где были побиты, и на полу лежали березовые листья и желтые семена-«самолетики». Две испуганные пичужки заметались под потолком — на старинном шкафу, набитом литературными журналами прошлых лет, было гнездо.

Людмилка обследовала первый этаж, потом второй и спустилась опять вниз. Душа ее ликовала. Никогда она даже не мечтала, что у нее будет вот такой дом, с таким участком, в таком поселке. Старая ореховая мебель была добротной, можно сказать, стильной. Она зашла на огромную кухню, в которой терялся даже большой овальный стол с массивными стульями вокруг него, подошла к газовой плите, достала из кармана зажигалку, повернула кран и включила газ. Конфорка пыхнула и по дырочкам весело побежала голубая змейка огня. Открыла водопроводный кран. Он долго кашлял, чихал и плевался ржавчиной, потом пошла бурая вода, а через какое-то время струя стала совсем чистой.

В доме, если хорошенько прибраться, вполне можно было жить.

Людмилка все выключила и еще раз обошла дом,

а потом устроилась на веранде в скрипучем кресле и, глядя сквозь пыльные, грязные стекла на деревья, стала думать. Теперь ей было понятно, почему бывшая жена Славика запросила такую немыслимую сумму. Квартира и этот дом стоили таких денег. И она, Людмилка, полновластная их владелица. «Только бы эта баба не появилась опять, только бы не появилась...»

На обратном пути она зашла в сторожку и там узнала, что на доме висят большие долги, что телефон отключен, но можно все восстановить, потому что телефонист обслуживает их поселок уже лет тридцать и за небольшую мзду все устроит. Старичок дал ей номер телефона сторожки, свой домашний номер телефона и сказал, что, если будет нужна какая-то помощь по ремонту и обустройству, он посоветует, к кому ей обратиться. И еще он дал ей листок с расписанием электричек и автобуса, которое, в расчете на будущее благорасположение, не поленился написать, пока Людмилка разбиралась с домом.

Людмилка долго не могла уснуть и все думала о том, где бы ей взять денег. Если ничего непредвиденного не случится, если Леван Арчилович не перестанет ее поддерживать хотя бы еще два года, она сможет доучиться. Будет ли он ей помогать, когда она пойдет работать, — вопрос. Она и так была ему бесконечно благодарна за полученные неожиданные и сказочные блага, и просить что-то сверх того было невозможно. Хотя бы даже с той точки зрения, что он, возмутившись ненасытностью, мог раньше времени перекрыть ей кислород. Нужно было что-то придумать, что-то такое, чтобы все-таки втереться к ним в семью. Забеременеть еще раз?

Это, конечно, легче легкого. Но не факт, что он не разозлится. Это раз. Тогда уж точно прости-прощай институт — это два. Одно дело — родить при живом муже и остаться вдовой с ребенком, и совсем другое — родить вдове без мужа. Это три. Однозначно, надо было придумывать что-то новенькое. «Война план покажет, — вспомнила Людмилка присказку Левана Арчиловича и улыбнулась. — Кто сказал, что выплачивать надо всю сумму долга сразу? Заплачу-ка я пока часть. А там будет видно». С этой разумной мыслью она и уснула.

Грудью Людмилка уже не кормила, потому что Гоша, раз попробовав мясное суфле, категорически отказался от молока и по-мужски перешел в мясоеды. Теперь его можно было спокойно оставлять на целый день, а то и на два. А посему на следующие выходные, рано утром сбагрив сынишку бабе Вале, Людмилка запаслась стиральным порошком, хозяйственным мылом, уксусом, кое-какой снедью, тремястами рублями и отправилась на дачу. До Белорусского вокзала было рукой подать, да и на электричке ехать всего ничего. Какие-то полчаса, максимум сорок минут до Перхушково, минут десять, а то и меньше на автобусе, и она на месте. Было начало мая, душистого, трогательного, с белоснежными легкими облачками на ярко-синем небе, с теплым ветерком. Она вошла в поселок и опять ощутила этот дорогой покой, стабильность бытия, неспешность времени и — свою избранность.

Помимо сторожа в сторожке была и бухгалтер, Антонина Алексеевна, очень приятная женщина из местных, которая тоже работала здесь с незапамятных времен и знала всех и вся. Она пригласила Людмилку присесть, предложила чаю и как-то легко и незаметно, то улыбаясь, то сокрушенно покачивая головой, завела доверительный разговор, оказавшийся обоюдополезным, ибо и сама Людмилка почерпнула из него немало важных для себя сведений. Что свекор ее был очень хорошим человеком, интеллигентным, талантливым, свекровь — довольно известным врачом-психиатром, и что Славик был очень многообещающим молодым человеком, и пошел было по стопам отца, то есть начал писательствовать, но возомнил себя гением. Советская страна гения в нем не признала, несмотря на неимоверные усилия отца пропихнуть его бредовую писанину. Это здорово навредило самому отцу, а Славик стал пить. Пить и продолжать что-то писать. Его много раз пытались пристроить на работу, но он предпочитал тунеядствовать, прикрываясь своей одаренностью, однако ничего из его вещей так никогда и не опубликовали.

— И вы знаете, Людочка, говорят, он даже был связан с диссидентами, и только благодаря связям Тамаре Георгиевне вовремя удалось спрятать его в психушке на какое-то время, иначе мог бы и срок получить, а то и еще хуже — выслали бы из страны.

«Кто бы меня выслал из страны», — подумала Людмилка и, скорбно вздохнув, сказала:

— На самом деле, Антонина Алексеевна, Слава был очень талантливым человеком. И писал до последнего дня... Пил, но писал... — Людмилка заморгала, и глаза ее наполнились слезами.

— Конечно, конечно, талантливым, — с готовностью подхватила Антонина Алексеевна. — Злые языки чего только не наболтают! Если бы он не был талантливым, отец его ни за что не стал бы продвигать. Но эта водка проклятая... Скольким людям она жизнь исковеркала...

— Да, это правда. Я так надеялась, что смогу его... что мне удастся его удержать... от пьянства... Но что я могла сделать?

— Не корите себя, Людочка. Что же вы смогли бы сделать? Его жена, Леночка, — Антонина Алексеевна осеклась и быстро поправилась: — Я имею в виду его первую жену, она тоже пыталась бороться с его пьянством, а кончилось дело тем, что спилась вместе с ним. А вы так молоды... У вас нет еще жизненного опыта... Да хоть бы и был. Уж если родители не смогли ничего с ним сделать... Фактически это он их в гроб вогнал. Тамара Георгиевна и в психиатрическую его неоднократно помещала, и подсыпала ему порошки, ничего не помогло. Дело только кончилось скандалом.

— Скандалом?

— Да уж я не знаю, в чем там был сыр-бор... Знаю, что скандал был серьезный. Она тогда первый инфаркт получила. А через год — второй. И умерла. А как ее похоронили, Василий Андреевич совсем сдал. Опустился. Два года только протянул. Здесь жил. И зимой, и летом. Редко когда по делам в Москву выбирался, но, говорят, на квартиру даже не заходил. Так вот однажды уехал и уже сюда не вернулся. В больнице и умер. Я вас, однако, заговорила совсем. Я вам, Людочка, знаете что посоветую? Возьмите в институте справку, что вы там учитесь и что находитесь в академическом отпуске по уходу за ребенком. Принесите мне и напишите заявление. Может быть, на правлении решат вам скостить хоть сколько-нибудь. Да, и еще копию свидетельства о смерти Славы. И копию свидетельства о рождении ребенка.

— Это было бы просто замечательно. А то хоть институт бросай и иди работать, чтобы с долгами рассчитаться...

— Да... Содержать такой дом с участком — дело хлопотное. Не каждому мужчине под силу. А вы совсем еще девочка. Да еще одна с ребенком. Сейчас начнется: то батареи текут, то крышу менять... И по мелочи наберется столько, что вовек не справиться...

— И не говорите, — вздохнула Людмилка.

— Ну не огорчайтесь! Если уж вдруг совсем туго придется, всегда можно продать.

Людмилка напряглась, но виду не подала.

— Дом, конечно, в плохом состоянии, но все же кое-какие денежки выручить за него можно будет. Да и зачем вам такая обуза? — продолжала мягко увещевать Антонина Алексеевна. — А если вдруг надумаете, мы вам и покупателя подыщем солидного, который не обманет. Или сдать на сезон... Подумайте.

— На меня все это свалилось так неожиданно... Я тут осмотрюсь, что и как, а потом уже буду думать. Тем более что хотела тут с сыном лето провести.

— Вот и хорошо, вот и проводите здесь лето. А осенью можно будет уже и решать что-то.

«Ну, ты и хитра! Решила, что дурочка молодая... Как же, сейчас... продам я его...» — злобно думала Людмилка, шагая к дому. Войдя на участок, она осознала, что влюбилась в него еще тогда, в первый раз, и что скорее продаст себя, чем этот дом, это олицетворение другой жизни, другой ступени, поднявшись на которую надо держаться изо всех сил и не сдаваться, ибо такое выпадает один раз. Все равно что выиграть по трамвайному билетику...

К концу субботы Людмилка свернула горы. Уже темнело, когда она развела костер и сожгла изрядную кучу всякого хлама. Вечер был умиротворенный, теплый, птичья братия умолкла, и остался солировать соловей. Он пел где-то совсем рядом. С соседних участков коварно полз упоительный запах шашлыка, изредка то оттуда, то отсюда доносился смех, музыка, детские голоса, потом все смолкло. Теперь из-за лесочка напротив было слышно, как проезжает по шоссе редкая машина. Людмилка все сидела и сидела и никак не могла собраться с духом оторваться от костра. Когда стали угасать последние искорки, она наконец встала, чтобы идти в дом, и напоследок услышала дальний звук поезда. Дробно выстукивали колеса знакомые слова, и ей казалось, что это не поезд, это уходит куда-то в никуда ее прошлая жизнь.

Утром, когда Людмилка проснулась, первое, что она увидела, были огромные деревья в волшебной зеленой дымке. Через окно ветерок принес удивительную смесь запахов: земли, костра и чего-то еще неопределенного, но удивительно счастливого. «Я понимаю, с чего можно запить в нашем селе... Но как можно пить, имея эту квартиру, этот дом... Да я на его месте жила бы и радовалась жизни... Господи... ДА Я ЖЕ НА ЕГО МЕСТЕ!!!!! Господи... Грех так даже думать, но, если бы его не убили, ничего бы этого не было... Он бы пропил все и все равно бы плохо кончил. Нет, он бы выжил меня, выкинул». Она встала и пошла умываться. Потом долго и

бездумно сидела за столом, пила чай, ела бутерброды. Наконец окончательно проснулась и принялась
за дело. К вечеру дом приобрел более или менее ци-
вилизованный вид. Мышами уже почти не пахло, за
два дня сырость ушла, и вполне можно было пере-
бираться сюда жить.

ТРЕВОЖНЫЙ СИГНАЛ

В понедельник Людмилка составила список необходимых продуктов, вещей и методично ходила
по магазинам, а потом упаковывала все в коробки,
сумки и мешки. Для переезда она решила вызвать
такси. О справке из института вспомнила только в
среду.

В деканате ей быстренько выдали справку, и она
уже собиралась уходить, когда увидела, как в приот-
крытую дверь кабинета ей машет рукой Левчик.
Она вышла в коридор, подошла к окну и стала его
ждать. Левчик, проходя мимо, подал ей знак следо-
вать за ним, направился к лестнице и стал спускаться на первый этаж. Они уединились в уголке, и Левчик сказал:

— Прекрасно выглядишь. Как жизнь? Я слышал,
ты овдовела?

— Да, это правда. У меня мужа убили.

— Как убили? Я этого не знал... Говорили, что
спился.

— Мало ли что говорили. Его убили, когда я в
роддоме была. И даже нашли убийцу. Ты меня по-
звал об этом расспросить?

— Нет. Я хотел тебе вот что сказать. Тут приходила какая-то странная тетка, спрашивала, как тебя
найти. Секретарша наша, корова безмозглая, дала

ей твои координаты и, естественно, твою новую фамилию. Эта тетка говорила, что она твоя родственница из какого-то города. Приехала, а адрес потеряла. Она к тебе приходила?

Людмилка похолодела от недоброго предчувствия.

— Нет... Никакая тетка ко мне не приходила... Моя единственная тетка живет в нашем селе.

— А ты вроде говорила, что тетка твоя умерла...

— Ну да, умерла. Я хотела сказать «жила». А какая она была из себя?

— Да никакая. Маленькая такая крыска с хозяйственной сумкой. Волосы — седина с рыжиной, как будто когда-то красилась в рыжий цвет. Знаешь, такие уборщицами в магазинах работают...

«Вот оно, началось», — подумала Людмилка, а вслух спросила:

— Давно она приходила?

— Пару недель тому назад. Нет, пожалуй, дней десять.

— Странно... Никто ко мне не приходил. Хотя я все время дома.

— Вот и мне она показалась странной. Вся ситуация показалась странной, если уж быть точным. Я же знаю, что тетка твоя умерла.

— Ну что теперь сделаешь. Может быть, была какая-нибудь дальняя родственница проездом в Москве. Может, придет еще. Тогда и узнаю, кто такая, зачем искала...

Людмилка даже не сомневалась: это была та самая уборщица из магазина. «Как ее звали-то? Директор как-то звал ее... А, да, Нина Васильевна... Значит, в сумке моей рылась, когда я в туалет уходила. Вот стерва! Специально меня умываться отправила! Значит, уже тогда заподозрила...»

— Как-то ты очень спокойно к этому относишься, Люда. Ты теперь одна, квартира у тебя почти в центре. Мало ли какие аферисты...

— Ой, Лева, ну что же мне теперь, раздвоиться как-нибудь, что ли? Да и, кроме того, я не одна. У меня сын, — Людмилка через силу улыбнулась.

— Тем более что сын... Сын. Почему ты какому-то там алкашу родила, а моего ребенка...

— Не надо, Лева, не начинай. Ты ведь не собирался на мне жениться. Я это довольно быстро поняла. Я тебе на руку сыграла, да?

— Что ты такое говоришь?!

— Давай не будем. Что случилось, то случилось. Все, проехали. Но я тебе за предупреждение очень благодарна. Может, и вправду аферистка...

— Не за что, — буркнул Лева. — Ты мне все-таки не чужая... Если что — телефон мой знаешь.

— Спасибо, Лева, спасибо тебе. Если что — обязательно.

Дома, отпустив бабу Валю, Людмилка первым делом дозвонилась в таксопарк, заказала на завтра, на утро, машину и остаток дня посвятила сборам. «Просижу на даче до сентября, а там видно будет. Может, придумаю что-нибудь».

С этой проблемой к Баграту Людмилка обращаться не могла, потому что тогда на свет выплыла бы ее тайна, а этого допустить было никак нельзя, ибо тогда могло рухнуть все. Решать ее надо было самой, в одиночку. Даже если эту бабку придется убить. И тут Людмилке на ум вдруг пришла мысль: «Не может быть... Неужели проблему со Славиком решили вот таким же образом? А что же тогда его бывшая жена? Почему она больше так и не появилась? Тоже «решили проблему»? Но тогда они должны были убрать и мальчика... Господи, неужели...» Поразмыслив какое-то время, Людмилка решила, что надумала себе эти страсти-мордасти, что она просто издергана жизнью и поэтому ей мерещится всякая дрянь. На этом и успокоилась.

Утром следующего дня они с Гошей уже ехали по Рублево-Успенскому шоссе, мимо огромной коричневой деревянной медведицы с медвежатами, чуть дальше — мимо двух деревянных оленей, стареньких и ветхих деревенских домиков за серыми дощатыми заборами, над которыми зеленым купами нависали ветки старой сирени, крошечного обшарпанного сельского магазинчика, затейливой железнодорожной резной будочки, таинственного красного кирпичного забора, уходящего куда-то в овраг и так похожего на Кремлевскую стену...

ТЕЙМУРАЗ

Жизнь на даче оказалась не такой легкой и приятной, как Людмилка ожидала. Во-первых, не было соседки, с которой можно было бы оставить Гошу, и поэтому походы в магазин, расположенный в соседней деревне, были утомительными. Во-вторых, дом стоял на отшибе, в поселке было пока еще пусто, и к ночи Людмилке становилось страшновато. В-третьих, не задалось с погодой: часто шел дождь, и температура никак не хотела подниматься выше 16 градусов. Слава богу, отопление работало нормально, а Гоша не имел склонности к простуде.

В конце месяца Людмилка засобиралась в Москву: должны были принести деньги от Левана Арчиловича, да и Гоше надо было сделать кое-какие прививки. Взяв только необходимое, она рано утром отправилась в путь. Ей повезло: и автобус пришел вовремя, и на электричку они успели, и уже к полудню закончили все свои дела в детской поликлинике. Теперь можно было идти домой. Удачно перехватив по дороге кое-каких продуктов, уставшая Людмилка с капризничающим Гошей в прогулочной коляске, с тяжелой сумкой через плечо наконец добралась до квартиры. До вечера она ждала денег, но никто не пришел.

Весь следующий день пришлось просидеть в квартире, но безрезультатно. То же самое было и на третий день. И вот тут Людмилке стало страшно. А вдруг каким-то образом получилось так, что эта уборщица пересеклась с ними и ее тайна вылезла наружу? И теперь не будет больше ни денег, ни защиты, да еще, чего доброго, начнут таскать по милициям...

От такой полной беспомощности делалось страшно. На сбережения можно было бы протянуть некоторое время, но именно протянуть. А дальше надо было устраиваться на работу, причем на такую, где бы ей дали для Гоши место в яслях. На институте можно было ставить жирный крест как минимум на ближайшие год-два. И все это при условии, что с милицией дело обойдется. А если нет — она даже думать не хотела о том, что будет... И тут Людмилка вдруг нашла совершенно простое решение: если Леван Арчилович перестанет ее субсидировать, она отвезет сына к родителям, а сама будет доучиваться и пытаться устроить свою жизнь. Пока ей давали деньги, сплавить Гошу она не могла. Но если за лето ничего не изменится, в августе она поедет домой, в

Труново. «Ничего... Меня же там вырастили. И его как-нибудь поднимут...»

Утром она позвонила Баграту, но трубку никто не взял. В течение дня она несколько раз пыталась дозвониться, но безуспешно. С каждым днем надежды на случайность происходящего оставалось все меньше и меньше, однако Людмилка упорно сидела дома, вздрагивая от каждого звука.

На шестую ночь она даже не услышала, а скорее догадалась, что в дверь тихо стучат. Людмилка накинула халат и, леденея от ужаса, босиком добралась в темноте до двери. За дверью было тихо, но ей показалось, что там кто-то дышит.

— Кто там? — испуганно спросила Людмилка.

— Люда, открой, это я.

К неимоверному облегчению, она узнала голос Баграта, открыла дверь и отступила в сторонку. Из темноты в прихожую ввалилось нечто огромное и бесформенное. Дверь закрылась.

— Куда его можно положить? Он ранен. — На Баграте буквально висел мужчина, явно кавказец.

— Сюда, сюда, в комнату, — показывала Людмилка путь. — Клади его на диван.

Баграт дотащил мужчину до дивана и бережно опустил его. Тот застонал и заскрипел зубами.

— Я сейчас «Скорую» вызову... — Людмилка кинулась к телефону, но Баграт ее остановил.

— Не надо «Скорой». Сами справимся. Давай ножницы, бинты, водку, все, что есть, тащи сюда.

Людмилка не стала задавать вопросов и кинулась к аптечке.

Баграт осторожно раздел до пояса раненого и кинул окровавленную одежду на пол.

— Только бы навылет... Только бы навылет...

Сейчас посмотрим. — Он отклонил мужчину от спинки дивана и осмотрел его спину. — Точно, навылет. Давай, что у тебя там есть?

Людмилка, выросшая в деревне, где травмы были обычным делом и к поранившимся «Скорую» не вызывали, а справлялись своими силами, принялась опытно обрабатывать рану перекисью водорода. Затем смазала кожу вокруг йодом, истолкла в бумажке в мелкий порошок все, что, по ее разумению, могло хоть как-то сгодиться — стрептоцид, левомицетин, какие-то аналоги пенициллина, присыпала ранку с горкой, наложила марлевую салфетку и сверху крест-накрест заклеила тонкими полосками пластыря. То же самое проделала с выходным отверстием.

— Теперь надо перебинтовать. — Она кинулась в свою комнату и принесла оттуда простыню. — Чистая и глаженая. — Они с Багратом порвали ее на длинные полосы, кое-как перебинтовали плечо, Баграт раздел его и уложил на диван.

— Наверное, у него температура. Аспирин какой-нибудь есть? — спросил Баграт.

— Подожди. Давай сначала измерим, а потом решим, давать или нет. — Температура была за тридцать девять.

Людмилка растолкла две таблетки анальгина, разболтала его в малом количестве воды, и Баграт буквально влил лекарство в рот раненому. Укрыв его одеялом, Людмилка включила в дальнем углу торшер, выключила верхний свет, и они с Багратом ушли на кухню.

— Боюсь, там кровь, на лестничной площадке, — сказал Баграт.

— Так, сейчас что-нибудь придумаем. Подожди здесь. — Людмилка ушла к себе в комнату и через минуту вышла оттуда в заношенном тренировочном костюме, по-видимому, принадлежавшем кому-то из бывших хозяев. На голове у нее была туго завязанная на деревенский манер косынка. Она молча налила в ведро воды, капнула туда «Бинго», взяла половую тряпку и тихо вышла. Лифт все еще стоял на ее этаже. Она, стараясь производить как можно меньше шума, зашла в лифт и вымыла в нем пол. Внимательно оглядела стены, но следов крови на них не обнаружила. Вышла на площадку и вымыла пол. Подумала. Поднялась на лифте на верхний этаж, наскоро, чисто символически протерла пол там, а затем, спускаясь вниз, проделала то же самое на каждом этаже, включая первый. И только потом пешком вернулась к себе.

— Почему так долго? — спросил Баграт.

— Нельзя было мыть только наш этаж. Пришлось вымыть все. Как он?

— Вроде забылся.

— Анальгин должен немножко помочь.

— Люда, мне сейчас надо уходить, а он должен побыть у тебя пару деньков. И чтобы никто не знал.

— Никто не узнает, не беспокойся, Баграт. Утром схожу в пару аптек, куплю, что нужно.

Баграт полез во внутренний карман пиджака и вынул оттуда портмоне. Порылся и достал двести рублей.

— Вот, держи. Пока столько. Завтра-послезавтра принесу еще.

Людмилка кивнула.

— Баграт, а как его зовут?

— Тебе не надо это знать. Обращайся к нему «батоно».

— Понятно. Слушай, Баграт, а если что, как мне тебя найти?

— Пока что никак. Я сам приду. Не ищи меня.

— Хорошо. Как скажешь. Будь осторожен.

Людмилка потянулась поцеловать Баграта на прощание, и в этот момент в подъезде хлопнула входная дверь, потом еще раз хлопнула, и они услышали топот и громкий разговор нескольких мужчин. Баграт весь как-то подобрался, и правая его рука потянулась к внутреннему карману пиджака. Людмилка поняла, что он вооружен и что сейчас может случиться непоправимое. Она вцепилась ему в руку и молча стала оттирать его от двери и подталкивать в сторону комнаты, где спал Гоша.

— Тише! — зашипела она на Баграта.

Они молча стояли и прислушивались к тому, что происходило в подъезде. Топот перемежался короткими паузами, после которых открывалась чья-нибудь дверь, соседей о чем-то спрашивали, те явно недовольно отвечали, потом дверь опять захлопывалась...

— Сейчас придут сюда... — прошептал Баграт и опять полез за пистолетом.

— Спрячься за штору, — скомандовала Людмилка, по-солдатски быстро стянула с себя тренировочный костюм и натянула ночную рубашку. В дверь позвонили. Метнувшись к детской кроватке, она схватила на руки спящего Гошу и больно ущипнула его за ручку. Гоша тут же проснулся и закричал. С ревущим малышом на руках, в ночной рубашке, Людмилка открыла дверь. Там стояли двое в милицейской форме, еще один в это время разговаривал с соседями, а один в штатском поднимался на следующий этаж.

— Что вам нужно? — спросила Людмилка, безуспешно пытаясь успокоить Гошу.

Милиционеры оглядели ее с ног до головы, переглянусь, и один спросил:

— К вам никто не звонил с полчаса назад? Или, может быть, вы чего слышали на лестничной клетке?

— Нет, никто не звонил, и ничего такого я не слышала. Все было спокойно. А что случилось?

Милиционеры еще раз переглянулись.

— Ладно... Извините, что побеспокоили. В следующий раз хотя бы спрашивайте, кто там... А то открываете дверь неизвестно кому. Мало ли что. Извините.

Они развернулись и тоже направились по лестнице выше, вслед за штатским.

Людмилка закрыла за ними дверь и вернулась в комнату. Из-за шторы вышел Баграт. Лицо у него было белое.

— Как ты теперь уйдешь отсюда? Там полно народу... Наверное, и на улице кто-нибудь есть.

— Они скоро уедут.

Он оказался прав: не прошло и пятнадцати минут, как в подъезде все стихло. Людмилка выглянула в окно и увидела, как они загрузились в милицейскую машину и отбыли в сторону следующего дома.

Для верности подождали еще какое-то время, а потом Баграт выскользнул из квартиры и стал бесшумно спускаться по ступенькам.

Утром, покормив Гошу, она посадила его в прогулочную коляску и поехала по аптекам, покупая в каждой понемногу бинтов, ваты, антибиотиков, мазей. Зашла в магазин, купила импортную курицу, молока, в кулинарии — пять антрекотов и вернулась домой. Она приготовила куриный бульон, сварила и остудила жидкий кисель. Затем развела в миске очень слабый уксусный раствор, обмакнула в него салфетки, слегка отжала и со страхом пошла в комнату, где лежал раненый. Вид у него был ужасный. Заостренное лицо было серо-землистого цвета, и Людмилке сначала показалось, что он не дышит. Однако, приглядевшись, она поняла, что все-таки дышит. Людмилка осторожно обтерла ему лицо и шею салфетками. Раненый приоткрыл глаза.

— Батоно, как вы себя чувствуете?

Он слегка кивнул головой.

— Я вам принесла чашечку киселя. Попробуйте попить немножко.

Он попробовал подняться, но не смог.

— Я вам вот так подержу, а вы попейте, сколько сможете.

Людмилка левой рукой поднесла чашку к его губам, а правую подсунула под голову и слегка ее приподняла. Он сделал несколько жадных глотков и в изнеможении закрыл глаза.

— Вот и хорошо. Чуть-чуть позже я вас еще попою. А может быть, вы и бульону куриного выпьете.

Он ничего не ответил.

— Отдыхайте. Я вам вот сюда ведро поставила. На всякий случай. — Людмилка придвинула небольшое старое пластиковое ведерко с крышкой к дивану. — Ну, отдыхайте.

Часа через два Людмилка пришла к нему с набором медикаментов. Она вынесла использованное ведро, очень бережно подняла и усадила его, обработала раны и опять попоила киселем. Затем застелила чистой простыней половину дивана, уложила его и уже под ноги ловко подвернула оставшуюся половину простыни.

Часов в пять он выпил немного бульона и, по-видимому, уснул. К ночи опять поднялась температура. Он начал бредить. Людмилка влила в него столовую ложку воды с растолченным анальгином, но облегчения это не принесло. Он стал беспокойным, все время что-то быстро-быстро говорил, мешая грузинские слова с русскими, но Людмилке и без того, что он проговаривал по-русски, было понятно, что она вляпалась в уголовщину. Впрочем, это не было для нее неожиданностью. Что-то в таком роде она и предполагала. Но так как со сложившейся ситуацией она ничего поделать не могла, то продолжала ухаживать за ним, класть на лоб холодные уксусные компрессы, обтирать его водкой, обрабатывать раны, поить, выносить за ним ведро. Много о чем она передумала, пока сидела с ним, и пришла к решению, что уж если такое произошло, то надо извлечь из этого максимальную для себя пользу. Она думала о Славике и о своем счастливом избавлении от него, и теперь уже не сомневалась в том, что смерть его не была случайной. Она была уверена, что и с его бывшей женой разобрались подобным же образом. Людмилка пыталась ужаснуться этому, но в душе у нее ничего не шелохнулось. «А вот то, что я тут с ним вошкаюсь, мне зачтется. Только бы эта чертова старуха из магазина не вылезла в неподходящий момент...» — думала Людмилка, интуитивно догадываясь, что такой грех эти люди, что бы они там ни натворили в жизни сами, ей не простят.

По всей видимости, ночью был кризис, и к утру температура упала. Людмилка приготовила котлетки на пару, пюре, опять сделала крепкий куриный бульон и давала ему еду часто, но по чуть-чуть. Он принимал все молча и только один раз спросил:

— Мне показалось или действительно плакал ребенок?

— Действительно плакал. Это мой сын Георгий. Он в соседней комнате.

Раненый никак не отреагировал, только прикрыл глаза.

Баграта не было два дня, и Людмилка стала уже беспокоиться. Однако в первом часу ночи в дверь тихонько постучали. Она открыла, и в прихожую проскользнули три тени — Баграт и с ним двое мужчин.

— Как он? — спросил Баграт шепотом.

— Почему так долго, Баграт? А если бы он умер? Теперь уже гораздо лучше. Похоже, был перелом. — Также шепотом ответила Людмилка. Они прошли на кухню. — Кушать не хотите? Есть котлеты, пюре, суп куриный... Могу разогреть...

Мужчины переглянулись. Баграт кивнул:

— Давай. Ты пока разогревай, а мы зайдем к нему.

— Только недолго. Ему нельзя уставать. А то плохо станет.

Баграт опять кивнул, и они прошли в комнату к раненому. Дверь за собой они закрывать не стали. Разговаривали тихо, по-грузински. Потом оттуда вышли двое, и Людмилка жестом пригласила их за стол. Баграт же какое-то время еще побыл там, но потом тоже вышел и внимательно посмотрел на Людмилку. Сел за стол. Они молча ели, а Людмилка тем временем заваривала чай, резала лимон, доставала печенье.

— Выпить чего-нибудь есть? — спросил Баграт. Один из мужчин сказал ему что-то резкое.

— Есть немного водки, — ответила Людмилка, — но ее надо оставить на обтирание. Вдруг температура опять поднимется...

За чаем мужчины о чем-то вполголоса переговаривались, не обращая внимания на Людмилку. Она перемыла, перетерла и поставила на место посуду, убрала лишнее в холодильник и хотела выйти из кухни, но Баграт ее остановил.

— Люда, даже не знаю, что и делать. Нам больше сюда приходить нельзя. Но его забрать пока некуда. А здесь его никто искать не будет.

— А если нас засекли? — спросил один из мужчин, тот, что помоложе.

— А что ты предлагаешь? — спросил Баграт и добавил что-то по-грузински. Тот буркнул что-то в ответ.

— Ему здесь нельзя оставаться, — добавил второй. — Его надо отсюда увозить.

— Куда?! — повышая тон, спросил Баграт.

Они начали опять о чем-то спорить. Людмилка поняла, что раненому нужно на какое-то время где-то спрятаться. Она прикинула что-то в уме и жестом остановила их спор. Все трое удивленно посмотрели на нее.

— Машина есть? — спросила она. Мужчины переглянулись.

— Есть, — ответил один.

— Значит, тогда так: его надо перевезти ночью на дачу. Там газ, горячая вода, все для жизни... Дом последний в ряду. Дальше только лес. Вот смотрите, я нарисую. — Людмилка взяла листок бумаги, карандаш и принялась рисовать. — Вот это наш поселок. Вот так — центральная улица. Нам по ней сюда, потом сюда и сюда... Но можно и по-другому. Вот так поселок обходит дорога. С дороги можно съехать вот здесь и через лесок доехать прямо до наших ворот, и никто не будет знать об этом. Народу сейчас мало, соседей нет, так что вполне можно продержаться незаметно. Нужно будет только завезти продуктов и лекарств. Это тоже можно будет сделать ночью.

— По какой дороге ваш поселок?

— Можно по Минской, через Одинцово. А можно по Рублево-Успенскому шоссе. По времени одинаково.

Мужчины опять принялись совещаться.

— Тогда планируем на завтра, на это же время, — сказал Баграт.

— Почему на завтра? — встрял тот, что постарше. — Мы сейчас сгоняем за машинами, а Людмила будет пока собираться. Тихо перевезем их. Что завтра будет — кто знает?

ПЕРЕДИСЛОКАЦИЯ

Через пару часов Баграт подхватил Людмилкины сумки, сама Людмилка — спящего Гошу, мужчины — раненого, закрыли дверь, спустились вниз и загрузились в две «Волги». Отъехали за угол, остановились. Достали карту Московской области, и Людмилка показала, как ехать. Через сорок минут они были уже у дачи.

Людмилка открыла ворота, затем дом, и все вошли в него, так и не включив свет. На ощупь Людмилка пробралась в комнату, положила Гошу на кровать, затем сняла со стола настольную лампу сталинских времен, поставила на пол, задернула шторы и только тогда ее включила. Теперь ориентироваться было легче. Она проводила мужчин в другую комнату, застелила постель и помогла уложить раненого.

— Все. Можете не беспокоиться. Здесь нас никто не найдет. Баграт, вот то, что понадобится, — Людмилка протянула ему листок, на котором успела еще в Москве, пока ждала машины, написать длинный список продуктов, медикаментов и белья. — Я на ночь оставлю калитку открытой.

Баграт опять как-то странно на нее посмотрел, взял список и кивнул.

— Хорошо. Завтра все будет.

Как и было условлено, Людмилка открыла на ночь калитку, но входную дверь в доме закрыла на все замки и стала ждать. Где-то около часа постучали.

— Кто там? — спросила Людмилка.

— Продукты привезли, — ответил мужской голос.

В полной уверенности, что это свои, Людмилка открыла дверь, но в дом вошел незнакомец. В обеих руках у него были сумищи.

— Вы кто такой? Что вам здесь нужно? — Людмилка отступала на кухню.

— Так я же продукты привез, — незнакомец был в недоумении. — Вот ваш список...

— Какой список? Какие продукты? Мне ничего не нужно. Вы, наверное, ошиблись домом. — Людмилка демонстративно взяла со стола длинный кухонный нож и выставила его вперед. Разумеется, она ни на секунду не сомневалась в том, что этот человек приехал по поручению, тем более что она узнала свой список, который он держал в руке, однако продолжала мастерски разыгрывать спектакль. — Уходите сейчас же, иначе я буду кричать!

— Зачем кричишь, ненормальная? Мне сказали привезти, я привез. Что ты голову мне морочишь!

— Это ты мне голову морочишь, я не заказывала никаких продуктов. Ты кто такой? Чего тебе здесь нужно?

— Убери нож, девочка. Это свой человек, — услышала она за спиной голос.

— Теймураз Нодарович, скажите этой бабе... — обратился к нему незнакомец.

— Это не баба, Гиви, это хозяйка дома. Не бойся, Люда, все в порядке. Я его знаю. Куда тебе поставить сумки? — Людмилка жестом указала, куда. — Поставь туда и иди со мной. Поговорить надо.

Гиви поставил сумки на указанное место и ушел вслед за Теймуразом. Довольная собой, Людмилка принялась разбирать принесенное. Только что она заработала еще один козырь. Может быть, и не самый большой, но, в конце концов, это смотря в какую играть игру, а то ведь в некоторых и шестерка берет туза...

Две недели отсиживался Теймураз на даче у Людмилки. Две недели он наблюдал за тем, как она хлопочет по хозяйству, готовит, стирает, гладит, делает уборку, да еще при этом находит время заниматься сыном. Сам Теймураз был по природе молчуном, а Людмилка не навязывала ему свое общество, поэтому за все это время они только перебрасывались ничего не значащими фразами, но ни разу ни о чем не поговорили. Уже в самом конце своего пребывания он, смотря, как Людмилка ловко впихивает последние ложки каши в засыпающего Гошу, спросил:

— Люда, можно я тебя спрошу?

От неожиданности Людмилка вскинула голову, лицо ее побледнело, а глаза полыхнули синим. Ей нравился этот мужчина, нравилась его невозмутимость, немногословность, исходящие от него волны опасности, властности, цельности, внутренней силы. Он был похож римского легионера, на гладиатора, на императора в изгнании. Он был полон гордости, отваги. Она наделяла и наделяла его достоинствами и делала все, чтобы он хотя бы просто обратил на нее внимание, и — она все сделала правильно. И теперь чувствовала, знала, что какой бы ни был задан вопрос, он будет задан неспроста и будет непростым.

— Можно...

— Георгий — сын Баграта?

— Да...

Теймураз кивнул головой и больше ничего спрашивать не стал. У Людмилки в душе все оборвалось: «Глупо, конечно, было на что-то рассчитывать... Все это безнадежно...»

Ночью Теймураз ушел. На прощание он сказал:

— Спасибо тебе, девочка. Может быть, еще увидимся. Я умею быть благодарным.

— Я делала это не в расчете на благодарность... Я...

— Я знаю. Не надо ничего говорить.

— Теймураз, если вдруг не дай бог что, я здесь... — сказала Людмилка в темноту, но ответа не получила.

ОПЯТЬ ОДНА

В ту ночь, когда Теймураз ушел, Людмилка долго сидела на кухне, курила, перебирала каждую мелочь произошедших событий, и ей казалось, что кто-то зажег у нее в душе лампадку, мерцающий огонек которой умиротворял, успокаивал и что-то обещал, но при неловком движении больно обжигал сердце.

Пришло утро и принесло с собой жару. Делать ничего не хотелось — видимо, сказалось нервное напряжение.

Теперь она уходила на ту часть участка, которая соседствовала с лесом, и там, расстелив на траве старое толстое ватное одеяло, сидела в тени дубов и бездумно подсовывала сыну то одну игрушку, то другую. Игрушки были старые, видимо, еще Славкины: облупленные деревянные кубики, пирамидка, большая машинка-грузовичок, плюшевый мишка, горчичного цвета пластмассовая обезьянка с зажатым в лапке бананом. Когда Гоша уставал играть, она принималась читать ему детские книжки, такие же старенькие, как и игрушки, и мальчик, послушав немного, засыпал у нее на руках. Один жаркий день сменялся другим, еще более жарким, сонным, тихим, спокойным, и Людмилке порой казалось, что ничего не было, что ей это все приснилось.

Вечерами было особенно тоскливо. В девять она укладывала Гошу и после этого тупо сидела на кухне, смотря в распахнутое окно на опускающиеся сумерки, на темнеющие стволы деревьев, и ей казалось, что она уже старая-старая, что больше ничего не будет, а в прошлом слишком много плохого, чтобы можно было безболезненно находить в нем пристанище.

Как-то раз, уложив Гошу спать, Людмилка с чашкой чая и сигаретой устроилась для разнообразия на ступеньках. Ночь была теплая, тихая, безлунная. Из темноты на свет беззвучно летели и летели маленькие белые бабочки, похожие на ангелочков. Людмилка вспомнила, как говорила тетка Антонина: «Вот ты обрати как-нибудь внимание. Возле твоей матери всегда бабочки ночные крутятся. Души детей нерожденных...» Ей стало не по себе. «Господи! Но я-то родила! Я же не сделала аборт!» И тут же пришло: «Я сделала еще хуже... Дура проклятая! — принялась в очередной раз сокрушаться Людмилка. — Надо было остаться... Затаиться где-нибудь и посмотреть, что будет... По крайней мере, была бы спокойна... Господи, что же делать? Так больше жить нельзя! Этот узел надо каким-то образом распутать. И для себя, и для Теймураза... Не дай бог, он узнает...» И тут ее осенило: «Вот что надо делать. Я найду эту уборщицу, как ее там... Нину Васильевну... Она наверняка захочет денег. Деньги у меня сейчас есть. Я узнаю у нее, где ребенок, заплачу ей за молчание, а потом вроде бы усыновлю... удочерю». Додумав мысль до конца, Людмилка тут же вспомнила, что ей рассказывала мать о выкидыше. «А вдруг я тогда тоже родила уродца? Я же не разворачивала пеленки, не видела, что в них... А если он тоже какой-нибудь многорукий? Может, они специально мне не показали, лишь бы я только его забрала? — Она упорно думала о своей дочери в мужском роде. — Нет. Не буду я никого искать и никому денег не дам. Уборщица эта одним разом не успокоится и будет доить меня всю оставшуюся жизнь. Пусть все идет, как идет. А уж если сунется ко мне, вот тогда я и буду думать, что делать».

СОСЕДИ

К началу июля поселок переполнился людьми. Мало того что съехались практически все владельцы дач, так к ним еще постоянно приезжали родственники, друзья, галдели дети, отовсюду летела музыка, пахло шашлыками, кострами, жизнь кипела. Людмилка старалась не показываться на глаза соседям, но понимала, что рано или поздно с ними придется общаться. Это ее беспокоило и держало в постоянном напряжении: они-то хорошо знали семью Бражниковых, а их предполагаемый внук Георгий внешне слишком похож на Баграта, то есть явно имеет кавказскую кровь. Сама же Людмилка, классическая блондинка, ни с какого боку не могла приплести к себе кавказских родственников. Но, к ее облегчению, и эта проблема разрешилась неожиданно легко.

Как-то днем к ней таки зашли в гости две женщины-соседки — Татьяна Тимофеевна и Татьяна Николаевна. Первая была колоритной дамой неопределенного позднестарческого возраста, высокая, грудастая, с крутым задом; сильно напудренное лицо было покрыто четкой сеткой мелких морщинок, глаза грубо подведены черным карандашом, губы дорисованы кроваво-красной помадой до сердечка, а подвитые седые волосы тщательно уложены в замысловатую прическу а-ля Помпадур. Она говорила громко, манерно, в нос, голос у нее был хриплым, как у заядлой курильщицы, каковой она и оказалась на самом деле. Вторая, Татьяна Николаевна, напротив, была с виду простовата, косметикой не пользовалась, жиденькие неопределенного цвета волосы собирала почти на макушке в малюсенький узелочек, напоминавший кукиш. Она тоже курила, но голос имела громкий и четкий, стальной. «Училка», — подумала Людмилка, увидев ее в первый раз, и не ошиблась.

Неспешно и со смаком чаевничая на веранде, поговорили о погоде, о том, как Людмилка сумела привести в порядок дом, затем стали вспоминать прежних хозяев, как они жили, чем занимались, кто к ним ездил. Людмилка, хотя и со страхом ждала расспросов и очень нервничала, тем не менее держала себя с достоинством.

— А как полностью зовут сыночка? — спросила наконец Татьяна Николаевна.

— Георгий.

— Ну конечно же Георгий! — всплеснула руками Татьяна Тимофеевна. — В честь прадеда! Я же тебе говорила — вылитый Тамарин отец! Знаете ли, Лидочка, Тамара Георгиевна, ваша покойная свекровь, она же была царских кровей! Ее отец, Георгий... никогда не знала его отчества, для меня он был всегда просто Георгием, — он же был из грузинских князей. Красавец-мужчина! Высокий, статный, характер взрывной! Жена его, Томочкина мама, тоже была из дворян. Достойный род, но совершенно обедневший. Томочка-то больше в мать пошла, внешне, я имею в виду. Красавица! Но внутренне она была вся в отца! А уж Славик в отца пошел, я имею в виду Василия Андреевича... Ни рыба ни мясо...

— Боже мой, Татьяна Тимофеевна, ну что́ вы говорите! Василий Андреевич был тихий, скромный человек, и при этом необыкновенно талантливый!

— Разрешите мне, Татьяна Николаевна, иметь свое мнение, — многозначительно заметила Татьяна Тимофеевна. — Талантлив — да! Но нерешителен, неуверен в себе, мямля, рохля... Если он чего-то и добился в жизни, то исключительно благодаря Томочкиному темпераменту.

— Да... Что правда, то правда... Томочка была блистательной женщиной, она всегда была окружена людьми...

— Замечу, Татьяна Николаевна, нужными людьми, — не преминула вставить Татьяна Тимофеевна.

— Ах, ну зачем вы так?! — сокрушенно воскликнула Татьяна Николаевна. — Ей незачем было специально окружать себя нужными людьми. Просто к ней тянулись все, с кем она хоть раз перемолвилась словом. А помните, как она всех опекала? Как помогала всем?

— Что да, то да, — согласилась с ней Татьяна Тимофеевна. — Вы же, Любочка, наверное в курсе, что Тамара Георгиевна была психиатром, причем психиатром от бога. И при этом человек высокой порядочности. Кто только к ней не обращался со своими проблемами! Но она о чужих проблемах — никогда никому ни слова! Мы только догадываться могли...

Людмилка не стала поправлять свое имя и только ответила:

— Да, я в курсе.

— А кстати, как ваша девичья фамилия? — совсем не по теме разговора спросила Татьяна Тимофеевна.

Врать что-либо было бессмысленно, да и опасно. Людмилка гордо подняла голову и с достоинством произнесла:

— Сулешева.

— Боже мой! — закудахтала Татьяна Николаевна, — Какое удивительное совпадение! К Томочкиной матери сватался в свое время Сулешев, ну, который из тамбовских...

— Да-да, было такое... Помню, Томочка рассказывала... Тоже древний дворянский род... Вы не из тамбовских Сулешевых, Любочка? — продолжала выведывать Татьяна Тимофеевна. — Вы вообще откуда? Из каких мест?

— Откуда же мне быть? — горько улыбнулась Людмилка. — Из острожных мест, ссыльных.

— Да... Революция... Разметала цвет нации по белу свету... Вот и сыночек ваш непростых кровей получился... С двух сторон дворянин... Слава богу, сейчас это уже не преследуется. А что, родственники ваши грузинские были на похоронах Славика?

— Вы знаете, его убили, когда я в роддоме была. Все произошло так неожиданно, так ужасно... Я была просто не в себе и даже не сообразила, кого нужно известить... Потом эти следователи, допросы...

— Боже мой, бедная девочка! Неужели и вас допрашивали?! — воскликнула Татьяна Николаевна.

— А как вы думали, Татьяна Николаевна? ЭТИ будут подозревать даже рожающую женщину: не успела ли она в перерывах между схватками убить собственного мужа! — торжествующе высказалась Татьяна Тимофеевна.

— Но я обязательно спишусь с ними. Может быть, кто-то еще остался из родственников, — сказала Людмилка с тем, чтобы не удивлялись, если вдруг у нее будет появляться Баграт или кто-нибудь еще...

Лежа в темноте, Людмилка счастливо улыбалась. Похоже, подул ветер удачи. Как славно, как хорошо все складывалось! Теперь можно было не таиться и говорить, что это какие-нибудь дальние родственники или просто знакомые ее покойной свекрови Тамары Георгиевны. И тут ей впервые в голову пришла мысль: ведь откуда-то Леван Арчилович выкопал, выискал Славика... Уж наверное, не из первой попавшейся подворотни... А вдруг они и есть те самые дальние родственники?

Сначала она непонятно чего испугалась и даже встала покурить. Но потом решила, что со временем сможет осторожно разузнать обо всем этом и что даже если это и так, то ее положение от этого не станет более шатким, потому что тогда Гоша действительно состоит в каком-то родстве с тем же Багратом. Жаль, что не с Теймуразом... Что-то томительно сладко сжалось в ее душе. «Боже мой, я, как слепой котенок, тычусь в какие-то темные углы, такая же беспомощная и беззащитная...»

В конце июля ближе к ночи в дом постучали. Это был тот самый Гиви, которого она когда-то не хотела впускать. Он привез ей сумку, набитую дефицитом.

— Теймураз Нодарович велел передать и узнать, как вы живете.

— Спасибо, живу я хорошо. Тяжело, конечно, одной. Да и страшновато. Но ничего. Справляюсь. Передайте ему, что все хорошо. И спасибо огромное ему от меня передайте. А что он сам? Как он себя чувствует? Не собирается ли заглянуть к нам как-нибудь?

— Этого я не знаю. Он ничего не говорил. Чувствует себя хорошо. Я ему все передам. Он просил узнать, может быть, у вас какая-нибудь просьба есть к нему?

— Нет. Просьб никаких нет. — И тут Людмилку осенило. — Просто передайте ему, что мать моего мужа была грузинка.

— И все?

— Да. Только это ему и скажите.

— Хорошо. Я ему так и передам.

На том они и распрощались.

Разбирая привезенные деликатесы, Людмилка обнаружила на дне сумки сверточек. Развернув бумагу, она увидела небольшую синюю сафьяновую коробочку. Трясущимися руками она открыла ее, почему-то ожидая увидеть кольцо, которое сказало бы ей о многом. Но там на длинной тяжелой и очень замысловатой цепочке был массивный золотой образок. «Фамильная вещь, — подумала Людмилка. — Может быть, его матери». Это символизировало даже больше, чем какое-то кольцо. Через голову она надела цепочку и поцеловала образок. Теперь было на что надеяться.

ГОСТИ

Через неделю неожиданно нагрянули гости — Леван Арчилович, Баграт, какой-то незнакомый довольно пожилой мужчина с женой и девочка-подросток, темная, тихая и забитая, со странным именем Тата. Приехали они открыто, на двух машинах. Людмилка сразу поняла, откуда дует ветер, и неприятно удивилась. Она не зря намекала Теймуразу на грузинских родственников, именно ему и только ему она хотела дать понять, что он может открыто навещать ее. Однако приехали совсем не те, кого она ждала. И началось...

Людмилке казалось, что застолье никогда не кончится, а теперь так и будет продолжаться всегда.

В первый же вечер на шашлыки были приглашены соседи. Помянули Славика, его родителей. Леван Арчилович долго и витиевато распространялся о семье, о том, как мало осталось в живых родственников, вспоминал Тамариного отца, одним словом, ни у кого не возникло и тени сомнения в родстве, даже у Людмилки. Татьяна Тимофеевна с Татьяной Николаевной, изрядно пьяненькие, сначала вставляли свое слово, потом просто поддакивали, а потом только кивали согласно головой. Разошлись за полночь... Тихая пара — Константин и Медея — быстро и молча убрали столы, Медея и Тата перемыли посуду и ушли спать (гостевые комнаты они приготовили еще днем), а Леван Арчилович и Баграт попросили чаю. Людмилка заглянула к Гоше удостовериться, что он спит, а затем вернулась на кухню. Чайник уже стоял на плите.

— Ну, что же, — сказал устало Леван Арчилович, — теперь, по крайней мере, мы можем ездить к тебе открыто. Все будут думать, что мы — дальние родственники. Как тебе тут живется, дочка?

Людмилка не собиралась жаловаться, ей только хотелось косвенно себя похвалить, и поэтому она, вздохнув, сказала:

— Тяжеловато, конечно. Особенно когда надо в магазин сходить или в город съездить. Приходится Гошу таскать с собой. А он уже тяжеленький. Так что много не накупишь, а часто тоже не находишься и не наездишься. В Москве меня соседка выручала, старушка-пенсионерка. Я ей чего-нибудь из продуктов давала за то, что она с Гошей сидела, и она была очень довольна. А здесь контингент не тот.

— Ты — молодец, Люда. Ты правильно себя поставила здесь. Умница. А с Гошей что-нибудь придумаем.

Людмилка испугалась такого многообещающего заявления. Как бы там ни было, а Гоша — ее козырь, и пока он с ней, можно хоть как-то контролировать ситуацию, а вот без Гоши она для них ноль, пустое место.

— Да вы не беспокойтесь, Леван Арчилович, я еще молодая, сильная, справляюсь.

— Молодая, сильная, красавица, комсомолка, спортсменка, — Леван Арчилович засмеялся. — Дома у тебя чисто, уютно. Привести бы его в порядок немножко... Я имею в виду небольшой ремонт. Ну, так все в наших руках. Организуем. Думаю, сейчас не стоит строить планы, а осенью надо будет заняться этим вопросом. Сейчас пока живи, отдыхай, расти Георгия. Райское место здесь, особенно для детей. — Леван Арчилович помрачнел: его невестка Кети никак не могла забеременеть, и это его беспокоило. — Ты что насчет института думаешь? Осенью надо бы идти доучиваться.

— На ближайшие пару лет я поставила крест на институте, — начала она.

Леван Арчилович перебил ее:

— Даже и не думай. Поможем. Тебе надо его закончить. — И после небольшой паузы продолжил: — Ты... вот что... Живи здесь как можно дольше. Надо, чтобы Георгий набирался здоровья и сил. От тебя только требуется к экзаменам немножко подготовиться. А в институте договоримся.

На третий день пребывания гостей Людмилка устала от них до невозможности. Она уже начала тосковать по своему одиночеству и независимости, по своим ежевечерним посиделкам на крылечке с чашкой чая и сигареткой, по тихим незамутненным дням. Спросить, надолго ли они приехали, она не могла, как и не могла дать им понять, что устала. Приходилось постоянно улыбаться, быть оживленной, поддерживать разговор, и когда она ложилась спать, никак не могла расслабить мышцы лица и снять дежурную улыбку. И еще ее мучил страх, что Баграт сорвется и придет к ней ночью. Недаром он все время пребывал в мрачном, можно даже сказать, в демоническом расположении духа, ловил ее взгляд, норовил остаться с ней наедине, коснуться ее руки... И чем больше знаков внимания он ей оказывал, тем четче она понимала, что потакать ему нельзя, Леван Арчилович этого не одобрит, и что лучше бы на месте Баграта был Теймураз, непонятный, опасный, сильный, обжигающий. Но где он, появится ли вообще, ждать ли его и надеяться ли на что-то? А с другой стороны — Леван Арчилович со своим Багратом, с большими планами, касающимися конкретно ее... И противостоять воле Левана Арчиловича, если вдруг будет таковая, означало бы конец ее благополучию. Опять же, с Багратом вполне может еще что-то получиться. Отец его так и не спускает Гошу с рук, хотя, как она заметила, ни разу не назвал его внуком, только Георгий да Георгий... От этих размышлений Людмилку бросало то в жар, то в холод, она принимала то одно решение, то другое и даже не подозревала о том, насколько это бессмысленно.

На пятый день гости засобирались уезжать. Суровый Константин, немало потрудившийся в эти дни, дочинивал кофеварку, Медея доглаживала перестиранное белье, Тата сидела с Гошей за домом, а

Леван Арчилович увел Людмилку в полностью восстановленную и подновленную Константином беседку.

— Я вот что решил, Людмила. Тата останется здесь, с тобой. Она будет помогать тебе по хозяйству, присматривать за Георгием. Она девочка скромная, тихая, ненадоедливая, мешаться под ногами не будет, а тебе облегчение.

Людмилка, все еще питавшая надежду, что Теймураз когда-нибудь появится, пришла в ужас:

— Леван Арчилович, ради бога, зачем мне помогать?! Я сама прекрасно со всем справляюсь! Да мне и неловко будет ее эксплуатировать... И ей тут будет скучно...

— Некогда ей тут скучать будет. Почему ты не хочешь помощи? Мало ли что, не дай бог вдруг Георгий заболеет, а ты тут одна.

— Так телефон же есть! В поселке работает медпункт. А если что-то серьезное, не дай бог, — неотложку вызову, врача.

— Молодая, глупая еще. И жить тебе здесь одной неудобно, нехорошо. А так вы тут вдвоем все-таки. Лишний человек не сунется.

— Скажете тоже! Да она сама еще ребенок! Это мне еще за ней надо будет присматривать!

— Семнадцать лет — не ребенок. Школу она закончила. Пусть поработает немножко. — Он полез во внутренний карман пиджака и вытащил оттуда солидный сверток. — Вот тебе, дочка, на расходы. И не скупись. Чтобы у Георгия все было. Фрукты, мясо свежее бери, на рынок езди. Я тебе телефон дам, шоферу будешь звонить, когда надо. Верный человек. Ему можно доверять. Он тебя отвезет и привезет. Дефицит какой надо будет — можешь ему заказать. Я с ним уже договорился. Если что, звони Баграту по вот этому телефону, — и Леван Арчилович вынул записную книжку, вырвал из нее листок и написал номер телефона.

Деньги Людмилка взяла на автомате, по уже сложившейся привычке, и тем самым как бы дала согласие на то, что Тата останется с ней.

Потом Леван Арчилович недолго о чем-то поговорил с самой Татой, цыкнул на слонявшегося без дела Баграта, и все пошли укладываться.

Испытывая чувство, сходное с блаженством, Людмилка смотрела вслед удаляющимся машинам и вяло махала рукой. Вот они посигналили на прощание и скрылись за поворотом. Она повернулась, чтобы идти в дом, и увидела Тату с Гошей на руках.

«Ладно, — подумала она, — пусть живет. Я хоть отдохну немножко».

РУКОПИСИ

Тихое молчаливое существо Тата жило самостоятельной жизнью. Людмилка только успевала замечать: вот постиранное белье сохнет на веревках, вот во всем доме перемыты окна, вот обед на столе, а вот и со стола уже убрано. Только запланируешь что-то поделать — а дело, оказывается, уже сделано. Тата никогда не спрашивала, что приготовить на обед или на ужин. Она просто готовила что-нибудь из имеющихся в наличии продуктов, и, надо отметить, получалось вкусно. Когда запасы подходили к концу, она составляла список и протягивала его Людмилке:

— Вот. Надо купить.

— Хорошо... Тебе что-нибудь купить?

— Нет, спасибо.

Людмилка заказывала такси и ехала по магазинам и рынкам.

Образовавшееся свободное время Людмилка решила потратить на разбор бумаг. Выкладывая на огромный старинный письменный стол кипы исписанных и отпечатанных листов, она сначала пришла в отчаяние и решила все пожечь, но внутренний голос ей подсказал, что этого делать не стоит. Тогда она, вооружившись дыроколом и шпагатом, стала сортировать рукописи, и то, что имело законченный вид, она подшивала и аккуратно складывала в картонные ящики, намереваясь вынести их в гараж. Но и тут все тот же внутренний голос подсказал ей не делать этого, а вместо рукописей вынести старые журналы, которых тоже было немереное количество. Освободив в шкафу место от «Невы», «Нового мира» и «Октября», она сложила туда труды своего фиктивного свекра, а журналы в коробки и, пыхтя от неожиданной тяжести оных, начала перетаскивать их в гараж. Только она решила передохнуть после третьего захода, как у забора замаячили Татьяна Тимофеевна и Татьяна Николаевна.

— Лидочка, вы трудитесь как пчелка, — переврав имя, окликнула ее Татьяна Тимофеевна. — В такую жару вредно таскать тяжести. Чем это вы занимаетесь?

— Да вот... разбираю архивы и освобождаю место. Хотела сжечь, да рука не поднялась.

— Людочка, Татьяна Тимофеевна, она — Людочка! Боже мой, Людочка, — возопила Татьяна Николаевна, — ни в коем случае! Это же литературное, культурное, наконец, наследие! Это же сам Василий Андреевич писал! Разве можно сжигать его рукописи?!

Людмилке лень было объяснять, что выносит она всего лишь журналы, поэтому она не стала углублять тему и только сказала:

— Вот я и решила временно их переселить. Вместе со старыми журналами. Осенью заберу в Москву, — зачем-то добавила она. — А вы не хотите зайти на чаек?

— Ой, почему бы и нет! Можно было бы... — засуетилась Татьяна Николаевна

— Нет, дорогая моя, — перебила ее Татьяна Тимофеевна. — Мы вышли на променад. А то у нас задницы скоро неподъемными станут. Может быть, вечерком как-нибудь... — Она подхватила под руку Татьяну Николаевну и буквально оторвала ее от калитки.

Вечером, когда уже начало смеркаться, пришла Татьяна Николаевна.

— Гости мои разъехались, скучно стало. Вроде бы и устала я от толчеи, от бесконечной готовки, а уехали — затосковала. А я смотрю, не все ваши гости уехали... — то ли спросила, то ли констатировала она.

— Да, вот осталась Тата немножко помочь мне.

— Вот и славно. Вы, Людочка, только до архивов ее не допускайте. Что она, девочка еще несмышленая... Может выкинуть что-нибудь ценное.

— Нет, архивы я разбираю сама.

— А хотите, Людочка, я вам помогу? — как-то вкрадчиво и сладенько спросила Татьяна Николаевна.

Людмилка насторожилась.

— Огромное спасибо, Татьяна Николаевна. Обязательно воспользуюсь вашим предложением, когда буду с ними в Москве разбираться.

— Людочка, если хотите, я могу их забрать к себе и поразбирать здесь, на даче, на досуге...

— Да что вы, Татьяна Николаевна, зачем вам тратить драгоценное летнее время на бумажную пыль! Вот будет зима, будет нечего делать, тогда и...

— Да мне это совершенно не сложно, я бы с удовольствием занялась каким-нибудь полезным делом.

Порыв ветра с силой толкнулся в окно, и тут же раздался раскат грома.

— Нет-нет, Татьяна Николаевна, мне совестно вас беспокоить. Да и упаковала я их как следует, для перевозки. Давайте отложим все-таки до зимы.

— Как знаете, Людочка, — поджала губки Татьяна Николаевна. — Во всяком случае, хочу вас предупредить, чтобы вы ненароком не передали это почетное и важное дело в ненадлежащие руки. Татьяна Тимофеевна — дама весьма уважаемая и почтенная, но крайне небрежная. Да и на уме до сих пор одни мужчины.

— Неужели?! В ее-то возрасте!

— А как вы полагаете, зачем женщине носить накладной бюст и, извините за выражение, накладную попу?

— Как — накладную?

— Боже ж мой, да весь поселок в курсе, что у нее зад накладной! Она шьет себе специальные рейтузы, простегивает вату в интересных местах и носит в любую жару.

Людмилка расхохоталась.

— То-то, когда я ее первый раз увидела, мне вспомнилась строчка: «Татьяна ехала в карете с высоко поднятым задом»!

— Она первую половину дня тратит на «приведение себя в порядок»: выщипывает усы, бородку, делает маски, мажется кремами, красится... Скажу вам по секрету, у них с Василием Андреевичем был роман в свое время. И это при том, что она значительно старше его и в свое время крутила с его отцом. И с отцом Тамары Георгиевны тоже. Дело, конечно, прошлое, да и с кем у нее здесь не было романа.

Они сплетничали еще какое-то время, потом Татьяна Николаевна, услышав, как застучали первые редкие капли дождя, все же засобиралась домой.

— А насчет архива вы все-таки подумайте, — кинула напоследок она Людмилке.

Людмилка улыбнулась и кивнула головой.

На следующий день она обнаружила, что в ящиках с журналами, вынесенными вчера в гараж, кто-то рылся.

«Господи, и здесь все не слава богу, — подумала Людмилка. — И здесь что-то закопано. Почитать, что ли, на досуге, что же там такое...» И она решила повнимательнее отнестись к разбираемым бумагам, но в результате ничего крамольного или интересного так и не обнаружила. Зато места в шкафу было полно, и она, недолго думая, заказала такси с тем, чтобы съездить в Москву и наконец очистить квартиру от бумажного хлама, а заодно и попробовать разобраться, чего же так беспокоилась Татьяна Николаевна и что искали в ящиках с журналами.

Почти все, что она привезла из Москвы, было явно написано другим почерком. Людмилка, теперь уже хорошо знавшая руку Василия Андреевича, поняла, что это уже рукописи Славика. Немного поразмыслив, она пришла к выводу, что соседок интересовали исключительно архивы Василия Андреевича. Тем не менее она так же аккуратно подшила все, что привезла, и запихнула в шкаф.

ТЕЙМУРАЗ

Мало-помалу, незаметно лето катилось к концу. Темнеть стало значительно раньше, березки кое-где украсились золотыми прядками, а из леса заманчиво потянуло грибами. Народу в поселке поубавилось, он притих и успокоился, и только выходные дни оставались развесело-буйными и пряно-пахучими. В сентябре поселок совсем опустел, и стало довольно-таки тоскливо и даже страшновато. Зарядили дожди. Людмилка, памятуя о найденной в Москве сережке, время от времени принималась рыться в шкафах и антресолях, но без толку. Зато в захламленных карманах второго этажа она нашла три коробки, в одной из которых обнаружила залежи всяческих авторских женских украшений — бус, колечек, кулонов, браслетов, сережек из серебра и металла. Что-то было явно грузинского происхождения, а что-то явно импортного. Людмилка порадовалась, что Славик не успел это пропить. И пусть это было не бог весть каким ценным, однако денег все же стоило.

Во второй коробке, побольше, оказались духи. Некоторые флакончики были пустыми, с желтой полоской высохшего содержимого на дне, другие были только начаты, третьи — наполовину заполненные, четвертые были и вовсе не распечатанными, и таких было большинство. Духи были как известных фирм, так и каких-то неизвестных, но ни одной отечественной марки. Людмилка догадалась, что все это были подарки Тамаре Георгиевне от пациентов или их родственников. Она отобрала запечатанные коробочки с тем, чтобы забрать их домой, так, на всякий случай — мало ли какой подарок нужно будет сделать в детской поликлинике или еще где... Подумала и присовокупила к ним начатые, для себя. Потом подумала еще и отобрала некоторые украшения для тех же подарочных целей.

В третьей коробке, огромной, но самой легкой, был холщовый мешок с рукоделием: мотки пряжи, несколько побитые молью, но все-таки пригодные к употреблению, клубки всевозможных цветов и размеров, спицы разного калибра, несколько пялец с натянутыми незаконченными вышивками, толстенная коса из разноцветных ниток мулине, лоскутки, наперстки, иголки, воткнутые ежиком в бархатные подушечки, ножнички кривые, ножницы портновские...

На какое-то время ее это развлекло, и она даже принялась вязать Гоше носочки, но потом затосковала и от этого. Однако в Москву ехать не хотелось. Она привыкла к беззаботной жизни, к тому, что все как-то делается само, и теперь ей была тяжела даже мысль о том, что придется входить в новый, вернее, старый ритм жизни и брать на себя решение проблем. К тому же она надеялась, что к ней еще раз приедут гости и Леван Арчилович даст денег на ремонт. Но гости не ехали.

И еще Людмилка ждала хоть какого-то знака от Теймураза, мечтала, придумывала себе какие-то фантастические истории-сценарии, в которых происходило нечто, некоторое событие, счастливо расставляющее все по своим правильным местам, в результате чего они с Теймуразом расписывались, и дальше начиналась та самая прекрасная жизнь, ради которой было сделано столько усилий. Ложась спать, она обязательно целовала образок, который не снимала, и даже произносила что-то вроде молитвы, прося счастья. Но река времени медленно и неумолимо текла и выбрасывала на берег только сор.

Людмилка стала раздражительной, злой, ее бесила Тата, бесила всем: внешним видом, манерой двигаться, есть, говорить, невозможностью сорваться на нее, отделаться от нее, и даже тем, что бедная девочка ничем не была перед ней виновата. Вечерами злость разрасталась, и вот уже в черный список, где номером первым была Тата, попали Галина Ильинична, Арунас, Левчик, Леван Арчилович, Баграт, потом мать с отцом, тетка Антонина... Список множился, у каждого находилась вина перед ней, а то и не одна, и даже не две... Людмилке хотелось высказать им всем в лицо свои претензии, и она даже начала было писать родителям гневное письмо, но, перечитав написанное, изорвала его в мелкие клочья. Последними в тенета ненависти попались Татьяна Тимофеевна и Татьяна Николаевна. Людмилка вспомнила о развороченных ящиках с журналами в гараже и призадумалась. Было понятно, что кому-то очень хотелось заполучить архив. Зачем — другой вопрос. «Раз понадобился — значит, было зачем. В гараж они залезть не побоялись. Стало быть, скорее всего, полезут в дом зимой, когда здесь никого уже не будет. А вот что я сделаю...»

В ближайшую субботу Людмилка собрала оставшиеся журналы, для массы надрала кое-каких медицинских книг, видимо, Тамары Георгиевны, и, как только начало темнеть, разожгла громадный костер. Уже через десять минут у калитки появился сторож.

— Здравствуйте! Все в порядке? А то мне позвонили, что у вас тут пожар начался.

— Не беспокойтесь. Все в порядке. Жгу архивы. А то весь дом бумаги заполонили. От пыли не продохнуть, сын все время чихает от нее. — И Людмилка развязала тесемки ветхой папки, достала оттуда кипу страниц и кинула ее в середину ревущего пламени. В воздух полетели пылающие листы, похожие на огромных фантастических насекомых.

— Не зря ли вы так? Все-таки человек известный был...

— Может быть, и зря. Но мне надоело, что отовсюду на голову сыплются эти папки. Да и поздно теперь, уже все сожгла.

— Ну, дело ваше, дело ваше. — Сторож постоял еще какое-то время и ушел. В сторожке он первым делом подошел к телефону и кому-то позвонил.

Людмилка не сомневалась: теперь весь поселок будет знать, что никаких рукописей Василия Андреевича Бражникова больше не существует.

Пропахшая дымом, она вернулась в дом. Гоша уже спал, тихая Тата, увидев хозяйку, тут же ушла к себе в комнату, на второй этаж. Довольная своей хитростью, Людмилка долго стояла под душем, потом, отмывшись от пыли и копоти, тихо прошла на кухню, заварила себе чай, достала из буфета шоколадку, печенье, джем, взяла начатый томик Чехова и уютно устроилась за столом. Времени было уже за полночь, когда она услышала за окном тихий странный шорох, похожий на осторожные шаги. Людмилка метнулась к выключателю, потушила свет и, прокравшись к окну, стала вглядываться в темноту.

Звуки не повторились. Немного успокоившись и осмелев, она приоткрыла до щелочки створку и тут же услышала шепот:

— Люда, это я, Теймураз...

Внутри что-то оборвалось, точно лопнула натянутая до предела струна... Она, не говоря ни слова, скользнула на веранду, бесшумно открыла дверь и, задыхаясь от нежности и счастья, сделала шаг в холодную сырую темноту.

ВОЗВРАЩЕНИЕ В МОСКВУ

Людмилке было глубоко наплевать, знала ли Тата о ночных визитах Теймураза или не знала, но на всякий случай перевела ее из комнаты, окна которой выходили на ворота, в другую, из которой она не могла бы видеть, как утром уходит Теймураз. Она готова была кричать об их свиданиях на каждом перекрестке, но раз уж он сам приходил к ней тайно, то, стало быть, не хотел, чтобы об этом кто-либо знал, и по умолчанию Людмилка делала вид, что ничего не происходит.

Природа глубже и глубже погружалась в осень, становясь с каждым днем все более неприглядной. Вот уже к дождю стали примешиваться снежинки, поселок окончательно обезлюдел, и по-хорошему надо было бы возвращаться в Москву, а Людмилка все никак не хотела пробудиться от этого сладкого сна, добровольно отказаться от состояния полной нирваны. Казалось, стоит заикнуться о переезде, как сказка оборвется, так и не добравшись до своего счастливого завершения. И еще она ждала, что в следующий раз Теймураз непременно скажет хоть что-нибудь о своих планах, но следующий раз приходил и уходил, а так ничего и не было сказано. Однажды ее возлюбленный пропал на целых четыре дня. Потом появился и опять пропал. Прошла неделя, десять дней, две недели... Много чего хорошего и плохого передумала Людмилка за эти дни и наконец решила, что если все складывается хорошо, то он будет приходить к ней и в Москве. Если же нет, то, сколько бы она ни сидела здесь, в поселке, ничего от этого не изменится. И посему она уложила вещи, вызвала машину, и вся троица отбыла в город.

Распаковавшись и разложив вещи по местам, она, особо не рассчитывая на удачу, позвонила Баграту. Как ни странно, он оказался дома.

— Здравствуй, Баграт. Извини, что беспокою, но мы сегодня вернулись в Москву, потому что торчать на даче уже нет больше сил.

— Я так рад, что вы вернулись, Людочка, — голос Багратика был тихим и виноватым, из чего она заключила, что он не в курсе ее романа. Это придало ей сил и нахальства.

— Ну, «рад» — наверное, слишком сильно сказано. Не думаю, что ты соскучился. Я, собственно, вот по какому поводу звоню, — не давая ему вставить слово, затараторила Людмилка. — Тата соскучилась по родным и хочет домой. Да и не может же она жить со мной вечно. У нее нет ни теплой одежды, ни обуви. Она, бедная, одета в старье, которое осталось от прежних хозяев. В таком виде в поселке-то стыдно на улицу выходить, не то что здесь. Так что, пожалуйста, срочно решите этот вопрос.

— Ее завтра же заберет Константин, не беспокойся. Как Георгий? С ним все в порядке?

— Гоша молодцом. Вырос. Поздоровел. Ладно, не буду тебя отвлекать. Когда заедет Константин?

— После пяти будешь дома?

— Буду, конечно, буду.

— Отлично.

— Ладно, пока. Буду ждать.

На всякий случай Людмилка к пяти часам приготовила ужин и привела себя в порядок, но за Татой приехал только Константин. Он ничего не привез, ни посылки, ни денег, и это ее страшно разочаровало. Они как-то холодно и неловко попрощались, и Людмилка опять осталась одна.

Уложив Гошу спать, она достала все свои заначки, пересчитала и осталась довольна. Распределив деньги по кучкам, она попрятала их в тайники и села думать, что же делать дальше. Ее не оставляло чувство кинутости, «обманки», и здравый смысл подсказывал, что нужно бы добить наконец этот проклятый институт, а дальше «война план покажет». Везти сына к родителям она так и не решилась. А вдруг Леван Арчилович нагрянет к ней, как он это сделал летом, и увидит, что она сплавила ребенка. И больше не будет никаких дотаций. «Ну что же, это как работа. Придется потрудиться», — решила она.

Людмилка очень рассчитывала, что на Гошин день рождения ей подбросят хорошую сумму, но этого не произошло. Мало того, ежемесячные поступления прекратились, и, как она ни старалась экономить, деньги все-таки тратились, и это приводило ее в ужас. К хорошему быстро привыкаешь и трудно от него отвыкаешь. Время от времени Людмилка вынимала заначки, пересчитывала, перераспределяла и потом снова прятала. По мере того, как время шло, она делала это все чаще и чаще, но только теперь это священнодействие приносило мало радости. Было вполне вероятно, что пусть сейчас ей ничего не дают, но зато потом перепадет кругленькая сумма. Но с такой же долей вероятности могло случиться и так, что она больше никогда не получит ни копейки. А посему глупо ждать у моря погоды, нужно что-то делать, выходить на какой-то стабильный уровень, потому что в таком подвешенном и зависимом от обстоятельств положении жить невыносимо.

Как-то раз Людмилка принялась размышлять о своих активах и пассивах. Конечно, что и говорить, активы были немыслимо роскошными: трехкомнатная квартира в Москве, прописка, дача, социальное положение плюс к нему свобода, некоторая отложенная приличная сумма — мало кто из ее институтских подружек располагал хотя бы сотой долей таких благ... В пассивы вошли сын, незаконченное образование и отсутствие стабильного постоянного заработка. Непонятно было, куда отнести эту «грузинскую мафию», как ее теперь с досады называла Людмилка. Появятся ли они еще на ее горизонте или не появятся? Можно было, конечно, потеребить Багратика, но почему-то ей не хотелось этого делать. Она была зла и на него, и на его папеньку, и даже на Теймураза, и теперь, перебирая в памяти их тайные свидания, она уже давала иную трактовку поступкам и редким словам своего возлюбленного, трактовку не в его пользу, а стало быть, и не в свою... Получалось, что вместо благодарности он просто попользовался ею, а может быть, заодно и отсиделся после какого-нибудь очередного своего дела... И что теперь? Ждать, когда ему опять понадобится надежное логово? А что потом? Еще одна золотая цепочка? Хотелось-то жить нормально, как все, иметь семью, мужа, любить и, наконец, снять со своих плеч, хотя бы частично, тяжелую ношу бесконечно вылезающих на божий свет проблем, которые надо было каким-то образом решать.

Она сидела, курила, складывала кусочки мозаики то так, то эдак и после невеселых раздумий решила идти ва-банк, чего бы это ни стоило, и помочь ей в этом мог только Левчик.

ВА-БАНК

Народу в кафе было не очень много, и поэтому пришедшей первой Людмилке удалось занять дальний столик в уголке. Вскоре появился и Левчик. После дежурных приветствий и комплиментов она сразу же перешла к делу:

— Лева, ты должен мне помочь.

— Должен?

— Нет, конечно, не должен. Прости. Я неправильно выразилась. Просто больше мне помочь никто не сможет, только ты.

— Ну хорошо, хорошо... Я придрался к слову... Чего ты хочешь, чтобы я сделал?

— Понимаешь, я устала. Я совершенно одна, с ребенком на руках. Мне нужно как-то налаживать свою жизнь. А для этого мне нужна работа. Но, как ты сам понимаешь, чтобы найти хорошую работу, надо закончить этот распроклятый институт.

— Как ты приложила нашу альма матер, — улыбнулся Лева.

— Да пойми, на меня постоянно сваливается то одно, то другое... Вот, например, оказалось, что у мужа дача в писательском поселке... Я ничего не хочу сказать, место изумительное, соседи — потрясающе интересные люди, известные писатели, дом большой, с центральным газом, водой, московским телефоном... Но его надо приводить в порядок, иначе он просто разрушится. Мне только восстановление телефона обошлось в кругленькую сумму, не говоря уже о том, сколько пришлось по инстанциям помыкаться, но я оплатила все долги и восстановила его... Квартира тоже хорошая, но и она постепенно приходит в упадок, нужен основательный ремонт. Кроме того, меня все время дергают по поводу писательского наследия...

— То есть? — удивленно спросил Левчик.

— Мой свекор, он же был писателем. Может, ты слышал о таком: Василий Андреевич Бражников?

— Вот это да! Слышал, конечно! Так это твой свекор?

— Да. Покойный. От их семьи теперь, кроме нас с Гошей, никого не осталось. И надо решать, что делать с его рукописями. Там же какие-то гонорары за переиздание, есть что-то неопубликованное. Я в этом не разбираюсь. Что и говорить, я бы от денег сейчас, в моем положении, не отказалась, даже от небольших. Но ведь меня обведут вокруг пальца как нечего делать...

— Это точно. Ты против них цыпленок неразумный... — Левчик достал трубку и стал набивать ее табаком, что Людмилка расценила как хороший знак.

— Цыпленок, это точно. Но мне надо встать на ноги, начать уже как-то зарабатывать, а меня дергает то одно, то другое... Лева, помоги мне закончить институт. Ты же знаешь, у меня голова варит. Я хоть летом могу сдать все экстерном, если напрягусь. Но у меня просто нет ни физических сил, ни возможностей бегать, обивать пороги, ну, ты понимаешь...

— Но что конкретно я могу сделать?

— Лева, я тебе сейчас все откровенно скажу, только ты не психуй, не перебивай меня и не говори сразу «нет». У меня есть некоторая сумма, досталась в наследство. Муж не успел пропить... Я придерживала ее на черный день. Но ты понимаешь, так получается, что мне все время приходится брать оттуда по чуть-чуть то на одно, то на другое. Деньги стали таять, и я испугалась. Так вот: пока они не кончились, я хочу потратить их на экстернат. Ты поговори с кем надо, если надо кого подмазать — подмажь, только пусть мне дадут возможность просто сдавать экзамены. Я клянусь, я все сдам, мне этот диплом нужен как воздух... — Людмилка расплакалась.

— Господи боже ты мой... Ну-ну, не плачь. Знаешь, какая мысль пришла мне в голову?

— Какая? — всхлипывая, спросила Людмилка.

— А вот какая. Тебе удобно будет пригласить меня в гости?

«Попался!» — торжествующе подумала Людмилка и ответила:

— Тебя? Да конечно удобно!

— Давай-ка я к тебе приду, мы посмотрим по списку, что ты уже сдала, что тебе еще сдавать, у кого, что для этого нужно и что у тебя уже есть, и составим план. Чтобы не вот так, на ходу...

— Левочка, если бы ты только знал... если бы ты только знал... только на тебя была надежда...

На прощание Левчик скромно поцеловал Людмилку в щечку, и на том они расстались, весьма довольные друг другом, причем в головах у обоих роились весьма и весьма интересные планы, и обоим казалось, что жизнь сделала поворот, за которым маячит что-то новое, с положительным знаком, только вот у каждого это новое было свое.

МАКС

Людмилка пришла домой уставшая, вымотанная разговором. Она забрала у бабы Вали Гошу, накормила его, немножко поиграла с ним, искупала и в половине десятого уложила спать. В десять в дверь позвонили. Сердце ее бешено застучало от страха и надежды. Она посмотрела в глазок, и ей показалось, что там, за дверью, стоит Теймураз. Бледная, с огромными, потемневшими почти до черноты глазами, трясущимися руками, она, путаясь в замках и цепочках, открыла дверь — и увидела на пороге совершенно незнакомого мужчину. Потом она долго думала, почему он показался ей похожим на Теймураза... Наверное, просто приняла желаемое за действительное...

— Добрый вечер! Простите, я, кажется, напугал вас...

Людмилка от страха и неожиданности не могла вымолвить ни слова.

— Ради бога, извините за столь поздний и неожиданный визит... Вы ведь Людмила Бражникова, жена Славы?

— Да...

— Я его друг. Может быть, он говорил обо мне? Меня зовут Максимом.

Вспыхнувшую надежду сменило такое горькое разочарование, что ей захотелось завыть, зарыдать, что-нибудь разбить, кинуться позвонить Левчику, чтобы он немедленно приехал и больше уже никогда не уходил. И вместе с тем холодный голос рассудка призывал немедленно взять себя в руки и узнать, что же нужно этому другу ее покойного мужа, с чем он пришел, потому что она давно поняла, что мало кто из людей действует исключительно из альтруистических побуждений, но в основном, если копнуть, причем не так уж и глубоко, натыкаешься, как правило, на разнокалиберную корысть. И посему Людмилка кивнула ему и, отступив на шаг, впустила в квартиру.

Ночной гость был высок, под два метра, по ее понятиям хорошо сложен, то есть имел широченные плечи, длинные ноги и достаточно плотное телосложение. Лицо у него было таким откровенно некрасивым, грубым, что эта некрасивость в первый момент даже поражала, но и тут же завораживала, покоряла своим немыслимым обаянием. Густой низкий голос тоже прибавлял шарма... Людмилка, объяснив, что сын спит и что остальные комнаты в плачевном состоянии, провела Максима на кухню и попросила его минуточку подождать. Она быстро переоделась в своей комнате, перечесала волосы, заколола их на одну шпильку, припудрилась, мазнула тушью по ресницам и вышла к нему уже совершенно иная. Максим же за это время успел выложить на стол глиняную бутылку с рижским бальзамом, какие-то свертки и сверточки и теперь разворачивал серо-коричневую бумагу одного из них. Сначала до Людмилы донесся изумительный запах копченой рыбы, а затем появилась и сама рыбина, своим видом не посрамившая аромат. Людмилка алчно обежала взглядом гостинцы и осталась ими довольна.

— Видите ли, Люда, я, можно сказать, с корабля на бал, сегодня из Прибалтики, и поэтому привез в качестве гостинцев тамошние деликатесы. Завтра рано утром я уезжаю на Алтай. Я — журналист, все время в разъездах, поэтому и свалился вам на голову столь неожиданно. Мы еще со времен стройотрядов были очень дружны со Славой, и я до сих пор не могу никак принять его смерть. Тем более что не был на похоронах...

— Я была в роддоме, когда Славу убили...

— Господи, какой кошмар!

— Слава последнее время водил дружбу в основном с местными алкашами, и я ничего не смогла с этим сделать. Когда он умер... когда его убили... я даже не смогла его достойно похоронить...

— Люда, не казните себя.

— Нет, я не в том смысле, я в другом: не было ни друзей, ни родственников. Я никого не знала. Да и находилась в таком состоянии, что было не до записных книжек... — Глаза у Людмилки затуманились, и вроде бы даже навернулась слеза.

— Ну вот... Пришел расстраивать вас... Простите меня. Просто уж так мы дружили когда-то, так дружили, неразлейвода... А потом жизнь развела. Командировки... И вот теперь его нет. Он сильно пил?

— Временами. Бывали периоды, когда он писал и писал, но потом все равно срывался. Так и кидался из одного запоя в другой.

Дальше беседа продолжалась в том же духе — что писал Слава, сколько, носил ли куда-нибудь в редакции пристраивать, давал ли кому-нибудь читать... Людмилка, наивно моргая, стояла на том, что в его творчестве она ничего не понимает, что ей он читать ничего не давал и вроде бы и другим тоже и по редакциям не ходил.

— Понимаете, Максим, соседки по даче, а они все-таки писательские жены, вернее вдовы, намекали, что у Славика не сложилось с талантом, его считали графоманом, и даже Василий Андреевич, его отец, так и не смог пробить ни одной вещи из того, что написал Славик.

Максим закурил, помолчал и, подбирая слова, сказал:

— Как говорится, о мертвых либо хорошо, либо ничего... Но, тем не менее... Честно вам сказать, я никогда не заблуждался насчет его способностей. — Он поймал Людмилкин неодобрительный взгляд и продолжил: — Равно как и о своих собственных. Но он был до того славным парнем, честным, искренним, открытым... Мне иногда кажется, что весь свой талант он растратил на отношения с людьми. Он умел дружить, умел ненавязчиво помогать, многие этим беззастенчиво пользовались. Если бы вы знали, скольких он через своего отца вывел в люди, скольким его друзьям помогла Тамара Георгиевна... А сам так ничего не достиг. И самое ужасное то, что втайне он считал себя непризнанным гением и искренне верил, что его время еще придет... А я вот с самого начала знал, что я — трудолюбивая рабочая скотинка, что буду писать добротные материалы, срок жизни которым максимум неделя. И вот я пишу, живу, радуюсь жизни, а Славки нет... И это непоправимо.

— Да... жизнь не всегда складывается так, как думалось, как мечталось...

— Совсем я вас заговорил. Но так его не хватает, так не хватает... Я часто мучаюсь мыслью, что, возможно, был к нему несправедлив. Что, может быть, по молодости, по неопытности чего-то недорассмотрел в его вещах, что-то недооценил, недопонял... Комплекс вины, одним словом. Если бы вы, Люда, когда-нибудь позволили бы мне посмотреть его рукописи... Может быть, что-то можно было бы отобрать и все-таки напечатать... В память о нем, о нашей дружбе. Утешение, конечно, слабое, но все-таки...

— Да, конечно, Максим! Но это теперь только весной. Я, видите ли, собрала все записи, все, что нашла, и вывезла на дачу, чтобы здесь не мешали. Все-таки маленький ребенок, сами понимаете... А тут груды, кипы и кипы исписанных бумаг, каких-то дряхлых пыльных папок... Так что придется отложить до весны.

Приняв услышанное к сведению, Максим заспешил откланяться. Он попросил разрешения бывать у нее, оставил свои телефоны и настоял на том, чтобы она не стеснялась обращаться к нему в случае какой необходимости, особенно если понадобится грубая физическая сила. На том они и расстались.

РЫВОК

Левчик пришел в гости с бутылкой вина, яблоками и папкой. К его приходу Людмилка сделала хороший ужин и испекла пирог. Они душевно посидели, а потом принялись за дело. Левчик разложил на столе в кабинете программы, Людмилину зачетку, и они принялись писать план-таблицу сдачи экзаменов: предмет — фамилия преподавателя — ориентировочная сумма. С кем-то Левчик обещал договориться по-дружески, кто-то мог поставить зачет в ответ на аналогичную услугу, кому-то придется отстегнуть, а кому-то — честно сдавать. Но в любом случае все было реально, все выполнимо. Отдельно выписали преподавателей, которым придется сдавать, составили список учебников, Левчик пообещал раздобыть конспекты. Одним словом, поработали ударно. Подсчитали сумму, и Людмилка приуныла: она рассчитывала на гораздо меньшие затраты.

— Слушай, Людмил, а ты это потянешь?

— С трудом, но потяну, Лева. Другого выхода у меня нет.

— К сожалению, я тебе и помочь-то не смогу. Сама знаешь, за кооператив мне еще расплачиваться и расплачиваться.

— Что ты, что ты... Об этом даже и речи не может быть. Я вот о чем подумала. Давай я тебе сейчас дам, скажем, треть, и ты попробуешь уже сейчас хоть что-нибудь пробить. А в дополнение к этому я вот что могу предложить. Подожди минутку, ладно?

Лева кивнул. Людмилка вышла и вскоре вернулась с двумя пакетами, в одном из которых было несколько флаконов запечатанных духов, а в другом — украшения. Людмилка стала выкладывать духи на стол и объяснять, так как полагала, что мужчина не должен в этом ничего смыслить.

— Лева, смотри: вот эти — попроще, подешевле. Вот эти — подороже. Эти — самые дорогие и дефицитные. Упаковка фирменная, в хорошем состоянии. Это не какая-нибудь там подделка. Все настоящее. Просто я подумала, женщины будут поговорчивей, получив такой презент.

Лева внимательно рассмотрел каждую коробочку, тщательно проверил на предмет распечатывания и остался осмотром доволен. И наборчик был хорош, и фирменная упаковка действительно не была нарушена.

Затем Людмилка выложила украшения и сказала:

— Это, конечно, не бог весть что, но тоже может сгодиться. — И, заметив скептический взгляд Левы, поспешила его заверить: — Не думай, это не просто бижутерия. Камни не драгоценные, но натуральные: яшма, агат, оникс, лазурит, янтарь. Это авторские работы. Грузия или Армения. А это явно Средняя Азия, а вот северные штучки. Жаль только, у меня к ним нет коробочек.

— Ну, я во всем этом мало что понимаю, но, возможно, пригодится. Дело такое... Значит, так: через пару дней я тебе принесу все материалы, и ты начинай потихоньку учить. И вот еще что: ты все-таки подчитай или хотя бы просмотри и те предметы, по которым мы предполагаем проскочить на ура. Мало ли что. Но с них не начинай.

Он сложил в пакеты духи и украшения, взял деньги, положил их во внутренний карман пиджака и встал.

— Ладно, я потихоньку двинусь домой, а то завтра у меня первая пара. Надо кое-что подготовить, а конь еще не валялся. Твою зачетку я забираю тоже. Ах да, вот еще что, — он засуетился, полез в папку и достал оттуда два листка. — Перепиши это от своего имени. Это твои заявления о досрочной сдаче экзаменов. Я в следующий раз заберу.

— Да зачем же в следующий раз? Я сейчас, мигом это сделаю. — Людмилка достала пару чистых листов и быстро все переписала. — Так будет лучше.

— Да, может, ты и права. Давай их сюда.

На прощание он опять чмокнул ее в щечку и отбыл.

Как Лева и обещал, через пару дней он принес кучу тетрадей с конспектами лекций, учебники, какие-то распечатки и сказал, что уже кое с кем разговаривал и что особых возражений не встретил.

— Кстати, хочу обозначить один тонкий момент: отныне для всех ты — моя невеста. Иначе мои хлопоты будут выглядеть более чем странно.

— Как скажешь, Лева. Буду иметь в виду, — покорно согласилась Людмилка, всем своим видом давая понять, что она понимает фиктивность своего нового статуса.

Лева между тем развел бурную деятельность и к концу года сделал Людмилке все зачеты и экзамены грядущей зимней сессии. При этом несколько поредели ряды духов и украшений, но денежки он умудрился не потратить. У него были на них свои планы, причем он искренне считал, что его труд тоже должен быть оплачен и что совершенно необязательно ставить об этом в известность Людмилку. Он подозревал, что на самом деле ей в наследство досталась немалая сумма, и теперь собирался ее несколько порастрясти.

Он регулярно звонил Людмилке и докладывал о результатах. Людмилка была счастлива и начала испытывать к Левчику даже какое-то теплое чувство. «Все-таки, наверное, он ко мне что-то питает. Иначе бы не стал так хлопотать. Если так и дальше пойдет дело, то он — вариант номер один», — думала она.

Однако же, как бы там ни было, но Людмилка решила не сбрасывать со счетов и Максима. Почему бы и нет? И вообще, Людмилка решила, что пора определиться. Она безмерно устала от чрезвычайной насыщенности своей жизни, от того, что каждый ее год вмещал в себя столько событий, сколько у обычной девчонки развезлось-размазалось бы года на три. И порой ей становилось страшно, что жизнь так и будет спешить дальше, накручивая, наворачивая какие-то ненормальные взаимоотношения с какими-то странными людьми. И еще было страшно потому, что рабоче-крестьянское ее нутро холодело от нехороших предчувствий, оно говорило ей, что страна заболевает, начинает сходить с ума, и добром это все не кончится. И хотелось одного: войти в тихую безопасную бухточку и бросить наконец якорь. Для этой цели годился и Левчик, и Максим. Нужно было как-то действовать, но чтобы при этом не получился эффект двух зайцев. Однако прежде всего надо было разобраться со своей грузинской мафией, причем Людмилка должна была выглядеть потерпевшей стороной, чтобы не последовало никаких карательных санкций.

СЛЕЖКА

На этой стезе, как ей виделось, в качестве первого шага нужно было нарыть какой-нибудь компромат на Багратика, желательно уличить его в связях с другими женщинами. Что были другие женщины, она не сомневалась.

Как быть с Теймуразом, она не знала. Хотя как можно было планировать что-то насчет человека, который обитал неизвестно где, неожиданно врывался в ее жизнь и так же неожиданно исчезал, и нельзя было знать наверняка, когда он появится в следующий раз и появится ли вообще? При мысли о Теймуразе у Людмилки, как всегда, что-то сладко оборвалось в душе, и она машинально дотронулась до образка. «Ладно, — думала она, — я буду двигаться вперед. Пока что мне еще никто предложения не сделал. И если появится Теймураз, пошлю всех к черту».

Несколько раз позвонив Баграту и помолчав в трубку, она удостоверилась, что он все еще проживает на своей съемной квартире. Людмилка поразмыслила, как можно определить хотя бы его приблизительный адрес, затем обложилась разнообразными телефонными справочными книгами и села вычислять район, где он живет. Она потратила много времени на выписывание номеров телефонов и адресов каких-то поликлиник, кинотеатров, почтовых отделений, детских садов, ателье, начинающихся с тех же цифр, что и номер телефона Баграта, наносила крестики на заранее купленную карту Москвы и наконец сузила круг своих поисков до одного дома. В промежутках между телефонами парикмахерской, аптеки и продуктового магазина, расположенных на его первом этаже, затаился телефон квартиры Баграта. Подгоняемая азартом, Людмилка, похвалив себя за то, что не стала выбрасывать хозяйские вещи, достала потертую и изрядно побитую молью цигейковую шубку Тамары Георгиевны, такого же вида шапку и поношенные сапоги. Вещи были ей великоваты, но зато делали неузнаваемой. Потратиться пришлось только на идиотский парик, состоящий из жиденьких черных буколек. Надев это все на себя и взглянув в зеркало, она чуть не заплакала, потому что выглядела в этих «обновках» старообразно, смешно, жалко и как-то уж очень нищенски... Но, с другой стороны, и узнать ее в этом облачении можно было с трудом, тем более в черных очках. Несколько дней она крутилась возле вычисленного дома на морозе и все-таки выследила

Багратика, да еще и не одного. Около часа дня, почти перед закрытием на обед, он вошел в универсам вместе с какой-то девчушкой. Людмилка, схватив корзинку, ринулась за ними. Вот они взяли хлеб, потом молоко и творог, каких-то банок в бакалее, о чем-то тихо посовещались, взяли тортик и направились к кассам. Людмилка кинула в свою корзинку пакет молока и встала за ними. Расплачивался Баграт. Он не спеша стянул с рук перчатки — и тут Людмилка увидела на его безымянном пальце правой руки массивное обручальное кольцо. Она посмотрела на руку девчушки и увидела такое же кольцо на ее детском пальчике.

Людмилка, таясь, прошла за ними до подъезда, подождала несколько секунд и тихо-тихо вошла следом. Счастливая парочка поднялась на второй этаж, и девчушка, позвенев ключами, стала открывать квартиру.

Дома она устало сняла волглую тяжелую шубу, насквозь промокшие сапоги, стянула шапку вместе с париком, механически развесила их на батареях сушиться и пошла в ванную, чтобы хоть немного согреться.

Минут сорок она рыдала под душем над своей неудавшейся жизнью. Было невыносимо обидно, что ею так пробросились, несмотря на то, что она родила сына, что она несвободна, потому что у нее на руках ребенок... Было жалко окончания тех денежных поступлений, которыми ее так щедро осыпали в свое время... И еще невыносимо мучило сомнение в успехе задуманного: а вдруг ни Левчик, ни Максим не рассматривают ее как серьезную партию и ничегошеньки у нее не выйдет?

Из душа она вышла злая.

ДВА ЗАЙЦА

Людмилка позвонила Максиму и попросила его помочь ей: она хотела купить сыну елку, а тащить дерево одной было тяжело. Максим, на удивление, страшно обрадовался ее звонку. Он не только выразил немедленную готовность, но и обещал вообще помочь ей с предновогодними закупками. Они договорились в ближайшие выходные пройтись по елочным базарам.

Потом, конечно же, было уютное чаепитие с пирогами и разговорами, в результате которых Людмилка выяснила, что Максим на праздники отбывает в Прибалтику, куда его пригласил один его давнишний друг, с которым они когда-то вместе учились в Суворовском училище.

— Так ты еще и в Суворовском учился? — спросила Людмилка, незаметно для себя перейдя на «ты».

— Да... Было дело под Полтавой... Я не сразу, но все-таки успел понять, что армейская дисциплина не для меня, и дал оттуда деру. Хотя, знаешь, — подхватил ее «ты» Максим, — вот я думал, что буду журналистом, так сказать, птицей в свободном полете... Никаких нормированных рабочих дней, когда хочу — просыпаюсь, когда хочу — ложусь, а получилось, что я до сих пор живу как в казарме: подъем в шесть утра, зарядка, душ, ну и так далее... Люд, послушай, один нескромный вопрос...

Завравшаяся и запутавшаяся в этой жизни Людмилка похолодела. Она почему-то была уверена, что Максим сейчас спросит что-нибудь вроде: «А где вы со Славкой познакомились?» или еще что-нибудь в этом роде. Мысль ее лихорадочно заработала, но ничего путного придумать не удалось. А Максим после некоторой паузы продолжил:

— Ты только не обижайся, ладно? На что ты живешь? Ты ведь не работаешь, не учишься...

Людмилка перевела дух и кинулась в атаку:

— Ну, во-первых, я все-таки учусь и получаю стипендию.

— Ты учишься? — удивился Максим.

— Да. А что, не похоже? — Она улыбнулась. — Я восстановилась и сейчас гоню все предметы, чтобы экстерном сдать экзамены и начать работать. Я, знаешь ли, не совсем уж круглая дура.

— Да ты меня не так поняла! Я удивился, что ты учишься, потому что ты одна, с ребенком на руках...

— Сижу дома и учусь изо всех сил. Мне пошли навстречу в институте, и я думаю, что летом от него отделаюсь. Еще мне родители понемногу помогают. Не слишком, но хватает. Немножко платят пособие... Как вдове... Мы, провинциалки, умеем довольствоваться малым...

— Понятно. То есть негусто. А если вдруг какие-нибудь непредвиденные расходы?

— Например?

— Ну, не знаю... Протечешь к соседям и придется оплачивать им ремонт.

— Максим, зачем ты меня пугаешь?

— Да я тебя не пугаю. Просто ты мне напоминаешь маленькую лодочку с одним веслом, отважно намеревающуюся переплыть океан. Ведь действительно, не дай бог, случится что-то непредвиденное, у тебя же ничего не отложено и продать нечего.

— Да, и ничего не отложено, и продать нечего... Хороший же ты затеял предпраздничный разговор...

Максим вздохнул.

— Ладно, не обижайся. Я к чему это говорю: если что, обращайся ко мне. У меня, правда, тоже не ахти какие запасы, но немножко есть, и еще у меня много друзей. Выкрутимся.

На Новый год Левчик, прямо сказать, не расстарался: сухой вафельный тортик, лимонные дольки в коробочке и бутылка шампанского являли собой его вклад. Поначалу изобилие стола его неприятно удивило, но он быстро нашелся и начал витиевато-смущенно распинаться о том, какие непрактичные бывают холостяки, ничего не смыслящие в хозяйстве. Людмилка, невероятно красивая, благоухающая какими-то дорогими духами (из старого флакончика, прихваченного с дачи), царственным жестом приказала ему замолчать:

— Стол — не мужское дело, а сугубо женское.

— А где же сынулька? — спросил Левчик, чтобы сменить тему. — Я ему тут подарок принес. — И он вытащил из сумки коробочку с конструктором.

— Я договорилась с соседкой. Она поехала к родственникам в деревню и взяла его с собой. Пусть подышит свежим воздухом недельку.

— Слушай, а ничего, что он такой маленький? Не рановато ли для путешествий?

— Лев, она же помогала его нянчить практически с рождения. Он же ей как внук! Кроме того, как говорится, «знать, столица та была недалече от села». Да и деревня эта на самом деле — военный городок. И дочка у нее — военный врач. Так что беспокоиться нечего, — соврала Людмилка. — А вот к следующему Новому году приведу дачу в боевую готовность, и можно будет махнуть туда. Представляешь, весь поселок, все писатели собираются на праздники, елки наряжают прямо на улицах, гирлянды на домах, гуляния, каток с музыкой... Все тридцать три удовольствия.

Левчик напряг воображение и увидел себя в дубленке и енотовой шапке запанибрата беседующим о том о сем с каким-нибудь маститым писателем. Картинка ему понравилась.

На третий день утром, доев вкусности, Левчик под предлогом сессии отбыл домой. Квартира как-то сразу опустела. И хотя Людмилка изрядно устала от суеты и от Левы, она почувствовала себя одинокой. Перемыла накопившуюся посуду, расставила все по местам, приняла душ и после душа почувствовала себя голодной. Открыла холодильник, но на бесстыдно голых полках обнаружила только сливочное масло и подсохшие куски сыра, которые хоть и были прикрыты тарелкой, но всем своим видом явно готовились к полету по Райкину. В фольге она нашла обрезки жира с буженины, обжарила их на сковородке, сварила макароны и, перемешав все это, безрадостно поела. Так начался 1989 год.

1989 ГОД.
ЕЕ РОМАНТИЧЕСКИЙ ГЕРОЙ

Однажды, в начале марта, как раз перед праздниками, Людмилка с подарками и конспектами в объемистой сумке тащилась от одной преподавательницы к другой, дабы сдать, свалить с себя еще один экзамен. Оставалось сделать совсем небольшое усилие — и дальше только госы и диплом в кармане. Левчик не обманул ее ожиданий, хотя и изрядно порастряс денежные запасы. Людмилка давно уже поняла, что он химичит с ее деньгами, но поделать с этим ничего не могла и жила только тем, что скоро все это закончится и она будет свободной. Она безмерно устала от чехарды с экзаменами, от того, что ей все время приходится изворачиваться с Максимом и Левчиком, врать то одному, то другому, чтобы они не дай бог не пересеклись у нее на квартире. Максим имел дурную привычку появляться неожиданно и в неподходящий момент, а так как по размышлении она все-таки решила сделать ставку именно на Максима, ей совсем не хотелось глупо потерять его только из-за того, что Лева норовил урвать не только купюрами, но и натурой. Иногда ее так и подмывало бросить ему в лицо все, что она по его поводу думает, и ей стоило большого труда сдерживаться. «Ладно... Потерплю пока. Пусть пользуется мной, наживается на мне, скотина. Когда все закончится, я ему выскажу все. И пошел он к черту, сволочь. Выкину его и больше никогда не буду иметь с ним дела».

Вот и теперь она ехала в метро и думала о том, как сделать так, чтобы на Восьмое марта не проколоться, потому что Максим хотя и довольно-таки расплывчато, но все же намекнул, что, вполне возможно, на праздники будет в Москве и тогда непременно зайдет ее поздравить, а Левчик открытым текстом заявил, что непременно будет у нее и что рассчитывает на ее пироги и салатики. Надо было как-то выкручиваться, а как — она не знала. Разве что не зажигать в квартире свет и делать вид, что никого нет дома... Подруг у нее не было, и податься было не к кому.

Объявили остановку. Двери открылись. Толпа выходящих вытекла, и толпа входящих втекла. Людмилка скользнула равнодушным взглядом по вошедшим и увидела Теймураза. Зажатый между двумя пышными дамами, он стоял к ней вполоборота и, как ей показалось, стоически терпел давку. Она хотела окликнуть его, но нежность и обида захлестнули ее, и слова застряли в горле.

«Надо сделать так, чтобы он меня увидел. И если он подойдет сам, тогда другое дело. Навязываться я не буду», — подумала она и тут же собралась встать, чтобы сделать вид, что ей нужно выходить на следующей остановке. И в тот же момент она увидела, как рука его начала медленно подниматься вдоль бока впередистоящей женщины, потом плавно стала опускаться, задержалась на несколько секунд у сумки, зажатой у нее под мышкой, и поползла вниз, но уже с кошельком. Разворачиваясь и затем протискиваясь к дверям, он поднял глаза и встретился взглядом с Людмилкой. В лице его ничего не изменилось. Двери открылись, Теймураз спокойно вышел из вагона на платформу и мгновенно растворился в толпе. Ее мужчина, ее гордый горный орел, суровый, молчаливый, опасный, ее романтический герой, которого она так ждала и о котором так мечтала, был всего-навсего карманным вором, толкающимся в пропахшем телами и дешевым парфюмом городском транспорте и крадущим у зазевавшихся потных, замотанных жизнью теток их жалкие получки.

В который раз в своей жизни Людмилка почувствовала себя оплеванной и униженной. У нее было чувство, что она тоже причастна к этому воровству. Захлестнувшая ее нежность вдруг оплавилась и растеклась по душе чем-то мерзким и жгучим. Она вспомнила, как, в сущности, рисковала не только своей свободой, ибо при плохом раскладе могла получить срок за укрывательство, но и собой: раз он получил пулю, значит, могли убить и ее. Вспомнила, как обтирала его, поила, кормила, как выносила за ним отхожее ведро...

Как-то она все-таки добралась до преподавательницы, что-то ей говорила, жалко улыбалась и благодарила, получая зачетку, вручала подарок и поздравляла с наступающим праздником, потом шла до метро пешком, держа шапку в руке...

«Какая же я дура! — думала она. — Нет, ну какая же я дура! Меня используют в хвост и в гриву все, кому только не лень! У меня что, на лбу написано «использовать как дуру»? Хватит! Хватит! Хватит! Больше никому и никогда... Все!» На секунду всплыл образ Максима, такого милого, харизматичного... «Хватит. Надо брать Максима и устаканиваться». Тут же она вспомнила, как в свое время точно так же планировала «взять» Арунаса, потом Левчика, потом Багратика, потом Теймураза и что из этого вышло.

Ночью Людмилка опять долго плакала. Уже подушка намокла от слез, а она все никак не могла успокоиться. Так и заснула она в слезах под утро, когда дворники за окнами начали убирать снег.

Утром она позвонила Левчику и сказала, что на праздники ждет к себе в гости маму и очень хочет познакомить с ней Левчика. Левчик сразу же сориентировался и сказался больным.

Максим на праздники тоже не объявился.

И ОПЯТЬ СВОБОДА

На госы она поселила сынишку у бабы Вали, подкинув ей за это деньжат, и кинула все силы на институт. Левчик тоже не дремал. Жадничая и переживая, что афера подходит к концу, он то и дело теребил ее, требуя незапланированные деньги якобы то на одного преподавателя, то на другого. Разбираться с ним Людмилка не стала и, стиснув от ненависти зубы, истощала свои загашники. Но вот и эти мучения подошли к концу. Последний экзамен был сдан, и диплом был в кармане. Левчик намекал, что неплохо было бы отметить окончание института, и она пообещала ему устроить небольшой интимный банкетик на двоих с твердым намерением размазать его в самых крепких выражениях, которыми так богата глубинка. Однако разум одержал победу над праведным гневом, и она все-таки устроила ему банкет, и был интим, потому что у нее не только с друзьями было негусто в Москве, но и даже просто со знакомыми, и пробрасываться тем малым, что имелось, было глупо. А в случае с Левчиком она, по крайней мере, точно знала, на что можно рассчитывать и на что — нельзя.

Свалив наконец с себя институт, Людмилка решила с работой не торопиться. Лето и осень она намеревалась пожить на даче, а там дальше будет видно. Левчику эта идея, по причине нездоровой обстановки в стране, не очень нравилась, но у Людмилки был такой измученный вид, что свои соображения он решил оставить при себе. А вот Максим по той же причине поддержал ее на все сто.

— Правильно! Отдохни, отоспись наконец. Приди в себя. Еще успеешь наработаться. Время-то какое интересное! Сейчас увязать в каком-нибудь стоячем болоте — самое распоследнее дело. Поживи на даче, подумай, прикинь, где можно устроиться на интересную работу. Потом скажешь мне, что ты надумала, а я тогда буду напрягать своих знакомых.

Что-нибудь мы тебе да найдем. Может быть, и меня осенит какая-нибудь мысль. И вот что я тебе посоветую: пора бы заняться творческим наследием своих родственников. Надо разузнать, может быть, тебе причитаются какие-нибудь гонорары... Тоже лишним не будет. Это я беру на себя. И знаешь еще что? На твоем месте я предложил бы бабе Вале пожить с тобой на даче. А что? Она одинокая, делать ей все равно нечего. А тут природа, воздух, дармовая кормежка, Гоша будет под присмотром. Опять же, ты уже к ней привыкла, знаешь все ее заморочки, так что особо раздражаться на нее не будешь. Подумай.

— Максим, ты — гений! Ты придумал гениальную вещь! — Людмилка не стала его разочаровывать тем, что еще позавчера именно об этом договорилась с бабой Валей. — Я так и сделаю!

— А меня ты как-нибудь пригласишь на свою таинственную дачу? Мы, журналисты, народ любопытный.

— А разве ты никогда не бывал у них на даче?

Максим на какую-то секунду стушевался, соображая, что говорил ей по этому поводу раньше и говорил ли вообще, а потом сказал:

— Представь, ни разу не был. В молодости как-то не очень было интересно гужеваться по дачам. Все больше по кабакам. А уж если на природу, так с палатками, гитарами и выпивкой.

— Да уж приглашу, конечно, приглашу. Вот съезжу туда, распугаю мышей, уберусь и приглашу.

Людмилка навела на даче порядок и сразу же перевезла туда бабу Валю с Гошей. Три дня они проспали самым беззастенчивым образом, просыпаясь только чтобы поесть. На четвертый Людмилка принялась за разборку рукописей. Она составила список опубликованных произведений Бражникова-старшего, отобрала рукописные и печатные варианты оного, упаковала их в папки и пометила каждую «Издано. В костер». Просмотрела какие-то разрозненные вещи и не поняла: то ли это варианты черновиков, то ли что-то иное, однако углубляться в это не стала и опять отложила до лучших времен. После этого принялась разбираться со Славиной писаниной. Более или менее рассортировав ее, она взяла первую попавшуюся под руку папку и решила почитать на сон грядущий. Сна не получилось. Она читала всю ночь, плевалась, возмущалась, бросала чтение, начинала опять, несколько раз вставала покурить, а под утро пришла к выводу, что Максим покривил душой, называя Славика бездарем, и, значит, был-таки у него какой-то свой дальний прицел относительно его вещей. «Не так ты прост, дрозд, как о себе поешь, — вспомнилось ей, как говаривала тетка Антонина, вечно переиначивавшая поговорки. — Не может такого быть, чтобы ты не разглядел в нем талант, если его разглядела даже я... Надо бы к тебе присмотреться получше. Что же тебе, благородный ты наш, от меня нужно?»

Она никак не могла найти тот единственный вариант, который объяснял бы все. Допустим, Макс взялся бы добиваться публикации. Что ему с этого упало бы? Вряд ли он рассчитывал на какой-нибудь скромный гонорар от Людмилки в случае удачи. Старается для нее и для Гоши? Тоже вряд ли. Сказочки для дурочек... Тогда что? Опубликовать под своим именем? Но для этого необходимо, во-первых, чтобы вещь никто не читал, в том числе и Людмилка, и, во-вторых, чтобы рукописи были целиком и полностью в его распоряжении. Причем все. Для этого нужно ими завладеть, выкрасть или выкупить. При слове «выкупить» она напряглась, и ее хорошенькая головка заработала в интересном направлении.

На следующий день она позвонила Максиму и застала его дома.

— Максим, я хочу с тобой проконсультироваться.

— Давай. Чем могу, как говорится.

— Слушай, я тут разбирала рукописи Бражникова-старшего и нашла неопубликованные вещи. Что мне с ними делать, как ты считаешь? Может быть, отдать их на перепечатку? Или, может, имеет смысл мне самой попытаться их перепечатать? Здесь есть старенькая «Оптима» на ходу. Я ее уже опробовала.

После некоторой паузы Максим ответил:

— Люд, охота тебе? Ты хоть прочитала, что он там накропал?

— Только глянула одним глазком... Я по жизни — плохой читатель, — соврала Людмилка, перечитавшая в свое время практически всю школьную библиотеку. — Можно сказать, никакой. Не до этого было, если честно.

— Так, не пори горячку. Давай-ка я приеду все-таки и посмотрю. Завтра-послезавтра никак не могу, а вот... хотя нет. Послезавтра вечером, только поздно, тебя устроит? Ты будешь дома?

— Устроит, конечно. Куда нам с нашей подводной лодки деваться?

— Там есть где кинуть кости?

— Есть-есть, здесь все есть.

— Что привезти из стольного града?

— Хлебушка свежего привези. Пару-тройку батончиков, и бородинского один. Здесь плохо с хлебом.

— Заметано. Жди.

Максим приехал неожиданно рано. Они поужинали, погуляли немножко по участку, Людмилка показала ему дом, а потом он сказал:

— Ладно, давай за дело. Где материал?

— Сюда, в кабинет, они здесь. Вот тебе стол, вот лампа настольная, вот пепельница, сиди, читай, смотри. Я тебе мешать не буду. Тем более что ничего в этом не смыслю. Ты у нас литературный деятель, тебе и карты в руки. А у меня еще дела есть на сегодня.

Максим сел за стол, заваленный папками, и принялся развязывать тесемки и смотреть.

Около часа ночи он вышел из кабинета. Людмилка сидела на кухне и вязала Гоше безрукавочку.

— Посмотрел я вскользь. Но чтобы сказать тебе что-то определенное, мне надо кое с кем посоветоваться. У тебя здесь телефон какой?

— Московский.

— Вот удача-то! Значит, я уже завтра и переговорю с нужными людьми. Ничего, если звонки будут по межгороду? Я оставлю деньги на оплату.

— Максим, да как же тебе не стыдно?! Ты приехал сюда по моей просьбе, будешь хлопотать для меня же...

— Ладно-ладно, все понял. Значит, завтра звоню.

— Идем, я тебе покажу твою комнату. Я уже постелила. Вот тебе полотенце, там душ можно принять.

— О-го-го! Да вы тут буржуи!

На следующий день Людмилка, увидев, что Максим пошел в кабинет звонить, увела бабу Валю с Гошей на улицу, заговорщицки подмигнула ей и тихонечко прокралась под окна, чтобы подслушать, с кем и о чем он будет говорить. Баба Валя сурово сдвинула брови и сделала эдакий убеждающий жест рукой: «Не бойся, не подведем! Подслушивай спокойно!».

То, что услышала Людмилка, привело ее в шок:

— Малыш, послушай, что я тебе скажу: ты скоро станешь знаменитым... Это будет бомба! ...Нет, я говорю тебе, нет. Она этого не читала, стопроцентно. Деревня у нас не читатель... К тому же она думает, что это писал папашка. С рукописями, конечно, придется попотеть. ...Да нет, ты не так понял. Рассортировать, разложить. ...Да, все перепутано, но ничего не пропало... Ну, во-первых, мы кое-что поменяем: имена, места, время... Да, совершенно уверен. ...Глупости. Я сам это сделаю. ...Нет. Нет. Да кто будет в этом рыться? Малыш, ты же билингв. Я подработаю, ты переведешь это все на эстонский. А дальше тебя скорее переведут на какой-нибудь шведский, чем на русский... Ты соображаешь, что говоришь? В стране бардак, скоро все развалится, людям будет не до копания. ...Короче, слушай меня. Бери билет и немедленно сюда. Надо действовать. Да. Все. До скорого. Что?

Людмилка не стала дожидаться окончания разговора и метнулась к бабе Вале и Гоше. Баба Валя посмотрела на нее вопросительно и шепотом спросила:

— Бабе звонил?

— Хуже, потом расскажу, — ответила Людмилка тоже шепотом и громко спросила Гошу: — А это что у нас?

— Читочик.

— Правильно. Цветочек. А какого он цвета?

— Беый.

— Правильно, беленький. А это кто у нас идет?

— Дя-дя-дя-дя-дя.

— Дядя Максим.

— Дядя Масим.

Максим подхватил Гошу на руки.

— Дядя Максим проговорил кучу денег, но зато получил очень хороший результат. Издатель обещал приехать и посмотреть. Ваш ковчег выдержит еще одного нахлебника?

— Наш ковчег много чего выдержит!

Максим уехал за «издателем» и через пару дней привез его на дачу к Людмилке.

— Познакомьтесь, Оскар, мой друг, издатель и просто хороший человек.

Оскар был мал ростом, по крайней мере по сравнению с Максимом, тонок, красив, несколько томен и почему-то наводил на мысль о цирке. Для начала поговорили о каких-то малозначащих вещах, почему-то вспомнили о Русте, приземлившемся на своем самолетике на Красной площади, посмеялись. Потом Макс увел его показывать писательский поселок. Поужинали, попили чай, и мужчины засели в кабинете. Время от времени было слышно, как они о чем-то спорят, и опять наступала тишина. Поздно вечером они вроде бы закончили дела и опять решили прогуляться. Буквально минуту спустя баба Валя выскользнула за ними со словами «Пойду-ка и я подышу».

Вернулась она возбужденная и, на ходу прошипев Людмилке: «Ну и дела, я тебе доложу!» — нырнула в комнату к Гоше.

Когда наконец все разошлись по комнатам спать, баба Валя тихо зашла к Людмилке.

— Слушай, чего я видела. Гуляли они, значит, гуляли, а потом зашли на детскую площадку и сели на лавочку. И этот Оскар нашему-то говорит так, на распевочку: «Максюш, а как мы это будем вывозить?» А наш ему: «Заложим в старперовские и вывезем». А тот: «А если она увидит?» А наш: «Она не будет рыться. Мы неожиданно приедем на машине и все заберем, чтобы у нее времени не было посмотреть». А Оскар заныл так тоненько: «Максюш, а все-таки это воровство. Я в этом участвовать не хочу. Это уголовное дело». А наш взял его за руку, как девушку, и говорит: «Тебе, малыш, не надо ни о чем беспокоиться. Я все сделаю сам». Встали они и пошли, взявшись за руки... Как хочешь, Людмилка, а это Содом с Гоморрою, я тебе говорю. И дело они нехорошее задумали. Облапошат они тебя, обдерут как липку. Что — ты? Одна как перст, и защитить некому. Василий-то Андреич большие гонорары за свои книги получал...

Людмилка чувствовала, как пылает ее лицо. Подозрение, возникшее у нее после подслушивания разговора Максима по телефону, подтверждалось, и она в который раз почувствовала себя последней дурой, но не потому, что ее назвали «деревней» или пытались так грубо надуть, хотя и из-за этого тоже, но в основном из-за своих далеко идущих планов насчет Максима. Она вспомнила, как в подробностях рисовала себе их совместную жизнь, как одевалась к его приходу, красилась, как строила ему глазки, а он, наверное, все это видел и про себя только посмеивался...

— Что же это делается, баба Валя? Как же так можно? — шептала Людмилка. — За что? Явился ко мне, Гошу тетешкал, Славкиным другом прикидывался, а ему вот что надо...

Рано утром она накормила их завтраком и отправила в Москву, договорившись, что они приедут за рукописями на машине, но предварительно на всякий случай ей позвонят. Полдня она металась по дому, а потом позвонила Левчику и вызвала его к себе.

МАЛЕНЬКИЙ БИЗНЕС

Лева прикатил на новенькой «шестерке», весь такой вальяжный, полный чувства собственной значимости. Увидев машину, Людмилка прикинула, какова же ее доля в Левиной покупке, но ничего, естественно, не сказала. Она провела его сразу же в кабинет и усадила в старинное кожаное кресло напротив стола, а сама села за стол.

— Вот какое дело, Лева. У покойного мужа моего, Славика, был друг. Журналист. Они вместе учились. Объявился он прошлой зимой и стал время от времени к нам наведываться.

— Да? А что же ты мне ничего об этом не рассказывала?

— Лева, а рассказывать-то было нечего. Он в своих журналистских разъездах все время, и вот то из Прибалтики рыбку какую-нибудь привезет копченую, то баночку меда с Алтая... Одним словом, не шибко баловал, но и не забывал. И вот заметила я, что он все время разговоры ведет вокруг Славкиных романов. А главное, все напирает на то, что Славик как писатель был так себе... Посредственность, одним словом. А что, мол, свекор мой, Василий Андреевич, наоборот, был талантливым писателем.

— Ну, талантливым — громко сказано. Когда я узнал, что он твой свекор, я интереса ради почитал его вещицы. Не скажу, что плохо. Неплохая добротная советская идеологически выдержанная проза, но не более того.

— Неважно. Слушай дальше. Этот Максим начал мне втолковывать, что у Василия Андреевича, возможно, есть что-то из неопубликованного и что неплохо было бы это опубликовать и на этом немножко заработать.

— Даже и не надейся, Люда. Ты сама видишь, что сейчас в журналах публикуют и что издают. Сейчас нужно что-нибудь правдорубное, скандальное, шокирующее или дурно пахнущее. Так что он уже сошел с дистанции.

— Да подожди ты, выслушай до конца. Заодно он предложил посмотреть что-нибудь Славкино и попытаться это пробить якобы в память о друге. Он приезжал сюда, на дачу, посмотреть, что и как, и я случайно услышала его разговор по телефону. Одним словом, оказалось, что Максим этот — голубой и что у него есть друг, эстонец. И Максим хочет этого друга сделать знаменитым: выкрасть у меня Славкины рукописи, чуть-чуть их переделать, перевести на эстонский и опубликовать их от имени этого Оскара. Он так и сказал: «Это будет бомба» и «Я сделаю тебя знаменитым».

Левчик присвистнул.

— Так значит, твой муж был талантливым. Просто не ко времени пришелся.

— Выходит, что так.

— Да... Интересно получается. Есть над чем подумать...

— Лева, надо что-то делать, что-то придумать. Я просто чувствую, что здесь можно заработать.

— Вот тебе с ходу вариант: я делаю ксерокс с его работ. Договорюсь с первым отделом, приплачу и сделаю. Пусть они крадут эти рукописи и издают. А мы их потом прижмем, и они будут нам всю жизнь платить за молчание.

— А как мы их будем отслеживать?

Левчик призадумался.

— Да, ты права. Их придется отслеживать каким-то образом. А это будет сложно, особенно на эстонском языке и под псевдонимом. Да и долгий ящик получается. Хорошо. Вариант второй: говорим им открытым текстом, сколько мы хотим сразу. Они нам платят, мы отдаем им рукописи, и пусть они делают с ними что хотят. Надо бы только разузнать, сколько это может стоить. Вариант третий. Раз уж мы имеем на руках товар, стало быть, и покупатель помимо Максима найдется. То есть, я хочу сказать, мы можем продать это в совершенно другие руки. Чем идея Максима хороша: переведут они это на эстонский — и вот тебе национальная гордость, с одной стороны, а с другой — кто из наших будет в этом копаться? Пока до нас дойдет перевод, если дойдет вообще... Ну, ты меня понимаешь. А знаешь, пожалуй, ксерокс все-таки сделать надо. На всякий случай. Ты пока что подержи этого Максима на расстоянии. Нам нужно время.

Последнее время Левчик пребывал в унынии. Он понимал, что нужно срочно искать и занимать какую-нибудь сытную нишу, но придумать ничего не мог. Вернее сказать, придумывать-то он придумывал, но любой план упирался в капитал, которого у него не было. Он был достаточно умным, чтобы не рисковать квартирой, машина была залогом относительно приличного существования на случай, если вдруг их институт развалится — а все к тому и шло — и он останется без работы. С машиной можно было, по крайней мере, левачить. А больше ему продать было нечего. Брать же в долг по нынешним временам было тоже рискованно, да и приличную сумму никто бы не дал. Первый раз в жизни он был бессилен против обстоятельств и уже почти потерял всякую надежду, когда ему позвонила Людмилка. И теперь, почуяв деньги, он решил рыть носом землю, но выкрутить для себя хоть какой-нибудь стартовый капиталец, с которым можно было бы начать хотя бы самое пустячное дело.

Левчик пропадал несколько дней, а потом позвонил и каким-то звенящим голосом объявил:

— Люда, у меня потрясающие новости! Но не по телефону!

— Когда ты сможешь приехать?

— Сейчас и выезжаю! Жди. У тебя найдется чем меня покормить? Я, по-моему, три дня не жрамши!

— Давай-давай! Найдется. Жду!

Новости действительно были потрясающими. Только-только Левчик начал раскидывать сеть среди своих многочисленных знакомых, как в нее тут же попалась крупная рыба — какой-то вроде бы то ли югослав, то ли венгр, который готов хорошо заплатить при условии, конечно, что товар качественный.

— Лев, а хорошо заплатить — это сколько?

— Не поверишь! Я забросил тридцать, ориентировочно сошлись на двадцати.

— Двадцать тысяч?! — изумилась Людмилка.

— Двадцать тысяч долларов, Люда! Дол-ла-ров! Людмилка онемела.

— Лева, а это не опасно? Ну, валюта все-таки...

— Люда, жить вообще опасно. — Увидев ее побледневшее лицо, он успокоил: — Да не переживай так. Мы все продумаем. Тут вопрос еще и в другом. Они хотят посмотреть товар. А специфика, к сожалению, такова, что перед носом им просто так не помашешь. Надо давать читать. Ксерокопии мне бы тоже не хотелось им давать. Их мы оставим у себя. Так, на всякий случай. Но им об этом знать не надо.

— Пусть находят эксперта, и пусть он приезжает сюда и читает.

— Люда, сколько у нас всего есть?

— Девять романов, правда, не очень больших по объему, и, по-моему, пятьдесят два рассказа, разнокалиберных. Или пятьдесят три.

— Слушай, плодовитый какой! Когда только он успел?

— Так ему уже за сорок было, когда он...

— Ну, в принципе, да... За двадцать лет можно и столько написать.

Они долго еще обсуждали всякие детали, но один вопрос висел в воздухе, и Левчик никак не мог к нему подступиться: какова же будет его доля в этом деле. А Людмилка все уводила и уводила от этой темы, потому что она для себя уже все решила. Наконец Левчик набрался мужества и заговорил:

— Люда, давай решим один щекотливый вопрос. Я все-таки нашел покупателя, я тоже рискую, хлопочу. Какова будет моя доля? Я думаю, что...

— Лева, а твоей доли не будет, — твердо сказала Людмилка.

Лева оторопел:

— То есть как?

— Так, Лева. Эти деньги будут нашими и делиться не будут. Вот что я тебе скажу, а ты уже там дальше как хочешь... Ты на мне женишься, и все, что будет можно сделать на эти деньги, мы будем делать вместе. Я устала быть одна. Мне нужен муж. Мы с тобой знаем друг друга прилично, во всяком случае никаких неожиданностей я от тебя уже не жду. Я, Лева, прекрасно знаю, что часть моих экзаменационных денег ты оставил себе. Я этим не возмущаюсь. Твое право делать себе навар. Я прекрасно понимаю, что тогда никакой Варны на горизонте даже не было...

— Ну не начинай опять...

— Да это, собственно, к тому, что я тебя принимаю таким, какой ты есть, и не жду чудес в шкатулочке. Я, может быть, тоже не подарок, но я и не с помойки. Помойка моя, Лева, в прошлом. У меня трехкомнатная квартира в центре, дача в писательском поселке, я — писательская вдова, а фамилия моя девичья — Сулешева — дворянская. Так что, Лева, женишься ты на состоятельной писательской вдове с дворянским происхождением. А если ты не женишься на мне, Лева, то ничего не будет, никакой сделки. Оставлю я эти рукописи до лучших времен. Вот Гоша подрастет, может быть, они ему пригодятся. Почему бы ему со временем не стать знаменитым писателем? Или сыном знаменитого писателя? Вот таким образом. И ответ мне нужен сейчас. Я не хочу больше ничего ждать.

Лева некоторое время смотрел на нее с изумлением, потом встал, подошел к ней и сказал:

— Людмила Николаевна Бражникова-Сулешева, сударыня, вы выйдете за меня замуж?

— Выйду, сударь, и чем скорее, тем лучше. Что говорить Максиму?

— Скажи, что выходишь замуж, что деньги тебе больше не нужны и что ты сожгла все к чертовой матери, потому что такой литературный совок больше никому не нужен.

— Лева, послушай, а вдруг когда-нибудь эти романы переведут на русский язык, их прочитает Максим и узнает?

— Да что ты паникуешь! Это же сколько времени пройдет, прежде чем такое может случиться! Даже если и так, что этот Максим сможет сделать? Какие у него доказательства? Ни ксерокопий, ни оригиналов. Если бы у него была хотя бы пара рассказиков в рукописном виде, тогда еще можно было бы о чем-то говорить, хотя бы пошантажировать и немножко заработать. А так... Не бери в голову.

— А меня никак не смогут к этому делу приплести, если вдруг что-нибудь пойдет не так?

— Зря я на тебе, глупой, жениться собрался. Да ты скажешь, что рукописи у тебя выкрали, пока дом стоял пустой, и все дела. Ты-то здесь при чем?

Лицо у Людмилки просветлело.

— Считай, что успокоил.

Дни летели в каком-то угаре. Нужно было срочно отксерокопировать материал, а сделать это было непросто. Но Левчик и здесь преуспел. Несколько раз приезжал читать какой-то тип довольно бомжеватого вида, и Левчик все время, пока он читал, просидел с ним в кабинете, дабы тот ненароком не перефотографировал тексты каким-нибудь шпионским образом. В итоге жених и невеста получили обещанную сумму, а рукописи благополучно уехали в неизвестном направлении.

Максиму сказали то, что собирались сказать, и больше он не появлялся.

Бракосочетание прошло довольно скромно, но вполне достойно. Про себя Людмилка отметила, что по сравнению с прошлым ее замужеством нынешнее — прогресс, и решила, что уж третью свадьбу она будет делать по всем правилам: с белым платьем и фатой, лентами и куклой.

КЕТИ

Кети безмерно устала от врачей, унизительных осмотров и процедур, от трагических глаз матери и недовольных лиц свекра и свекрови. Может быть, на самом деле и не было никаких недовольных лиц, но ей казалось, что они таковые, и в каждой фразе, в каждом оброненном слове она искала и умудрялась находить намек на недовольство ее бесплодностью. Когда был вынесен окончательный приговор, Кети с горя бросилась с головой в религию. Она стала ходить по церквам, делать щедрые пожертвования, выискивать чудотворные иконы, источники, камни, могилки святых, но ничего не помогало. Тогда она пошла по колдунам, ворожеям и прорицательницам. Ее грамотно обирали, и, естественно, толку никакого не было. Следующим этапом были всяческого рода травники. Она постоянно пила какие-то настои, отвары, сиропы и в какой-то момент чуть окончательно не подорвала и без того хрупкое здоровье: она отравилась каким-то очередным снадобьем, и ее с подозрением на суицид увезли в больницу. Перепуганные родители по выписке из больницы опять стали таскать бедную Кети по врачам, но теперь уже по психологам, психотерапевтам и психиатрам. Весь ужас для нее заключался в том, что она безумно любила мужа, и ей казалось, что теперь, когда уже точно известно, что у нее не может быть детей, Баграт непременно ее бросит. Не в том смысле бросит, что разведется, а в другом, страшном: он будет избегать ее, игнорировать как женщину, и когда-нибудь найдет себе такую, которая отнимет у нее и те жалкие крохи, которые иной раз ей все-таки перепадали. Ей в голову не могло прийти, что будь она жизнерадостней, активнее, бодрее, игривее, наконец, убери она с лица вечно виноватое и трагическое выражение, сними она с себя эти черные одеяния, делающие ее похожей то ли на ворону, то ли на монашку, муж чаще бывал бы дома и не рвался бы так в свои мужские холостяцкие компании. Она никогда никому на него не жаловалась, не устраивала ему сцен, не пилила, не упрекала, даже не спрашивала, где он был или когда он вернется, и опять-таки не понимала того, что этим самым она делала себе только хуже. И еще она не понимала одной простой вещи: муж ее слишком молод, чтобы сильно драматизировать ситуацию с бесплодием.

Когда Баграт первый раз заявился домой только под утро, он чувствовал себя страшно виноватым, и, если бы Кети хоть как-то выказала недовольство или потребовала бы объяснений, может быть, все пошло бы по-другому. Но она восприняла это как должное, и в следующий раз ему уже было легче решиться не ночевать дома. Вкусив сладость свободы, он вскоре стал пропадать на два дня и потом являлся как ни в чем не бывало. Однажды, когда его не было четыре дня, Кети, сходя с ума от страха и умирая от стыда, все-таки набрала номер телефона свекра и, глотая слезы, спросила, не у них ли Баграт. Леван Арчилович примчался к ней, и она, расплакавшись, выложила ему, как обстоят дела, но чуть ли не на коленях умоляла свекра не говорить Баграту о том, что она жаловалась на него. Леван Арчилович пообещал, но и с нее взял слово, что она будет звонить ему каждый раз, когда Баграт не будет приходить ночевать. С тех пор так и повелось: как только Баграт не ночевал дома, Кети на следующее утро звонила свекру, тот отряжал своих людей на поиски и через какое-то время уже знал, где находится его сын. Несколько раз приходилось выдергивать его из неприятных ситуаций с правоохранительными органами, платить долги, давать отступного каким-то девицам, но это, как считал Леван Арчилович, было преходящим. Мальчишка! Повзрослеет — остепенится. Плохо было то, что в круг его знакомых входили воры в законе и наркодилеры, и не было твердой уверенности, что он по глупости не сунется в какую-нибудь авантюру.

Когда Баграт пропадал, он ходил ночами из угла в угол, тайно от жены попивая корвалол и посасывая валидол, но проходил день-другой, сын находился, и все возвращалось на свои места.

НЕПРОСТОЕ РЕШЕНИЕ

В этот раз звонок снохи выбил Левана Арчиловича из колеи. Он послал своих людей на поиски, но найти сына никак не удавалось. Вроде бы его видели в компании с какими-то девицами. Разыскали девиц, но выяснилось, что от них он уехал играть в казино. Там подтвердили, что он играл, но потом куда-то уехал с большой компанией. На компании след обрывался.

Не было сил двигаться, говорить, принимать какие-то решения... Не было сил даже раздражаться на жену. Левану Арчиловичу казалось, что грудь заполнил собой огромный серый камень, холодный и тяжелый, давящий на сердце, на легкие и не дающий возможности свободно дышать. С каждым днем отсутствия Баграта камень этот рос и тяжелел, и это ощущение становилось невыносимым. На четвертые сутки, поздно вечером, Леван Арчилович сел в кресло и стал вяло думать о своей жизни. И вроде бы итоги ее были хороши: дело ширится, развивается, он — уважаемый человек, с политическим весом. Вот только еще бы внуков да разобраться с сыном. Вспомнились какие-то забавные эпизоды из его детства, потом из своего, он увидел себя мальчиком в горах, пытающимся поймать ящерку дедовой соломенной дырявой шляпой. Вот он уже ее накрыл и зовет деда, чтобы показать добычу. Приходит дед, поднимает шляпу — а там никого! Они оба смеются.

Леван Арчилович проснулся от счастливого беззаботного смеха и почувствовал, что камень исчез, но вместо облегчения ощутил в груди огромную, космическую пустоту утраты, сиротства и безнадежности и понял, что Баграта больше нет. Он позвонил своему управляющему и дал команду еще раз прошерстить больницы и морги и уже утром узнал, что Баграта накануне вечером убили в бандитской разборке.

Голова Левана Арчиловича сделалась совершенно белой, нос заострился, плечи ссутулились, и он стал похож на больную хищную птицу, которая покорно доживает свой век. Он потерял ко всему интерес, перестал с кем бы то ни было общаться, не мог есть, не мог спать, и, как ни странно, единственное, что поддерживало его, это была мысль о самоубийстве. Он привел в порядок свои дела, написал завещание, по которому его жена Алиса, мать Баграта, могла бы безбедно и без всяких хлопот дожить свой век. Что будет с ней, ему было все равно. Он был уверен, что она переживет и его уход, ну а если не переживет, значит, не переживет. Бродя ночью по дому, Леван Арчилович зашел в комнату Баграта, включил свет и увидел на столе пакет с личными вещами сына, который ему привез следователь. Горло перехватили рыдания. Трясущимися руками он вывалил содержимое. Звякнул большой нательный крест на длинной массивной золотой цепочке, тяжелый золотой браслет, часы, портмоне, брелок с ключами, несколько фишек из казино... Леван Арчилович сгреб все это обеими руками и упал на них лицом. Ему казалось, что от портмоне пахнет сыном, и краем глаза сквозь слезы видел, что в браслете застрял волосок с его руки, и это было настолько горько, настолько невыносимо, что рука потянулась к карману домашней куртки, в котором он всегда носил заряженный пистолет. Но почему-то именно в этот момент в голове промелькнула абсолютно житейская трезвая мысль о долгах сына. Нельзя было вот так уходить, оставляя его долги, если таковые имелись. Он взял крестик, браслет и часы и положил к себе в карман. Собрался уходить, но, подумав, взял портмоне, раскрыл и стал вынимать содержимое. Клубные карточки, кредитные карточки, визитные карточки, некоторая сумма денег, вроде бы все... Расстегнул молнию и заглянул в потайное отделение. В нем лежала маленькая фотография Людмилки с Гошей.

— Резо, сядь, — сказал свату Леван Арчилович после того, как закрыл за собой дверь. — Я должен тебе кое-что сказать.

— Говори, Леван. Твоя боль — моя боль.

— Я потерял сына, и, значит, все остальное больше не имеет смысла. Я много думал о том, как мне жить дальше, и получается, что никак. Все, что я делал, я делал ради него. Я надеялся, что когда-нибудь он займет мое место, а потом, когда состарится, его место займут наши с тобой внуки. Но Бог рассудил иначе. И теперь у меня нет сына, у Кети мужа и детей.

— Да, это так, Леван. Чем-то мы прогневали Бога...

— Мы с тобой немолоды. Сколько нам еще осталось? — Леван Арчилович помолчал. — А Кети еще молода. Пройдет время, и она, может быть, захочет выйти замуж. И дай Бог, чтобы ей встретился порядочный человек.

— Даже и не знаю, как тебе сказать, Леван. Кети собирается уйти в монастырь. Так она сказала матери. После года траура. Она считает для себя позором то, что не может иметь детей. И она очень любила Баграта. Вот такие у нас дела... Жили мы с тобой, жили, трудились как волы, и все зря. Все зря.

— А теперь я тебе кое-что скажу. Только выслушай меня спокойно. У Баграта в Москве есть сын. Разбитная деревенская сучка подцепила Баграта, забеременела и решила рожать. Я летал в Москву разбираться с ней, и уж не знаю, что на меня тогда нашло, предчувствие какое-то плохое было... Но, одним словом, сделал все, чтобы она оставила ребенка. Приискал ей фиктивного мужа, прописал к нему, и она осталась довольна. Большего ей и не надо было. Я ей каждый месяц давал деньги, содержал ее. Замужем она пробыла недолго. Мужа вскоре убили, и осталась она с сыном в его квартире. И теперь, когда она все получила, сын этот ей не очень-то нужен. И сердце мое разрывается на части...

— Вот оно что... Значит, у Баграта есть сын, а у тебя внук.

— Так, Резо, так...

— Скажи прямо: ты хочешь его забрать?

— Послушай, Резо! Ты всегда был мне как брат. Ближе, чем брат. И Кети твоя мне как дочь. И есть еще этот ребенок, мальчик, никому не нужный. И он — сын Баграта. Я тебе честно скажу: я хотел уйти из жизни, и я бы ушел, если бы не этот мальчик. И я подумал: если бы Кети согласилась его усыновить, мы смогли бы хоть как-то жить дальше. Я все равно его заберу, любыми правдами и неправдами. Но мне не нужна эта женщина, его мать. Он должен быть только нашим. И если Кети согласится, она подарит мне вторую жизнь. Я тебя прошу, попробуй, поговори с ней.

— Ей нелегко будет это услышать, Леван. Мне было нелегко. А каково это будет ей?

— Послушай, он был мальчиком, дурачком, кровь играла... Это случилось еще до их свадьбы. Кто из нас не прошел через такое?

— Алиса знает?

— Нет, Алиса не знает. Я ей еще не говорил. Хотел сначала поговорить с тобой. Что скажешь, Резо?

— Как ты собираешься его забрать у матери? Она может и не отдать. Или денег потребует.

— Ты меня знаешь. Денег мне не жалко. Но если дать ей один раз, она захочет второй. Потом третий. Я могу отдать ей все за мальчика, но где гарантия, что она когда-нибудь не придет за ним, чтобы отобрать навсегда? Нет, Резо. Я хочу его забрать так, чтобы концы в воду. Не знаю еще, как... Выкрасть... Ее убрать... А потом уехать куда-нибудь... Я еще до того, как... как Баграт... как его не стало, подумывал перевести дела в Англию. А что, Резо, может быть, так и сделаем? Вместе, а? Поговори с Кети! Пусть Мрия с ней поговорит, пусть убедит ее. Она мать, она найдет слова...

— Нелегко это будет, Леван. А если Кети откажется?

— Ну что же... Откажется — значит, откажется. Я ее пойму и в обиде не буду. Об одном прошу: обдумай все и прими решение для себя.

— Как зовут твоего внука?

— Георгий.

Рассмотрев ситуацию во всех ее аспектах, Реваз Нугзарович пришел к выводу, что Леван прав. «Допустим, что решение дочери уйти в монастырь было принято под влиянием трагического события, — рассуждал он. — Скорее всего, пройдет год, и она передумает. Если не передумает, можно уговорить, заставить подождать еще год. Время лечит. А дальше что? Кети с ее состоянием, конечно, может выйти еще раз замуж. Но за кого? Только за проходимца, которому будут нужны ее деньги. Нормальный мужчина с положением вряд ли захочет жениться на женщине, не способной рожать. Разве что вдовец с детьми... Чужие дети, чужая родня... Леван, конечно, отпишет ей что-то, но остальное пойдет Георгию. С другой стороны, мы не вечны, и когда-нибудь девочка останется одна, без опоры, беспомощная, совершенно неприспособленная к этой жизни... В стране полный бардак, и это надолго. Как она будет справляться с делами? Никак. Не справится она. Ее разорят и выкинут. А Леван не дурак. Если аккуратно свернуть здесь все дела, перевести деньги в Англию и осесть там, она сможет жить на ренту и никогда ни о чем не беспокоиться. Раз у него есть там связи, он сможет это сделать. А здесь еще неизвестно, как все может обернуться. Время неспокойное. Да и надоело жить в вечном страхе... А замуж... Она уже один раз побывала замужем, и хватит. Пусть будет так, как предлагает Леван». Реваз Нугзарович прокрутил в голове все еще раз и, заключив, что принял правильное решение, набрал номер телефона свата и предложил обсудить все еще раз.

К удивлению Реваза Нугзаровича, оказалось, что первоначальный схематичный план, предложенный Леваном, уже оброс деталями и принял четкие реальные очертания. Он имел три направления: московское, тбилисское и лондонское.

— Я лечу в Москву и любыми правдами и неправдами уговариваю Людмилу, чтобы она отпустила сына к нам на пару месяцев погостить.

— Людмила — это мать?

— Да. Скажу, что вывезу его на море, пусть купается, ест фрукты, набирается сил и здоровья.

— А если она увяжется с тобой?

— Не увяжется. Потеряет паспорт и не увяжется. Думаю, это будет не самым трудным. Мы поживем здесь недельку, дней десять, дадим возможность ей звонить сюда, разговаривать с Георгием, а затем я действительно отправлю всех на море. Может быть, на Кипр. Подальше отсюда. Я переговорю с нужными людьми, и мы будем ждать случая. Несчастного случая, Резо. Нужен мальчик подходящего возраста.

— Что ты говоришь такое, Леван?

— Господи, Резо! Город большой, и у него есть свои жертвы. Все равно за это время погибнет какой-нибудь ребенок. Попадет под машину, вывалится из окна, упадет на стройке, утонет, не знаю... Тогда мы договариваемся с родственниками, оплачиваем им похороны и вызываем Людмилу. Мне нужно, чтобы она увидела ребенка в гробу. Все. Дальше гроб с телом уносят в автобус. Мы ее немного задерживаем и сажаем в другой автобус с пустым гробом. Нет, не с пустым. С куклой. С муляжом. И едем на кладбище. С кладбищем я улажу все сам. А потом Кети усыновляет мальчика по другим документам, и мы отсюда уезжаем...

— Ты надеешься, что она не заметит подмены?

— При ней будет врач. Он сделает так, что она не заметит.

— Леван, ты отдаешь себе отчет в том, что ты задумал? Ты повредился в уме.

— Я не повредился в уме. Я уже почти что умер. Это единственное, что меня еще держит здесь. И я не позволю этой аферистке шантажировать меня ребенком. Она должна знать, что ребенок умер. И точка.

— Но ты хоть себе представляешь, что она переживет? Ты человек, Леван?

— Я представляю. Но ее-то сын не умрет. И если

201

бы был хотя бы один шанс из миллиарда, что мой сын сейчас живет где-то под другим именем, я бы согласился больше никогда его не видеть, пусть бы он только жил...

— Но она-то не будет знать, что он жив!

— Она это переживет. Нагуляет себе еще одного. И если ей ее материнское сердце не подскажет, что он жив, значит, она — плохая мать. Ничего не говори. Я знаю: это жестоко. Но разве вся наша жизнь не была построена на жестокости? И где бы мы были, будь мы другими? Чем бы мы были сейчас? Разве не был ты жесток? Покопайся в своей памяти... И вот что я тебе скажу: если бог за меня, у меня все получится. А если нет — тогда я не буду жить.

Долго убеждать Реваза не пришлось. Они обсудили, что конкретно будут говорить своим женам, а что не будут, и разъехались по домам.

— Девочка моя, мне надо сказать тебе одну вещь. Мне очень тяжело об этом говорить, но придется.

Кети подняла на мать огромные измученные глаза и спросила:

— Что-то случилось?

— Нет-нет, ничего страшного... Но то, что ты услышишь, будет тебе неприятно.

— Неприятное я как-нибудь переживу, мама.

— Леван сказал отцу, что у Баграта в Москве есть ребенок.

Кети побелела.

— Как — ребенок? Этого не может быть! Баграт... — Она хотела сказать, что муж ее, пока они были в Москве, никуда не отлучался, тут же вспомнила, что все-таки пару раз он куда-то ходил без нее, и беззвучно заплакала.

Мать обняла ее и принялась утешать:

— Послушай, Котенок, таковы мужчины. Что поделаешь? Такова их природа.

— Кто?

— Что — кто? — не поняла вопроса мать.

— Мальчик или девочка?

— Мальчик... Сын.

— Сколько ему?

— Осенью будет четыре...

Кети быстро что-то просчитала в голове.

— Четыре? Господи, мама! Так это же было ДО МЕНЯ! Это было до меня!

— Кети, ну конечно: это было до тебя! Прости меня, прости! Надо было с этого начинать! Его шантажировали этим ребенком, хотели, чтобы он женился на ней.

— Она красивая?

— Я не знаю, не видела. Знаю только, что она из какой-то глухой деревни. Приехала учиться и ловить мужа. Леван дал ей хорошего отступного, и это ее вполне устроило. Так что мальчик ей теперь только обуза.

— Господи, ну почему так?! Почему бог дает детей тем, кому они не нужны? А я... А мне... — Кети опять заплакала. — Я так хотела, чтобы у нас был ребенок... Если бы у меня остался ребенок, я посвятила бы ему всю оставшуюся жизнь! И вот теперь узнаю, что есть сын Баграта и что он не мой, а какой-то женщины, которой он совсем не нужен... Где же справедливость, мама? Скажи мне!

— Леван сказал, что она собирается сдать его в детский дом, — вкрадчиво продолжала мать.

— Как — сдать? Господи, какой ужас! Сына Баграта — в детский дом!

— Кети, успокойся! Дай же мне договорить! Леван хочет его забрать... Оформить опекунство...

— Мама! — Кети резко встала. — Немедленно едем к Левану Арчиловичу! Я... Я должна усыновить этого ребенка! Ты понимаешь, я должна усыновить этого ребенка!

Мать встала и обняла ее.

— Девочка, не решай сгоряча, не подумав...

— Как ты можешь говорить такое?! Это же сын Баграта! Это почти что мой сын! Я... Я боюсь даже думать, что может с ним произойти, пока мы тут будем взвешивать свои решения! Я тебя умоляю, едем!

Так все решилось неожиданно быстро и легко. Кети больше не могла думать ни о чем, кроме мальчика. Она накупала книги по воспитанию детей, ходила по магазинам, присматривала ему одежду, игрушки, детские книжки и постоянно теребила всех, призывая ускорить процесс. Отец и мать пребывали в некотором шоке от ее бурной деятельности, и Реваз Нугзарович еще раз отдал должное дальновидности своего друга, на секунду представив, как приедет Людмила забирать мальчика у Кети. Теперь и он был готов на все и даже в уме прикидывал самый черный вариант на тот случай, если события пойдут не по нужному пути.

1990—1991 ГОДЫ. БИЗНЕС

Первые впечатления от занятия бизнесом были невероятно захватывающими. Людмилке казалось, что она волею судьбы вознеслась на жалкой неустойчивой дощечке на гребень огромной волны, и теперь эта волна несет ее к неведомым волшебным берегам, где, как в арабских сказках, земля усыпана драгоценными каменьями, и чтобы окончательно стать счастливой, достаточно будет нагнуться и насобирать их как можно больше, так, чтобы с лихвой хватило на всю оставшуюся жизнь. А пока нужно сделать все, чтобы удержаться на этой дощечке.

Левчик оказался талантливым коммерсантом. Прежде всего он выманил у Людмилки все ее накопления, обменял их на доллары и присовокупил к полученной за рукописи сумме. Далее, удачно для себя, он устроил в свой вуз дочь соседа-гаишника, и в благодарность тот навел его на покупку двух палаток, торгующих в бойких местах запчастями для автомашин, и вскоре по его же совету продал их чуть ли не в два раза дороже какому-то заезжему лоху. Отстегнув соседу от сделки вознаграждение (что тактически было очень дальновидно и очень правильно), он купил у доживающей свой век бабульки дом-развалюху на Рублево-Успенском шоссе. Дом срочно разобрали и вывезли, и в наскоро сварганенном ангаре, устроенном под автосервис, закипела работа. Людмилка тоже впряглась в работу: она была и секретарем, и бухгалтером, а иногда и уборщицей. Тоненький ручеек денег постепенно набирал силу и приятно радовал.

В 1991 год они вошли с хорошими активами. Но на развитие требовались дополнительные вливания, поэтому было решено, во-первых, сократить до минимума расходы на жизнь, во-вторых, сдать обе квартиры — и Левину, и Людмилкину, а самим жить на даче, благо оттуда до сервиса было не более пятнадцати минут езды. Единственной загвоздкой был Гоша. В Москве его всегда можно было подбросить бабе Вале, а вот если сдавать квартиры, то надо было либо устраивать его в круглосуточный детский сад, либо брать с собой на дачу бабу Валю, либо Людмилке бросать работу. Последнее пробило бы значительную брешь в семейном бюджете, да и сама Людмилка предпочитала держать руку на пульсе. Остановились на том, что до осени баба Валя поживет с ними на даче, а там будет видно.

Конечно, бабе Вале было уже тяжеловато справляться с Гошей.

— Людмил, за ним же теперь глаз да глаз нужен. Вот вчера он открыл ящик с моими лекарствами. Я-то насторожилась, чего это он притих. Дай, думаю, посмотрю. А он вывалил все на пол и сидит, выковыривает таблетки в тарелку. Я с перепугу хотела «Скорую» сразу вызывать, да, слава богу, додумалась пересчитать. У меня там были только не начатые, а начатые-то я на кухне держу, высоко. Все сошлось. Да пока пересчитывала, давление подскочило. Это же теперь от него все надо прятать: и лекарства, и иголки, да мало ли что еще, вот так с ходу и не сообразишь.

— Да мы все понимаем, Валентина... Извините, как вас по отчеству? — спросил Левчик.

— Валентина Петровна.

— Мы все понимаем, Валентина Петровна, но судите сами: во-первых, ваша пенсия будет цела. Во-вторых, мы вам будем ежемесячно выплачивать, так сказать, зарплату. В-третьих, вы будете находиться на нашем полном продуктовом обеспечении, то есть на продукты вам тратиться не придется. А это тоже плюс.

— Да мне много-то и не надо. Я всегда была малоежка, а уже под старость-то...

— И все-таки... Лекарства для вас опять-таки будут числиться на нас. А когда надо — я вас всегда заброшу в Москву. Только договариваться будем заранее.

— Соглашайтесь, баба Валя, — присоединилась к уговорам Людмилка. — Гоша так вас любит. Он ведь только вас да нас знает, больше никого. Представляете, каково ему будет в круглосуточном, если вы не согласитесь!

— Да ведь, Людмил, и я его люблю... — Баба Валя тянула время и никак не хотела давать согласие, потому что считала, что денег они предложили маловато, а просить больше прямым текстом язык не поворачивался.

Левчик, прекрасно понимая, почему баба Валя медлит с ответом, прибеднялся:

— Валентина Петровна! Я разве не понимаю, как вам тяжело! Да за такой труд платить надо в три раза больше! Но мы сейчас никак не можем, мы же только-только начали. Ментам плати, крыше — плати, пожарникам — плати, санэпидемнадзору — плати. А место новое, не раскрученное. Обещаю, как только встанем на ноги, первой это почувствуете вы!

Баба Валя поняла, что, видимо, на большее рассчитывать не приходится. А так как других, более выгодных приработков, чего уж там говорить, не предвиделось, она поканючила еще немного и согласилась, оставшись в душе недовольной.

Переговоры закончились, Людмилка протянула к сыну руки и сказала:

— Пойдем, Гоша, домой!

— Не пойду! Я здесь хочу!

— Почему ты домой не хочешь?

— Я с бабушкой хочу жить!

— Скоро ты будешь жить с бабушкой на даче, а сегодня надо идти домой. Завтра я тебя опять отведу к бабе Вале.

— Иди одна домой! — Гоша упорно не брал в расчет Левчика, как будто его не существовало.

— Оставляйте его у меня, чего уж... Все равно завтра приводить. — Баба Валя махнула рукой.

Вечером Лева предложил:

— А что, может, пусть Гоша так и живет у Валентины Петровны? И ей здесь привычней, и за жильцами присмотрит.

Людмилка вздохнула:

— Тяжеловато нам будет жить на два дома. Закупай туда продукты, сюда продукты. Опять же мне готовить придется. А жильцы — чего за ними присматривать каждый день? Будем ездить раз в месяц с инспекцией.

Левчик подумал и согласился.

Обе квартиры сдали без проблем и за хорошие деньги и перебрались на дачу.

Благодаря тому, что Левчик своевременно изъял Людмилкины денежные накопления и обменял их на доллары, январская «павловская реформа» просвистела пулей-дурой у виска, и Людмилка довольно часто содрогалась при мысли о том, во что мог обратиться ее капиталец, хотя теперь тайно переживала, что он уплыл из рук.

Осень и зима прошли довольно тяжело для всех. Людмилка и Левчик целыми днями пропадали на работе, на бабу Валю обрушилось ведение хозяйства и присмотр за Гошей, а Гоша, оказавшись практически в полной изоляции, тосковал и потихоньку дичал. В бесплодных попытках привлечь к себе хоть капельку внимания он сделался капризным, шкодливым и плаксивым. Несколько раз Людмилка собиралась отвезти сына в Труново, к родителям, но никак не могла выкроить время, а вызывать к себе мать ей не хотелось. Честно говоря, она боялась, что та останется с ними жить, а потом за ней подтянется и отец.

1991 ГОД. ЛЕТО

Весной Левчик уволился с работы и теперь крутился как бешеный. Это было его время, его звездный час, и все, что происходило в стране, только шло ему на руку. Он задействовал все свои связи, лез во все мыслимые и немыслимые щели, то снаряжал челноков в Турцию, то химичил с компьютерами и машинами, и везде ему сопутствовала удача. После одной из удачных афер он решил прикупить соседний с автосервисом участок, несмотря на то, что цены на землю в этом районе значительно выросли. Но тут восстала Людмилка. Эйфория по поводу бизнеса несколько потухла, и то, как все происходило, ее очень и очень беспокоило.

— Лева, у меня такое чувство, что ты меня потихоньку оттираешь от дел.

— Глупости, — раздражился Левчик. — Как я могу оттирать тебя от того, в чем ты не разбираешься? Пожалуйста, давай, совершай сделки, договаривайся с партнерами, вышибай долги... Хочешь этим заниматься — занимайся. Только через месяц мы останемся с голыми задницами.

— Я и так с голой задницей. Я уже не помню, когда покупала себе что-нибудь.

— Можно подумать, что ты в обносках ходишь. Есть же у тебя приличные вещи.

— Лева, ты выдаешь мне на хозяйство мизерную сумму, да еще и требуешь отчета. Насколько мне помнится, рукописи, с которых начался наш общий капитал, принадлежали мне. И деньги, которые я тебе дала для обмена, значительно превышают ту сумму, которую присовокупил ты. Где они? Что-то по бухгалтерии не очевидны вливания в сервис.

— Люд, я тебя умоляю, не лезь в мужские дела. Вливание? Вот тебе вливание: мы покупаем соседний участок для расширения. А известно тебе, сколько стоит сейчас здесь земля?

— Лева, мне известно все. И вот что я тебе скажу: этот участок будет оформлен на мое имя. Только так и не иначе. Тот на тебя, а этот на меня. Это будет по-честному и правильно.

— Не выдумывай. Ты же все равно как жена имеешь право на половину.

— Ты имеешь в виду развод? — улыбнулась Людмилка. — Уже кто-то есть на примете побогаче?

— Господи! Ну что ты несешь!

— Лева, имей в виду, что у меня есть против тебя один очень хороший инструмент.

— Только мне еще шантажа не хватало! Что у тебя может быть такого на меня, дурочка? Что можешь сделать ты — МНЕ?

— Ах, вот оно даже как... А если я скажу тебе, что знаю фамилию, имя и место работы того эксперта-литературоведа, который читал рукописи? Его тут по телику показывали. А что, если я скажу тебе, что у меня есть ксерокопии Славкиных романов?

Левчик испугался:

— Откуда? Я же все...

— Все, Лева, да не все. Я их сделала на всякий случай. Как предвидела. И еще: я оставила себе три Славкиных рассказа, написанных его рукой. Так, для экспертизы, если что...

Левчик в изумлении молча смотрел на жену.

— Ты можешь себе представить, как неприятно будет удивлен наш эксперт, если вдруг поймет, что его надули? И какие могут быть последствия? Так что новый участок, Лева, будет оформлен на меня. И документы на него отдашь мне. И я не буду лезть в твои дела, но ты мне будешь давать каждый раз столько, сколько я скажу, и не требовать отчета. Иначе наш общий литературный знакомый получит интересное письмо и дальше ты будешь выкручиваться сам. Да, кстати... Почему бы тебе не заплатить бабе Вале, а то она очень недовольна. И не говори мне, что у тебя нет свободных денег. Они у тебя есть.

Тем не менее ни за июнь, ни за июль бабе Вале так и не заплатили. Левчик клялся и божился, что все деньги ушли на покупку участка, и что железно первого августа будут крупные поступления, и тогда он выдаст ей не только долги, но и заплатит вперед, за август.

Баба Валя была абсолютно уверена, что рано или поздно ей заплатят, но обида все равно копилась, и червячок недоверия точил душу. По вечерам, сидя за начатым вязанием, она постоянно растравляла себя внутренними монологами и планировала уехать домой, как только получит обещанное. «Пусть покрутятся без меня месячишко. Небось сразу зарплату прибавят. А то и готовь им, и стирай, и убирай, и за Гошкой доглядывай. Нашли себе домработницу за харчи! Их вон целыми днями где-то черти носят. Представляю, какие они деньжищи огребают. Только на мне экономят. Мне и пенсии хватит... Проживу как-нибудь..»

Вот так, что-то недовольно бормоча, она однажды довязала клубочек до конца и нагнулась подобрать то, на что он был намотан. Еще в ее детстве она обычно ждала, когда кончится клубок у мамы, потому что там мог быть какой-нибудь красивый лоскутик или что-нибудь интересное, иногда даже денежка. Жизнь как корова языком слизнула, а привычка осталась. Она подобрала довольно увесистый скомканный газетный лист, развернула его своими корявыми старческими пальцами и ахнула: в лист были завернуты две сережки, сцепленные друг с другом, кулон на цепочке и кольцо. Ни секунды не раздумывая, баба Валя сунула найденное за пазуху, воровато оглянулась, схватила еще один клубок и с неимоверной скоростью стала перематывать его на освободившийся кусок газеты. Клубок был большой и тяжелый, но это только подхлестывало. Домотав до конца, баба Валя с ликованием подхватила вывалившиеся оттуда драгоценности, сунула их туда же, к первой находке, и взялась за следующий. Когда работа уже подходила к концу, она услышала, как к воротам подъехала машина: Людмилка с Левчиком возвращались с работы. Она заметалась, выгребла из-за пазухи драгоценности и, не найдя подходящего места, сунула их под матрац и только после этого вышла к хозяевам.

После ужина баба Валя ушла к себе, сославшись на головную боль, но продолжить дело побоялась: в любую минуту в комнату мог кто-нибудь войти. Она дождалась, когда все лягут спать, включила бра и села за работу. К трем часам ночи руки стали чугунными, а перед глазами поплыли зеленые круги. С трудом домотав очередной клубок, она не обнаружила там ничего и решила отложить дело до завтра. Легла спать, но сон не шел.

Утром баба Валя встала совершенно не выспавшаяся, разбитая, во взвинченном состоянии. Как назло, Левчик с Людмилкой долго собирались, уехали, а минут через двадцать вернулись за какими-то документами, искали их с раздражением, о чем-то спорили, ссорились. Крепко попало подвернувшемуся некстати Гоше, он расплакался и еще долго всхлипывал после их отбытия. Надо было накормить его завтраком и чем-нибудь занять. Мышцы рук у бабы Вали болели после вчерашнего, а нетерпение так просто прожигало ее насквозь. После завтрака, кое-как усадив мальчика рисовать, она не без трепета взяла очередной клубок и принялась за дело. На этот раз в тряпочке была большая брошь, усыпанная разноцветными камнями.

Она мотала и мотала... Несколько раз заходил Гоша показать свои рисунки. Сначала она терпеливо рассматривала их и даже похваливала, потом стала раздражаться, а потом и вовсе шикнула на него, чтобы отстал. Гоша ушел обиженный. Когда баба Валя спохватилась, что пора готовить обед, времени был четвертый час. Она охнула, что ребенок некормленый, и принялась что-то готовить на скорую руку. Накрыла на стол, нарезала хлеб и позвала обедать. Никто не отозвался. Она поискала мальчика по дому и в кабинете обнаружила спящего в кресле Гошу. На столе была куча каких-то деловых бумаг, изрисованных вдоль и поперек фломастерами.

Гошины художества Левчик обнаружил сразу. Он схватил мальчика за шиворот и потащил его на место преступления, и пока Людмилка приводила себя в порядок в ванной, задал ему хорошую порку. Гоша кричал, вырывался и даже пытался укусить Левчика, но тот крепко держал его за ручонку и продолжал отвешивать шлепки. Выскочившая на крики Людмилка сначала накинулась орлицей на Левчика, но, увидев, какие документы испортил ее сын, принялась орать и на него. Досталось и бабе Вале:

— Валентина Петровна! Как же это вы так недоглядели?! Мы вам все-таки платим за то, чтобы вы следили за Георгием! Смотрите, что он наделал! — Разъяренный Левчик сунул под нос бабе Вале исчерканные документы. — У меня послезавтра сделка, а на их восстановление уйдет не меньше недели!

— Лев, уж не знаю, как вас по батюшке! Пока что вы мне еще ничего не заплатили, чтобы так орать! Вы обещали заплатить первого августа, а сегодня уже шестнадцатое. Как хотите, а я уезжаю от вас. Даю вам два дня. Ищите себе другую няньку. Или пусть Людмилка сидит дома, а я здесь не останусь.

За обещанные два дня баба Валя не без пользы для себя перемотала оставшиеся клубки, сложила все драгоценности покойной Тамары Георгиевны в мешочек, сунула его в сумку и вечером восемнадцатого августа отбыла домой своим ходом.

А девятнадцатого августа Людмилка, оставшаяся дома сидеть с сыном, включила телевизор и обнаружила, что по всем программам идет «Лебединое озеро».

Лева приехал домой в истерике. Людмилка, как

могла, успокаивала его, и наконец он, махнув третью стопку водки, вдруг утихомирился.

— Хорошо, что у меня хватило ума не сжигать публично свой партбилет и не распространяться на тему коммунистической партии перед широкой демократической публикой. Слушай, мне надо кое с кем повидаться, посоветоваться. Я сейчас уеду, и ты меня не жди. Может быть, ночевать не приду.

— Лева, ты же пьяный! Куда ты в таком состоянии поедешь?!

— Спокойно, я задворками, задворками. Мне тут недалеко. Я должен поговорить. Не жди. Закройся получше и никого не впускай.

Удержать мужа Людмилке не удалось, и он уехал. Ночью его не было, а наутро на дороге перед участком остановилась неизвестная машина и посигналила.

Испуганная Людмилка вышла к воротам, чтобы выяснить, в чем дело. Правая задняя дверца открылась, и из машины вылез Леван Арчилович. Людмилка охнула.

— Не ждала гостя, дочка? Открывай ворота, гостинцы привез. Где Георгий?

— Здравствуйте, Леван Арчилович! Гоша спит еще. Заходите!

Людмилка сбегала за ключами, открыла ворота, и хищная иномарка медленно въехала на участок. Шофер вытащил из багажника две большие сумки и понес их в дом. Вслед за ним в дом вошли Людмилка и Леван Арчилович.

После обоюдных приветствий Людмилка усадила гостя и стала суетиться, накрывать на стол.

— Не надо, Люда. Я не голоден. Я к тебе с важным разговором. Но прежде расскажи, как ты живешь, что у тебя...

— Что у меня? Я замужем... — Леван Арчилович нахмурился, а Людмилка продолжала: — Мой муж — мелкий коммерсант, хотя теперь, конечно, не знаю, что будет с его коммерцией... Замуж я вышла, Леван Арчилович, после того как узнала, что Баграт женился. Я однажды случайно увидела его с женой. Тогда я поняла, что ждать его бесполезно. А мне надо было как-то выживать... Муж помог мне закончить институт, а потом пошла эта катавасия... Вот, до вчерашнего дня у нас был кое-какой бизнес. А что будет дальше — не знаю.

— Да, ты вправе обижаться на Баграта. Не думал я, что все получится вот так... Прости его, если сможешь. И меня прости. И всегда помни, что Георгий — мой внук. И если я не помогал вам какое-то время, то на это были причины. У нас тоже творилось не дай бог что. А приехал я сюда из-за Георгия. Из-за тебя и Георгия. Послушай, здесь оставаться опасно. Что будет дальше — боюсь даже думать. Может разразиться гражданская война. У меня очень мало времени, поэтому я тебе сразу все скажу: я приехал за вами.

У растроганной Людмилки на глаза навернулись слезы.

— Леван Арчилович, огромное вам спасибо, но как я тут все брошу?

— Послушай, дочка, я же вас не навсегда забираю отсюда. Хотя если надо будет, то и навсегда. Здесь всякое может быть. А я — человек в Грузии не последний, прямо скажем. Там вы будете в безопасности. Пересидите месяц-два, на море поживете, у меня там дом пустует. А там война план покажет.

Людмилка грустно улыбнулась, услышав знакомую присказку, и начала было говорить:

— Но муж...

— А что — муж? — перебил ее Леван Арчилович. — Он у тебя что, не мужчина? Ему обязательно нужно прикрываться женщиной и ребенком, тем более чужим? Главное, чтобы вы с Георгием были в безопасности.

— Даже не знаю, что вам сказать.

Где-то в глубине дома скрипнула дверь, и через несколько секунд на пороге кухни появился заспанный Гоша.

— Какой джигит вырос! — воскликнул Леван Арчилович. — А смотри, что я тебе привез! — Леван Арчилович открыл одну сумку и принялся извлекать оттуда одну за другой игрушки: автомат, машинку, напичканную электроникой, какие-то коробки и пакеты. Глаза у Гоши загорелись, и он присел около сумки на корточки, а дед все доставал и доставал оттуда подарки.

— А в той сумке тоже подарки? — спросил мальчик.

— Нет. Там только фрукты. Пусть мама их достанет.

Людмилка уже почти опустошила вторую сумку, когда в дом вошел Левчик. Леван Арчилович встал и церемонно представился:

— Леван Арчилович. Я — троюродный брат Тамары Георгиевны, покойной свекрови Людмилы.

Не зная цели визита родственника, но оценив его социальный статус по иномарке, стоящей во дворе, Левчик решил попридержать полученные сведения и советы пока при себе и высказался вполне нейтрально:

— Очень приятно. Лев Владимирович. А у нас видите, что происходит...

— Собственно говоря, именно из-за последних событий я здесь. Я тут предлагал на пару месяцев вывезти Людмилу и Георгия к себе, в Тбилиси, а оттуда на море. Подальше от всего этого.

Левчик быстро в уме прокрутил все выгоды от их отъезда и вопросительно посмотрел на Людмилку, но, видимо, в его взгляде сквозила такая неприкрытая надежда, что не прочитать ее было невозможно, и Людмилка, достаточно хорошо зная мужа, решительно сказала:

— Нет, в такой ситуации я мужа не брошу.

Левчик закатил глаза.

— Ох, декабристки, декабристки, — вздохнул Леван Арчилович, — не пойму только, почему при этом должны страдать и подвергаться опасности дети. Давайте я хотя бы Георгия увезу. Пусть вволю накупается, наестся фруктов. Впереди еще бархатный сезон... А как только здесь все утрясется, если, конечно, утрясется, вы либо заберете его, либо я сам привезу его вам. Есть еще третий вариант: если будет совсем плохо, я всегда готов помочь вам устроиться в Тбилиси. Помогу с бизнесом и с жильем. Кроме того, без ребенка вам будет проще добраться. — Леван Арчилович посмотрел на часы. — Решайте. У меня мало времени.

— Людмила, я думаю, Леван Арчилович прав. Я только что получил сведения, что все будет очень плохо. К Москве стягиваются войска. Ожидают гражданскую войну.

— Но как же... Его же собрать надо... — Людмилка растерянно смотрела то на одного, то на другого.

— Какие сборы! О чем ты, дочка! Давай теплую курточку на всякий случай — и больше ничего не надо. Все купим, что надо. Разве вы нам не родные?

— Люда, ребенка надо отправлять отсюда. Давай, быстро, быстро, — скомандовал Лева.

— Он же даже не завтракал...

— Люда, да не волнуйся ты. Покормим мы твоего джигита.

Пока Людмилка металась в поисках теплых вещей, делала сыну в дорогу бутерброды, Леван Арчилович попросил листок и авторучку и аккуратным почерком написал свой домашний адрес на русском и грузинском языках. Внизу записал номер телефона и отдал записку Левчику.

Расцеловав сына на прощанье, Людмилка сама помогла ему залезть в машину к деду, сунула ему в руки какую-то игрушку из новых и захлопнула дверцу. Левчик уже открывал ворота.

— Я тебе позвоню, как только доберемся до места, — сказал Людмилке в открытое окно Леван Арчилович. — И не беспокойся. Мы летим по дипломатическому каналу.

Машина тронулась и медленно выехала с участка. Сквозь тонированные стекла не было видно, машет ли ей Гоша.

НОВАЯ РОДНЯ

К приезду Гоши Кети перебралась в дом к родителям. Самую лучшую комнату отдали под детскую, сделали в ней ремонт, обставили, и теперь Кети проводила там все свободное время. Она страшно волновалась, как пройдет их первая встреча, как воспримет ее мальчик. О себе она не думала. Ее сердце уже принадлежало ему безраздельно. Она опять зачастила в церковь, потому что считала, что Бог услышал ее и послал ей ребенка, пусть даже и таким странным образом. Кети даже не допускала мысли, что все может сорваться; она была уже там, в будущем.

Восемнадцатого августа отец и Леван Арчилович отбыли в Москву, и ей стало страшно. Время тянулось мучительно медленно, ожидание было нестерпимым, и когда Леван Арчилович позвонил, что они уже в аэропорту и скоро будут дома, она чуть не потеряла сознание.

— Это никуда не годится, — сказала дочери Мрия, меняя ей на лбу холодный компресс. — Возьми себя в руки, Кети. Ты теперь мать и не имеешь права так себя распускать. — Она поймала полный страха взгляд Алисы и тут же осеклась. Обе женщины прекрасно понимали, насколько пока еще хрупко положение Кети в роли матери и что нужно было обставить это как-то по-другому, потому что, если вдруг план по каким-либо причинам сорвется, бедной девочке второго страшного удара не вынести. И замечание, в сердцах сорвавшееся с языка, было преждевременным и неуместным.

— Кети, Мрия, я вот о чем подумала. Нам всем надо переодеться.

— Что ты имеешь в виду, Алиса? — спросила Мрия.

— Мы все в черном. Мальчик может испугаться.

— Ты права, Алиса.

— Мрия, у тебя найдется что-нибудь для нас?

— Найдется, — твердо ответила Мрия и скомандовала: — В гардеробную. Давайте, быстро, быстро. У нас мало времени.

Когда раздался звонок в дверь, женщины, отталкивая друг друга, бросились открывать. Из темноты в ярко освещенный холл вошел Леван Арчилович, держа на руках маленького кудрявого ангела. Он поставил сонного мальчика на пол и сказал:

— Ну вот, Георгий, мы и дома.

Кети, едва дыша, подошла к малышу, присела перед ним на корточки и, обнимая его, чуть слышно прошептала:

— Здравствуй, мой мальчик. Я тебя так ждала.

ДОМ У МОРЯ

Не успел Гоша привыкнуть к новому месту, как его опять куда-то стали собирать.

— А куда мы поедем? — пытал он Кети.

— А мы поедем на море, — терпеливо отвечала она.

— Я никогда не был на море. Там что?

— Ты в речке или в озере купался когда-нибудь?

— Да, в Москве-реке.

— Большая река?

— Большая. Другой берег далеко-далеко.

— Ну вот, а море больше речки в тысячу раз. Оно такое большое, что другого берега даже не видно. И вода в нем соленая-пресоленая и теплая-претеплая. Ты будешь купаться, научишься плавать и нырять. И будешь ходить на рыбалку. И еще там есть горы.

— А в горы я буду ходить?

— Конечно, будешь!

— А мы будем брать с собой еду?

— Обязательно. Когда идут в горы, всегда берут с собой еду.

— Вот здорово! А когда мы поедем?

— Уже скоро.

— А почему не сегодня?

Кети на секунду задумалась, но тут же нашлась:

— Потому что тебе нужно купить рюкзак и удочки.

— А что такое «рюкзак»?

— О! Это такая специальная сумка, в которую кладут еду, фляжку с водой, компас, в общем, всякое снаряжение и запасы.

— А что такое «компас»?

— Это такой специальный прибор, который помогает не заблудиться в горах.

— А ты меня научишь, чтобы не заблудиться?

— Конечно, научу.

Пришлось ходить по магазинам и покупать «снаряжение». Гоша был счастлив, каждый день приносил ему новые впечатления, и, плюс к этому, он жил в предвкушении походов, и поэтому разговор с матерью по телефону не произвел на него особого впечатления. И если он по кому и скучал немножко, так это по бабе Вале.

Однажды он ни с того ни с сего сказал Кети:

— А меня дядя Лева бил один раз.

Кети еще в первый вечер заметила синяки на его левой ручке.

— Он бил тебя по руке?

— Нет. Он меня схватил за руку вот так, — и он правой ручкой ухватил себя за предплечье левой, — и бил по попке.

— Здесь тебя никто никогда не будет бить. Я тебе обещаю.

— Даже если я нарисую фломастером на важной бумаге?

— А ты не будешь рисовать на важных бумагах. У тебя будет много всяких альбомов для рисования, и краски, и карандаши, и фломастеры.

Когда настал день отъезда, он уложил свой рюкзачок и отрапортовал:

— Я готов!

Вшестером они прожили на огромной вилле Левана Арчиловича с неделю, а затем мужчины уехали.

ПОДГОТОВКА

Постепенно круг людей, втянутых в дело, расширялся. Как ни крути, а без их общего семейного адвоката все равно бы не обошлось. Рано или поздно надо было оформлять усыновление, а для этого делать на мальчика новые документы с совершенно другими данными. Естественно, все понимали, что адвокат должен будет обращаться к кому-то еще.

Без домашнего врача тоже нельзя было обойтись. Мало ли что могло случиться с Людмилой. И, кроме того, ее нужно было пичкать седативными препаратами, и брать на себя их дозирование было бы непростительно глупо, ибо, опять-таки, мало ли чего могло случиться. Могли недодать лекарства, а могли и передать. И то, и другое ставило весь план под угрозу срыва.

В небольшое горное село, половину населения которого составляла дальняя и близкая родня Реваза Нугзаровича, отправился сам Реваз Нугзарович. Он переговорил с главой местной администрации, приходившимся ему троюродным братом, заручился его поддержкой и вернулся в город.

Леван Арчилович, в свою очередь, вкратце объяснил ситуацию начальнику службы безопасности, работавшему на него с незапамятных нелегальных времен, и дал ему поручение иметь связь со всеми моргами города и ближайших окрестностей. Тот, ничему не удивляясь, молча кивнул головой и только спросил:

— Сколько человек я могу задействовать?

— Сколько нужно, столько и задействуй, — ответил Леван Арчилович. — Но, естественно, чем меньше, тем лучше. Конечно, если бы ты справился один...

— Ладно, посмотрим. Может быть, и справлюсь.

— И еще одно. Самое главное. Я вот что подумал. Не надо договариваться с семьей. Узнаешь, куда они обратились по вопросу похорон. Это первое. Там же закажи точно такой же гроб и венки. Это второе. Обеспечь машину. Это третье. Договоришься с бюро, чтобы нас впустили на час раньше. Или на полчаса. Да. Полчаса будет достаточно. Теперь насчет даты. Надо во что бы то ни стало затянуть их на один день.

Запустив механизм в действие, Леван Арчилович вплотную занялся лондонскими делами, которые также требовали немалых усилий. Он понимал, что, если все получится как надо, лучше будет уехать, и желательно навсегда. А если что-то пойдет не так, то тем более придется уехать, потому что второй вариант был тоже продуман: он вызовет Людмилку забирать сына, ее завезут в горы, убьют и труп сбросят в ущелье. Маршрут был уже выбран. Люди тоже.

Дом был наполнен счастьем и звенящим детским голоском. Пребывавшая в счастливом неведении Кети наслаждалась материнством, и единственное, что ее расстраивало, было то, что Гоша никак ее не называл. Он говорил ей «ты», но никогда не обращался к ней по имени. Конечно, ей хотелось, чтобы он называл ее мамой, и она часто обсуждала это с матерью и свекровью, но обе женщины были достаточно мудры и уговаривали не торопить события.

— Время, Кети, нужно время. И побольше новых впечатлений. Все образуется, вот увидишь, — убеждали они ее, а сами с ужасом и вместе с тем с нетерпением ждали того, что между собой они называли нейтральным словом «случай».

«СЛУЧАЙ»

Ночным телефонным звонком Леван Арчилович срочно вызывал в Тбилиси жену и Мрию. Оставив Кети с Гошей на попечение домоправительницы, они ранним утром уже были в дороге. То, что им предстояло, нельзя было назвать просто неприятным. Для обеих это было страшным испытанием, через которое надо было пройти и не сломаться на каком-либо этапе. В конце концов, обе они были женщинами, матерями. Но это обстоятельство было двойственным. Одно дело — сжалиться над посторонней женщиной, и другое — свои кровные интересы. Все они совершили ошибку, не подготовив Кети должным образом к неожиданностям разного рода, и теперь готовы были на все, только чтобы не пришлось отнимать у нее мальчика. Кроме того, обе они понимали, какую немалую сумму уже выложили их мужья и какую еще придется выкладывать. И обе они были единодушны в том, что вопрос этот надо было решать радикально, так сказать, не резать хвост по частям.

Без женщин дом казался пустым, и к вечеру Кети стало жутковато. Они с Гошей немножко порисовали, она почитала ему на ночь сказку и ушла, поцеловав его в макушку. За окном шумел ветер и, по всей видимости, собиралась гроза. Кети легла в постель, но решила не спать. На душе почему-то было тревожно и тяжело. И еще она боялась, что, если гроза все-таки разразится, Гоша может проснуться и испугаться. Немного почитав, она выключила свет и стала перебирать в памяти все счастливые моменты, которые перепали ей за последнее время. Вот Гоша учится плавать; вот они из конструктора собирают целый замок, а потом ломают его и снова собирают, но теперь уже какое-то фантастическое и ужасно смешное животное; вот они идут в поход. Важный Гоша в шортиках, рубашечке камуфляжной раскраски и в синем берете на непокорных кудрях, с рюкзачком за спиной и с автоматом наперевес важно и деловито идет в поход в горы — к ближайшему холму. Все глубже и глубже погружаясь в счастливые воспоминания, Кети незаметно для себя все-таки уснула. Разбудил ее страшный раскат грома. Она села на постели с сильно бьющимся сердцем, пытаясь сообразить, стоит ли ей идти в комнату к мальчику, и тут же услышала шлепанье босых ножек по полу. Он бежал к ней и кричал:

— Мама, мама! Там гроза, гром, а на улице котенок плачет!

Она, не помня себя от счастья, подхватила ребенка на руки и прижала его к себе:

— Не бойся, сыночек, мы сейчас с тобой спасем этого котенка. Мы не дадим ему погибнуть! Мы с тобой сейчас оденемся и пойдем его искать!

Держась за руки, они вышли в темноту ненастной ночи, под ливень, и пошли на жалобное мяуканье. В клумбе с розами сидел крошечный черный с белой грудкой котенок.

Исцарапанные, промокшие, счастливые, они с котенком вернулись в дом. «Это знак, — подумала Кети. — Теперь все будет хорошо».

ИЗВЕСТИЕ

То, что Гоша испортил документы и провалил сделку, оказалось на руку Леве, потому что у него осталась незадействованной приличная свободная сумма, естественно, в долларах, и на третий день августовского путча они с соседом-гаишником почти задаром купили в Одинцове автосервис, хозяин которого поспешил убраться восвояси из страны.

Путч позорно увял, никакой гражданской войны не случилось, и, хотя обстановка была довольно-таки нервозной, чувствовалось, что грядут большие перемены.

Когда Левчик рассказал Людмилке о новом автосервисе, за какую цену его купил и каковы теперь их перспективы, она только ахнула. Впереди маячила тысяча неотложных дел, и отсутствие в доме бабы Вали и Гоши было до невозможности кстати. С утра они мчались на старую точку, оттуда на новую, проследить за ремонтом, потом на строительный рынок, потому что доверять прорабу закупки — последнее дело. Наскоро обедали в каком-нибудь дешевеньком ресторанчике, и Левчик завозил Людмилку на старую точку, а сам ехал на новую. Возвращались домой, как правило, затемно, и когда Людмилка вспоминала, что надо бы позвонить в Тбилиси, оказывалось, что слишком поздно. Один раз ей все-таки удалось дозвониться, и она даже поговорила с сыном. Он щебетал, как пташка, рассказывал взахлеб о чем-то, но было плохо слышно, и она поддакивала ему и кричала, чтобы он слушался старших и не баловался. Второй раз она дозвонилась через неделю, и Леван Арчилович сказал ей, что Гоша на море, здоров, весел, научился плавать. Что беспокоиться не надо, и скоро он передаст Людмилке с оказией фотографии.

И правда, в сентябре к ним приехал человек и передал пачку фотографий, на которых ослепительно счастливый мальчик был снят купающимся, играющим с мячом, с автоматом, с машинкой, с живой обезьянкой. Ее немножко кольнула ревность, но здравый смысл взял свое: мальчику здорово повезло, ему там лучше, чем здесь, и к зиме он хорошенько наберется здоровья. Предстоящей зимы Людмилка уже не боялась: дела шли хорошо, и ей уже присоветовали няню. Впрочем, она бы особенно не возражала, если бы Гоша провел зиму там, в Тбилиси. Няня стоила дорого.

Связь работала из рук вон плохо, вернее, вообще не работала, и Людмилка начала уже беспокоиться, но в начале октября еще раз приехал тот же самый человек и привез еще фотографий. С ним она передала письмо Левану Арчиловичу, в котором благодарила его за заботу о сыне и спрашивала, когда можно будет забрать Гошу. Через пару дней ей позвонил сам Леван Арчилович и сказал, что погода отличная, что еще можно недельки две-три побыть на море, но если она настаивает, то может приехать и забрать его. Однако если она оставит его до середины ноября, то где-то числа 14 — 15-го он сам собирается в Москву и тогда захватит Георгия с собой, избавив ее от лишних хлопот. Людмилка, не раздумывая, согласилась.

С работы Людмилка и Левчик возвращались как всегда поздно. Было уже темно, шел мелкий дождь, к которому примешивались редкие снежинки. Они посигналили у шлагбаума на въезде в поселок. Занавеска на окне сторожки колыхнулась, и через секунду к ним вылетел сторож. В руках у него была какая-то бумажка.

— Я не знал вашего рабочего телефона! — прокричал он, суя ее в приоткрытое окно.

— Что случилось? — спросил Левчик.

— Вам телеграмма...

Левчик развернул бланк и онемел.

— Что там? Лева, что там? Что-то с мамой? — забеспокоилась Людмилка.

— Люда, Гоша погиб... Надо лететь в Тбилиси.

В аэропорту их ждали три машины. В одну посадили Людмилку. Слева и справа от псс сидели какие-то женщины в черном. Впереди, рядом с водителем, — Леван Арчилович. Левчика посадили в другую машину. В третьей ехала охрана. Очень скоро машина с Левчиком приотстала, потом стал глохнуть мотор, и водитель, притормозив у обочины, открыл капот и стал что-то ремонтировать. В душе Левчик немного струхнул, но виду не подал. Минут через двадцать все наладилось, и они опять поехали. Когда они прибыли на место, Людмилка уже лежала в гостевой комнате. Ей сделали укол, и теперь она спала. Мужчина в белом халате и со стетоскопом на груди сидел в кресле, рядом с ее кроватью. На журнальном столике тускло горел ночник, лежали шприцы, ампулы, тонометр, какие-то таблетки...

Левчика накормили, изрядно накачали его преотличным армянским коньяком, и Леван Арчилович, удалив жестом женщин, начал говорить:

— Я даже не могу выразить словами, какая это для нас трагедия и как нам всем тяжело... И при этом надо решать много вопросов. Боюсь, Людмила будет не в состоянии это сделать. Так что, по всей видимости, ответственность за принятие решений ложится на вас, Лев Владимирович.

— Я понимаю...

— Во-первых, где хоронить. Мы можем похоронить его здесь. Все-таки он нам родственник, и я думаю, что это будет... это будет... — Леван Арчилович замялся, понимая, что сказать «сделать легко» нельзя. — Я, одним словом, смогу уладить все формальности, взять, так сказать, все хлопоты и расходы, связанные с ними, на себя. Но если вы решите увезти тело мальчика в Москву, здесь будет уже труднее. В этом случае я мало чем смогу посодействовать. — Дальше он не стал продолжать, давая тем самым понять, что тогда хлопоты и расходы будут Левины.

Лева, довольно рано лишившийся родителей и посему прекрасно знавший, что такое похоронные хлопоты, пришел в ужас. Он представил себе, какая начнется волокита, как из него будут вытягивать деньги за каждую справку, каждый документ, и ему стало так муторно, что он поспешил согласиться на предложение Левана Арчиловича:

— Я думаю, что, если бы Люда была в состоянии понимать предстоящее, она бы согласилась на ваш вариант. Так что я принимаю решение: хоронить здесь. Она вполне сможет ездить сюда пару раз в год.

— Безусловно! Двери нашего дома всегда будут открыты для нее. Кроме того, я обещаю, что за могилой будут ухаживать.

— Как он погиб? — спросил Левчик.

— Ну, вы, наверное, хорошо знаете, какой он был непоседа, какой непослушный... Трудно говорить об этом... Единственный раз мы отпустили его с нянькой за мороженым. Уж так он просил, такую истерику закатил, что мы разрешили... себе на голову... Она говорит, что все время держала его за руку, но перед переходом он вырвался и побежал... И... и... прямо под грузовик...

— Какой кошмар! Бедная Люда!

— Да! Даже не знаю, как ей показывать то, что от него осталось... Личико пытались хоть немного восстановить, но все равно... это ужасно. Я видел его... Это шок даже для мужчины. Я понимаю, что не показывать нельзя, но как она это перенесет? Вы должны быть все время рядом с ней. Наш врач, конечно, будет делать все возможное, но... Сами понимаете...

— Да, конечно... Я буду с ней.

— Тогда я даю команду, что похороны послезавтра. Значит, надо ее продержать каким-то образом завтрашний день. В морг ее возить не стоит. Но если она будет настаивать...

— Здесь мы ничего не сможем сделать. Если будет настаивать, значит, придется ехать.

Одурманенную Людмилку все-таки пришлось везти в морг. С ней поехали Реваз Нугзарович, Мрия и Алиса. Увидев изуродованное личико в ореоле темных кудряшек, она упала в обморок. Ее кое-как привели в чувство и отвезли домой.

В день похорон врач опять сделал ей какие-то уколы, ей помогли переодеться в черное, и небольшая процессия отправилась в зал прощания. Несколько минут они постояли у входа, и затем их впустили. Шатающейся походкой Людмилка подошла к гробику и упала с рыданиями на тельце ребенка, укрытое белой кисеей до подбородка. Лева хотел подойти к ней, но Леван Арчилович остановил его:

— Пусть выплачется.

Постоянно находящийся возле Людмилки врач дал ей таблетки и бутылочку с водой запить.

— Не стоит ее долго мучить, — шепнул Леван Арчилович Леве. — Давайте ее уводить.

Лева согласно кивнул, подошел к жене и взял ее под руку. С другой стороны ее взял под руку Леван Арчилович, и вдвоем они буквально потащили Людмилку к двери. Присутствующие при этом люди пришли в движение.

— К машине сюда, — негромко скомандовал пожилой мужчина, одетый во все черное.

Процессия прошла по каким-то переходам и вышла на улицу к автобусу. Гробик, прикрытый крышкой, был уже там. Когда машина тронулась, во двор въехала следующая. Из нее стали выходить люди, родные погибшего в автокатастрофе мальчика, которого выдали за Людмилкиного сына...

Когда приехали на сельское кладбище, Левчик увидел, что маленькая могила уже вырыта. Леван Арчилович шепнул Леве:

— Наверное, не стоит открывать гроб для прощания. Боюсь, она этого не перенесет.

— Не открывайте. Скажите, чтобы заколачивали.

Потом были поминки в чьем-то доме. Опять долгая дорога в город, дома — врач с уколами, тяжелая ночь. На девять дней они ездили на могилку и после кладбища опять собрались в том же доме, что и в первый раз. Врач не отходил от Людмилки ни на шаг и даже за столом сидел рядом с ней.

После девятин Левчик заторопился домой. Похоронили не его сына, да и кто-то должен был подумать о делах насущных. На прощание доктор дал ему упаковку сильного транквилизатора и настоятельно порекомендовал, чтобы Людмилка пропила весь курс.

— Иначе, сами понимаете, депрессия, психоз... Может развиться все что угодно. Такое перенести очень трудно. Для нее так будет лучше.

Два месяца Лева пичкал Людмилку таблетками, а когда они кончились, он поспешил раздобыть их еще на один «курс».

В памяти у Людмилки появились пробелы. Например, она точно знала, что приезжала мать, но, как ни напрягалась, не могла вспомнить, был ли с ней отец. А спрашивать у Левы почему-то не хотелось. С матерью было тяжело. Она постоянно задавала вопросы, на которые Людмилка не знала, что ответить. Она понимала, что мать молча ее осуждает, что осуждение ее правомочно, и не понимала только одного: действительно, как она могла допустить, чтобы сына похоронили на чужбине? Она не помнила, как, в какой момент дала свое согласие на это. Но дело было сделано, и вряд ли можно было что-то исправить. Вернее, можно было, но кто стал бы этим заниматься? Она была не в состоянии, а Левчик и так разрывался на работе.

Через пару дней после того, как мать уехала, Людмилка почему-то вспомнила их последний разговор. Она еще тогда из вежливости спросила:

— Как Антонина?

И мать ответила:

— Антонина совсем плохая... Заговаривается. Когда мы ей про несчастье-то сказали, она, конечно, распереживалась. Плакала сильно. А потом сказала, что зато у тебя дочка есть. Пусть, говорит, найдет ее. Мы с отцом только переглянулись.

И теперь, перебирая этот разговор, Людмилка удивилась своему тогдашнему ответу:

— Я же тебе говорила, мама, что у нее не все дома. Она и про тебя плела, что ты дочку, мол, подбросила к магазину... Может, ее имела в виду.

Поражало то, что даже в своем несчастье, одурманенная таблетками, она инстинктивно умудрялась хитрить и так ловко изворачиваться. «Я вообще хитрая...» — подумала она. Выплыло видение — коляска у магазина — и вдруг ей все сразу стало понятно: у нее отобрали сына, потому что она отказалась от дочери.

— Не-е-е-ет!!! — заорала она. — Я не хочу, чтобы так!!! Я не хочу, не хочу ничего помнить!!! Я хочу все забыть!!!

Видимо, подспудно в расчете на то, что, привыкнув к транквилизаторам, без них жена сойдет с ума, Левчик выкрал у нее таблетки. С неделю Людмилка была не в себе, не спала ночами, цеплялась к мужу по каждому пустяку, устраивала скандалы и истерики, а потом потихоньку стала успокаиваться. Когда Левчик спохватился, было уже поздно. Он видел, как она возвращается к жизни, и нещадно ругал себя за ошибку: «Сглупил! Вообще не надо было пичкать ее этими таблетками. Пустил бы все на самотек, пару раз вызвал бы психиатрическую неотложку, ее бы упекли в психушку, а там, глядишь, и признали бы невменяемой... И я — хозяин всего. И распоряжался бы по своему усмотрению». Было, конечно, несколько положительных моментов. Жена стала тихой, безропотной, она больше не работала, сидела дома и практически не вводила его в расход. А Левчик все крутился и крутился, как белка в колесе, деньги липли к деньгам, расширялись дела, и, заканчивая одно дело, он уже примерялся к следующему, и лестница эта была маняще бесконечной.

ЧАСТЬ II

ФЕЯ

Она плакала и плакала, и никак не могла остановиться, и голова от этого болела еще сильнее.

— Злой крик, — констатировала медсестра, набирая жидкость из ампулы в шприц. — Просто так ее не успокоишь. Если не уколоть, будет орать еще час, а то и два. И так уже всех перебудила. Возьми-ка ее на руки.

Нянечка взяла Ингу на руки, и та, уже зная, что сейчас будет больно, заорала еще громче. По щечкам градом покатились слезы. Медсестра стянула трусики, быстро смазала диатезную попку ваткой со спиртом и сделала укол.

— Сейчас вырубится. Иди, Светик, поспи. И я тоже пойду баиньки. Здоровье надо беречь, оно у нас не казенное.

Светик походила с девочкой на руках, а потом осторожно положила ее, все еще всхлипывающую, в кроватку, укрыла одеяльцем и вышла, потушив за собой свет.

Зверь в голове какое-то время тяжело ворочался, но чувствовалось, что и его клонит ко сну. Боль становилась прозрачной, невесомой, а потом исчезла, и пришел сон.

Когда, повзрослев, Инга выстраивала свои воспоминания в единую линию, ей казалось, что ее раннее детство состояло исключительно из таких зареванно-укольных ночей. Однако же это было не совсем так. Иной раз выдавались и спокойные периоды, но бывало, что Зверь не давал ей покоя каждую ночь. К трем годам она уже хорошо понимала, что Он не любит плача и только делается от него еще злее. Чтобы Зверь не просыпался, нужно было вести себя тихо-тихо, ходить по струночке, откинув назад голову, и ни в коем случае не допускать, чтобы взрослые сердились и повышали на нее голос. Постоянный детский галдеж был не в счет. Он шел фоном, и Зверь его не замечал. А чтобы взрослые не сердились, нужно было быть очень умненькой и очень хитренькой, уметь улавливать их настроение по множеству примет — по походке, по взгляду, по голосу, по жесту, по выражению лица, по тому, какая на них одежда и как она надета, — и очень быстро соображать, что делать и что говорить. Это не всегда удавалось, и тогда Зверь начинал расти, медленно, тяжело и больно пуская щупальца в разные стороны внутри головы, тянулся ими к ушам, глазам, носу и рту, и ей казалось, что еще немного, и они, эти щупальца, начнут вылезать наружу, и тогда их все увидят, и узнают, что у нее в голове сидит чудище, и засмеют ее, и отвернутся от нее, и с позором сдадут в больницу.

К пяти годам она стала замкнутой, и оттого, что часто приходилось ходить со слегка откинутой головой, приобрела гордую осанку и некоторую высокомерность, которую так не любили дети. Персонал же относился к ней по-разному. Некоторые считали ее лживой, неискренней, себе на уме, потому что она разговаривала как-то по-взрослому, старалась всем угодить, и если бедокурила, то исподтишка. Другие не обращали на это внимания просто потому, что в силу своего равнодушия вообще ни на что не обращали внимания. Третьи восхищались ее детской красотой, немножко баловали и считали, что она в детдоме надолго не задержится, ее непременно кто-нибудь удочерит. Но время шло, а приемных родителей для Инги так и не находилось.

По утрам, умывшись и почистив зубы, она расчесывала свои роскошные волосы и ловко делала себе хвостик, туго стянув их на макушке. Ей казалось, что таким образом она в некоторой мере обезвреживает эти ужасные щупальца, не давая им в случае чего заползать слишком далеко. И вроде бы Зверю это нравилось, и если вдруг какой-нибудь мальчишка или девчонка дергали за этот хвостик, Зверь, шевельнувшись, нашептывал: «А ты порви его книжку...» или «Испугай ее из-за угла...». Он хорошо знал, кому какую давать сдачу.

В жизни бывало всякое, и хорошее, и плохое. Когда не имеешь никакого представления о том, как живут другие дети, «домашние», при папе и маме, когда не с чем сравнивать, набираешь себе хорошее из того, что имеешь, например, вареные вкрутую яйца, плавленые сырки, новогоднюю елку, пахнущую хвоей и мандаринами, разноцветные лоскутки, из которых можно шить, лето. Плохого было больше, и оно случалось чаще. Плохо было, когда наказывали и надолго ставили на табурет, когда несправедливо в чем-нибудь обвиняли, когда сердились взрослые, когда шел дождь и не выпускали гулять, когда тушили на ночь свет и было страшно и одиноко, когда болела голова и приходил Зверь.

Каждый год прибавлял и того, и другого. Куда-то делась красивая добрая няня Таня, которую можно было тайно считать своей мамой. Но и куда-то делась Мария Михайловна, с полоборота впадавшая в гнев и получившая прозвище Табуретка за то, что в наказание за любую мелкую шалость ставила детей на табурет. Вместо них появилась Наталья Ивановна, старая, похожая на печеное яблоко, насаженное на сухие ветки-раскоряки. Она вечно обо что-то спотыкалась, что-то роняла и что-то ломала. Но что хорошо умела делать Наталья Ивановна, так это орать:

— Рассудин, черт бы тебя побрал! Ты можешь две минуты постоять спокойно?! Что ты крутишься, как глиста на сковородке?! Егоров! Замолчи сейчас же! У меня голова от тебя болит с самого утра! Так! Построились парами! Если кто-то пикнет, вся группа останется без прогулки!!!

Группа на минуту умолкала, но потом Егоров исподтишка начинал толкать впереди идущих, щипать свою пару, Лариску Кананыхину, она начинала хныкать, ему принимались давать сдачу те, кого он толкнул, а Наталья Ивановна вытаскивала отбивающегося Егорова из строя за ухо:

— Как же ты мне надоел, ну как же ты мне надоел! Куда бы ты делся, выродок проклятый! Не зря от тебя отказались родители! Кто же вытерпит такого урода в доме!

От Егорова и правда отказались приемные родители. Он прожил в семье ровно три месяца, а потом они не выдержали его выходок и вернули обратно. Свой позор он переживал тяжело и от этого куролесил еще больше, не давая житья ни детям, ни воспитателям. Однако, несмотря на жестокие слова, на Наталью Ивановну он не обиделся.

— Мы на нее вообще не обижаемся, — рассказывали дети двум девушкам-вожатым из пионерского лагеря, которые периодически приезжали в интернат с тортиками и конфетами. — Чего обижаться? Ведь мы иной раз так ее доводим, так доводим, — и они смущенно переглядывались и смеялись над чем-то, известным только им. — Мы ее жалеем. Наталья Ивановна орет на нас, но она не злая. Она добрая.

— А почему вы ее жалеете? — удивлялись девушки.

— У нее дочь — алкоголичка. Все пропивает. Сама Наталья Ивановна старая уже, а работать приходится.

— Откуда вы все знаете?

Дети смеялись и переглядывались.

— Мы все знаем. И дочь ее сюда приходила, видели ее. Точно алкоголичка, — авторитетно заявил Виталик Егоров.

— Ага, уж Виталька знает. У него у самого мать алкоголичка, — ехидно ввернула Ленка и тут же получила от него крепкий щелбан по лбу.

Виталика Егорова дети не любили и побаивались. Когда он входил в раж, мог даже покалечить. Его только за последнюю зиму два раза увозили в психушку, и все мечтали о том, чтобы его так там и оставили навсегда. К его бесконечному списку прегрешений дети приписывали еще одно, самое страшное: Егоров, с их точки зрения, впустую использовал общий шанс быть усыновленным. Если бы не он, усыновили бы кого-нибудь другого (при этом каждый думал, что именно его), и уж он-то, этот другой, не вел бы себя в новой семье как самый распоследний козел.

Когда Виталику было полтора года, его мать лишили родительских прав за жестокое обращение с ребенком, пьянство и тунеядство. Она довольно быстро устроилась на какую-то работу и зачем-то отсудила его обратно, но вскорости соседи опять не вынесли детских криков по ночам и вызвали милицию. Ее опять лишили родительских прав, и она пропала из виду. Во всяком случае, навещать сына она ни разу не пришла. Когда встал вопрос об усыновлении, выяснилось, что мать его спилась окончательно и умерла.

Несмотря на дразнилки и издевки, Виталик стойко дружил с Гулей Махмудовой. Гуля Махмудова была одной из немногих чудом оставшихся в живых в перевернутом автобусе. Оба родителя погибли, и ее, трехмесячную, с трудом удалось вытащить из сведенных судорогой рук матери. Никаких родственников найти не удалось.

А еще с Гулей дружила Инга Романцева, подкидыш. Свою фамилию она получила от кого-то из больничного персонала, а может быть, работников какого-нибудь попечительского совета или ЗАГСа. Прелестная девочка с абсолютно белыми волосиками, удивительными синими глазками, мелкими правильными чертами лица походила на маленькую фею, на прекрасное существо из сказки. Она с каждым годом только хорошела и хорошела, и воспитатели недоумевали, почему обращали на нее внимание все, но никто так и не удочерил.

Инга с Гулей ходили парой, вместе сидели за партой, делали вместе уроки, играли, смотрели телевизор, часто где-нибудь в укромном уголке о чем-то шептались. В них была влюблена добрая половина мальчишек, и за это их ненавидели все девчонки. В качестве знаков внимания им доставались колотушки, подножки, тычки и щипки от первых, а в качестве выражения недовольства — то же самое от вторых, но Инга и Гуля держали оборону и умело давали сдачи. Часто бывало так, что обидчики назавтра находили свои туфли приклеенными к полу, полотенца выпачканными в ваксе, а однажды Лена Волкова, красивая девочка, но уже с большой гнильцой, обнаружила, что петли ее нового пальто закрыты на огромный ржавый амбарный замок. Гулю за проделки ругали, но Инга каждый раз брала вину на себя. Воспитатели ей не верили и наказывали обеих. Они, наказанные, сидели в спальне, в то время как все остальные дети смотрели телевизор или играли, и опять о чем-то шептались. Только Гуля знала о страшной тайне Инги: в голове у нее живет чудовище со щупальцами, которое ею командует, и если она не слушается, оно наказывает, и тогда у Инги начинает страшно болеть голова. Инга рассказывала, что чудовище это живет в ней с самого рождения, и она даже к нему уже привыкла и приспособилась, а вот командовать оно стало недавно.

Началось это так: однажды девочки разыгрались в добрую волшебницу и злую колдунью, причем, как всегда, злой была Инга, а доброй — Гуля. В ход пошли куклы, мягкие игрушки, кукольная мебель, какие-то тряпочки... И так у них складно все получалось, так здорово, что им позавидовала Юлька Петрова. Ей срочно понадобилась куклеха, исполняющая роль доброй волшебницы. Она подошла, демонстративно хапнула игрушку и заявила:

— Хватит. Вы уже тут два часа играетесь. Другие тоже хочут.

Гуля вцепилась в куклу:

— Тебе что, игрушек мало? Возьми какую-нибудь другую! Вона сколько стоит!

На помощь Юльке подошли Лариска и Ленка.

— Вот ты и возьми другую, если такая умная.

— Но я же уже играю с этой!

— Теперь будешь играть с другой, — сказала Юлька и вырвала куклу из рук.

Ссора разгорелась не на шутку, на бедную Гулю обрушился такой шквал обвинений, что она даже растерялась. За нее вступилась Инга и быстро поставила обидчиц на место:

— Вы просто завидуете, потому что сами играть не умеете, а мы вас в свою игру не берем. Вот вам и понадобилась Гулькина кукла. А мы возьмем другую и будем дальше играть. А вы будете смотреть и пускать свои вонючие слюни и зеленые сопли.

— А ты молчи, подкидыш несчастный. Тебя вообще на помойку родители выбросили за ненадобностью, плесень, белая поганка! — И Ленка оттолкнула Ингу в сторону.

— Ты сама-то кто?! — вступилась за подругу Гуля. — Алкоголичка будущая!

— Это я-то алкоголичка?! Да ты... а ты вообще... узбека грязная... татарва несчастная! Ворона длинноносая! Только и смотришь, где что стибрить! — Обидеть Ленка умела.

Гулька аж задохнулась от ярости. Она хотела уже кинуться с кулаками на Ленку, но тут в процесс вмешалась Наталья Ивановна и разогнала развоевавшихся детей. Ссора вроде бы погасла, но Гуля проплакала полночи. Инга лежала в темноте, переживала за подружку и думала о том, что Ленке надо хорошенько всыпать. В голове тяжело шевельнулся Зверь и потянул свои щупальца к глазам. Он не любил, когда она нервничала. Инга испугалась, что сейчас начнет болеть голова, но Зверь затих, и она услышала его голос:

— Несправедливо... Ее надо наказать... Я тебя научу...

Наутро Юлька обнаружила, что у нее пропала красивая заколка, которой она очень дорожила и которая являла собой вечный предмет зависти девчонок. Она рассказала об этом Ленке Волковой, и та авторитетно заявила:

— Это Гулька. Она взяла. За вчерашнее.

Недолго думая, Юлька пошла к Инессе Александровне, дежурившей в тот день воспитательнице, и пожаловалась, что Гуля украла у нее заколку. Инесса Александровна, особо не вникая в детали, решила использовать подходящий момент для показательного суда. Она собрала девочек в игровой и, призвав всех к тишине, тихим трагическим голосом объявила:

— У нас произошло страшное ЧП. Воровство. У Юлии Петровой одна из вас украла дорогую ей вещь. Заколку ей подарили на день рождения, и вот теперь она украдена. Пусть тот, кто это сделал, сейчас же сознается, отдаст и попросит прощения у Юли.

Все стояли молча, переминаясь с ноги на ногу.

— Плохо. Очень плохо. Гуля, ты взяла Юлину заколку?

— Все знают, что я никогда не беру чужого! — гордо ответила Гуля.

Дети закивали головами: Гуля никогда не воровала.

— Тогда покажи нам свою тумбочку.

— Пожалуйста! Смотрите сколько хотите! — Гуля пошла в спальню, и ребята во главе с Инессой Александровной двинулись за ней.

Гуля выгребла из тумбочки на кровать свое барахлишко и молча отошла. Брезгливо перебрав розовыми пальчиками вещички, Инесса Александровна заглянула в тумбочку, убедилась, что она пуста, и махнула рукой, мол, можешь убирать все обратно.

— Пусть она покажет свою постель! — потребовала Ленка Волкова. Она была самая старшая, так как два раза оставалась на второй год, и пользовалась авторитетом среди одноклассников.

— Да, пусть покажет! — поддакнула Лариска Кананыхина.

— Покажи нам свою постель, — приказала воспитательница.

Гуля разобрала постель, Инесса Александровна перещупала подушку, одеяло, перевернула и просмотрела по швам матрас, но ничего не обнаружила. Она была в замешательстве. И тут высказалась Инга:

— А может быть, ее взял кто-то другой? Почему вы думаете на Гулю? Давайте тогда уже посмотрим все тумбочки! Почему только у Гули? Это несправедливо!

Чтобы восстановить пошатнувшуюся справедливость, пришлось идти по комнатам.

— Надо поискать в душевой и в туалете. Она могла ее там спрятать, — сказала Ленка.

— А если вы ее там найдете, на ней что, написано, что это я ее туда спрятала? Может быть, это ты ее украла и сама туда запрятала? — не сдавалась Гуля.

— Ага! Значит, все-таки ты ее сперла! — торжествующе завопила Юлька.

Злосчастную заколку нашли у Лены Волковой под матрасом. Кроме самой Лены, никто не удивился: все знали, что она подворовывает. Однако Ленка-то точно знала, что она заколку не брала. Она театрально рыдала, выла, каталась по полу, но Инесса Александровна, которая конечно же была в курсе Ленкиных грешков, сказала:

— Немедленно прекрати спектакль, Волкова. С тобой мы будет разговаривать отдельно. А ты, Юля, сейчас при всех извинишься перед Гулей.

На следующий день была смена Натальи Ивановны. Перебивая друг друга, девчонки рассказали ей о том, что случилось вчера. Она покачала головой, вздохнула и, недовольно поджав губы, сказала, ни к кому не обращаясь: «Бог — не Антошка, видит немножко». Сердце у Инги сжалось: она чувствовала себя виноватой. Но что она могла поделать? Где-то там, в голове, в темных закоулках сознания сидел, притаившись, Зверь и нашептывал ей, и нашептывал: «Наказать...», и ссориться с ним было нельзя, потому что, если бы она не послушалась, он бы сжал ее голову своими щупальцами, причиняя невыносимую боль.

— Я придумала, я и виновата, — шептала Инга Гуле. — А все равно мне ее ни капельки не жалко. Почему она обозвала тебя «узбекой грязной» и «татарвой»?

— Потому что я черная. Сама она дура. И ничего ты не виновата. Так ей и надо, — шептала в ответ Гуля.

— Как это ты черная?

— Ну, волосы черные, глаза тоже...

— Ну и что? Машка тоже черная...

— Машка беленькая. Кожа... А у меня — видишь? — прямо-таки черная. Почти негра.

— Ничего не черная. Кожа как кожа.

— У меня папа был откуда-то... из Азии, что ли... А мама вроде бы русская.

— Слушай, Гуль, а давай прокрадемся ночью в директорскую и посмотрим личные дела.

— Что это за личные дела?

— Лешка Дементьев хвастал, что видел свое личное дело. Он адрес родителей оттуда переписал, хочет съездить к ним.

— Правда, что ли? Давай! А как мы прокрадемся?

— А вот так... — Инга еще ближе придвинулась к уху Гули и продолжала нашептывать свой очередной план.

В восемь лет она была уже по-взрослому наблюдательна, скрытна, умна, хитра и невероятно терпелива. Прощать Инга не умела, не разрешал Зверь. Она могла забыть обиду, но Он начинал нашептывать, и ее охватывало чувство, как будто все случилось не давным-давно, а только что. Жить с этим было тяжело, и поэтому она старалась восстановить утраченное равновесие с помощью мести. Тогда Зверь был доволен, и ее это успокаивало. Ее месть всегда была в несколько раз больше нанесенной обиды, но Он считал, что получать больше должен тот, кто начал первым. Она могла долго дожидаться подходящего момента, но зато потом наносила точный и очень больной ответный удар своим недругам, и, именно в силу продуманности каждого шага, как правило, выходила сухой из воды. А Зверь был очень умным. Вот и теперь он подсказал ей, как попасть в директорскую. Изучив украдкой, какую связку ключей вешает директор Владимир Викторович на свой гвоздик на стенде, она по случаю стала собирать похожие. Один ключ тайно отстегнула у кастелянши, один вытащила из двери класса, когда его случайно забыла там учительница. Последний, большой, с нужным колечком, она долго караулила у самого сторожа, и докараулила.

Когда связка была готова, они с Гулей дождались удобного момента, с вечера подменили директорский набор на свой и ночью отправились смотреть личные дела.

Из написанных по большей части от руки документов они, с трудом разбирая множество различных почерков, узнали, что Гулин отец был таджик, родом из какого-то города, название которого они не смогли толком прочитать, мать русская, москвичка. Что же касалось Инги — она действительно найденыш. Но нашли ее не на помойке, а около продуктового магазина. Долго рыться они не стали, осторожно поменяли ключи обратно, а свою связку решили спрятать. Мало ли, может пригодиться еще.

Инга долго обдумывала, как это могло случиться, что ее «нашли» у магазина, и — ребенок есть ребенок — строила фантастические версии, одну краше и романтичнее другой, а когда придумала окончательный вариант, вполне ее устраивающий, почти поверила в него. Мерцая и переливаясь цветами радуги в темноте интернатских ночей, он выглядел приблизительно так:

«Она родилась, когда ее папа, капитан дальнего плавания, был в командировке. Мама пошла в магазин, чтобы купить хлеба и молока, потому что

больше было некому. Там ее подкараулил бывший одноклассник, который был в нее смертельно влюблен. Он уговорил ее сесть в его машину, чтобы поговорить, и увез в какой-то дом в другом городе, где она до сих пор в неволе. Когда папа вернулся, он бросился их искать, и ему сказали, что мама уехала на машине с каким-то человеком и увезла с собой дочку. Папа подумал, что мама его бросила, и с горя ушел опять в море. Когда он возвращается, он всегда ждет маму у магазина с цветами, но она все не приходит».

На Новый год Инге подарили очень красивый блокнот, на обложке которого было нарисовано много-премного разноцветных сердечек. Она записала туда свою историю и добавила:

«Когда я вырасту, я найду своих родителей. Я объясню папе, что мама ни в чем не виновата. Он ее простит, и мы снова будем жить вместе».

СЕРГЕЙ И НАТАША

Маленькая консалтинговая фирма по экономическим вопросам, организованная Сергеем в период перестройки, совершенно неожиданно окрепла, разрослась и стала приносить немалый доход. Еще в самом начале Сергей дал нескольким новоиспеченным бизнесменам в красных пиджаках дельные советы, вследствие чего те смогли подняться. Будучи людьми суеверными, они и впредь за советами обращались только к нему и в трудные времена, благодаря опять-таки его рекомендациям, смогли удержаться на плаву. Его номер телефона стали передавать друзьям, знакомым, родственникам в порядке огромной услуги, клиентура росла, и вместе с ней росла изначально мизерная оплата его консультаций. Теперь у него был целый штат сотрудников, состоящий из юристов, экономистов, аналитиков, переводчиков и бог знает еще кого, и ежедневно ему на стол ложились разного рода сводки, включая записи телевизионных криминальных хроник.

К солидным гонорарам прибавлялись солидные связи в мире бизнеса, и эту сторону дела он считал важнейшей. Он, конечно же, был тщеславным, но предпочитал до времени оставаться в тени, и эта внешняя скромность также работала на него.

Пережив на третьем курсе бурный роман с женатым мужчиной, Наташа была поставлена врачами перед фактом: у нее не будет детей. Придя в себя, она решила больше не совершать ошибки — не влюбляться в женатых. И, так как жизнь не остановишь, влюбилась в однокурсника Сергея, скорее всего потому, что он был немного похож на ее несостоявшуюся любовь. Во всяком случае, типаж был тот же. В отличие от других претенденток на сердце Сергея, имеющих в качестве главного козыря красоту, у нее их было два — та же красота плюс опыт близких отношений с взрослым мужчиной. И она своего добилась. Они поженились сразу после защиты диплома.

Жили на съемной квартире, и о детях речь не шла. Когда родители Сергея перебрались в Питер к старшей дочери, Наташа с Сергеем переехали в их квартиру, находящуюся в ужасном состоянии. Из мизерных зарплат копили на ремонт, на мебель, а хотелось еще съездить куда-нибудь отдохнуть. Для того чтобы заткнуть финансовые дыры, надо было делать карьеру, и было совершенно не до детей.

С перестройкой открылись кое-какие возможности, и Сергей организовал свою фирму. Он пропадал там с утра до ночи, и все домашние дела везла Наташа, так что тоже было не до детей. А когда жизнь более или менее вошла в колею, Сергей настоял, чтобы Наташа бросила работу, и тут стало понятно, что пришла пора подумать о наследниках. Известие о том, что их не будет, Сергей воспринял тяжело, но у него даже не возникло мысли оставить Наташу: слишком много всего, и хорошего, и плохого, они пережили вместе.

Сначала пустота была маленькой и легко заполнялась театрами, кино, музеями, книгами и друзьями. Но наступил момент, когда обоих стали напрягать естественные в компаниях разговоры о детях — кто в какую школу пошел, как учится, чем увлекается, и они, по умолчанию, стали избегать сборищ. Вместе с ростом благосостояния разрасталась и пустота. Сергею, как человеку мыслящему и увлеченному, было легче. Наташа тратила время на салоны красоты, солярии, бассейны, магазины, а вечерами ее ждал неизбежный пустой дом. Мысль о приемном ребенке стала приходить в голову все чаще и чаще, но время летело так быстро, что когда она окончательно решила, что это надо сделать, вдруг поняла, что младенца уже не потянет. Она твердо решила, что, во-первых, брать надо только девочку, и, во-вторых, не младше семи лет, и пошла со своим решением к мужу.

Сергей был против этого шага. Они спорили, ссорились, обижались друг на друга, а потом он махнул рукой: делай, что хочешь. Наташа составила список интернатов и пошла с обходом.

На первом этапе она разговаривала с директором, затем получала разрешение присмотреться к детям. Она приходила в интернат вечером, приносила какие-нибудь подарки, сидела час-другой с детьми в игровой комнате, и если какая-нибудь девочка приходилась ей по душе, она опять шла к директору и, как правило, выясняла: ребенок неблагополучный. Ингин интернат был седьмым.

Девочка, которая ей понравилась, была просто живой куколкой, и хотя ей уже было почти десять лет, она была такой маленькой и худенькой, что выглядела не больше чем на шесть, от силы на семь лет. Она была подкидышем. Это, конечно, был минус. Но у нее было все в порядке с психикой, умственными способностями, развитием и общим состоянием здоровья. Это было плюсом. Наташа решила больше никого не искать и в ближайший свободный вечер повела мужа посмотреть на Ингу.

УСЫНОВЛЕНИЕ.
ДВЕ СТОРОНЫ МЕДАЛИ

В третьем классе к ним зачастила одна немолодая, с точки зрения детей, пара, Сергей Владимирович и Наталья Сергеевна. Они приходили вечером, приносили детские книжки, в основном сказки, настольные игры, фрукты, конфеты. Общались с детьми, играли... Однажды Наталья Сергеевна попросила Ингу проводить их до ворот. Прощаясь, она спросила:

— А ты хотела бы в эту субботу пойти с нами в зоопарк?

Возможность погулять где-то без окриков, одергиваний и не в строю Инга восприняла с восторгом:

— Конечно, хочу! Мы были в зоопарке, но так давно, что я почти ничего не помню.

— Ну, вот и замечательно! Вспомнишь, — улыбнулся Сергей Владимирович.

— А вы за мной зайдете?

— Конечно. Ты будь готова к одиннадцати. Договорились?

— Договорились. А вы спрашивали у Натальи Ивановны? Она меня отпустит?

— Спрашивали. Она сказала, что если ты будешь вести себя хорошо, то отпустит.

— Я всегда веду себя хорошо, — на всякий случай заверила их Инга. Мало ли что, а то еще раздумают.

И только возвращаясь в корпус, она подумала о Гуле. Гулю они не пригласили, а она даже о ней и не вспомнила. Инге стало стыдно, и, хотя ей очень хотелось в зоопарк, она решила отказаться.

— Гуль, они меня берут с собой в зоопарк.

— Ух ты, здорово!

— Они меня одну берут...

— Ну и что?

— Я без тебя не пойду.

— Ты что, дура, что ли, отказываться? Иди! — заволновалась Гуля и потащила ее подальше от ребят.

— Почему сразу дура?

— Не понимаешь? Они хотят тебя у-сы-но-вить!

— С чего это ты взяла?

— А ты помнишь, Витальку тоже сначала водили туда-сюда, по всяким циркам, театрам, а потом усыновили.

Инга задумалась. Похоже было, что Гулька говорит дело. А Гуля тем временем продолжала:

— Откуда ты знаешь, а вдруг это и есть твои родители? Может, они тебя искали и нашли и теперь хотят постепенно забрать отсюда!

— Как это — постепенно? — не поняла Инга.

— Ну, присмотреться, снова привыкнуть.

— Вряд ли это они.

— Откуда ты знаешь? Очень даже может быть, что они!

Такое тоже вполне могло быть. По-любому, надо было идти. А уже там похитрее расспросить их. Она поймет, они это или не они.

Суббота прошла просто замечательно! Было солнечно, тепло, от снега не осталось и следа, а на лысых пригорках задорно и скандально копошились воробьи. Животные радовались весне, одни весело суетились, другие лениво грелись на солнышке, птицы пищали, гоготали, крякали. Было здорово! А потом они пошли в кафе и ели там всяческие вкусности, в том числе и мороженое. От обилия впечатлений Инга забыла о своих хитрых вопросах и вспомнила об этом, только когда они уже подходили к интернату.

— Сергей Владимирович, а вы капитан дальнего плавания?

— Нет, я — служащий. А почему ты так подумала?

— Не знаю... Значит, вы — военный...

— Почему? — улыбнулся Сергей Владимирович.

— Ну, раз служите...

— Нет, я работаю в одной конторе...

— А-а... понятно... Вот мы и пришли. Спасибо, что взяли меня с собой.

— Ну что ты, Инга! — сказала Наталья Сергеевна. — Это тебе спасибо за приятную компанию! До свидания! Еще увидимся!

Проследив, как Инга вошла в дверь, Наталья Сергеевна взяла мужа под руку, и они неспешно пошли к метро.

— Ну и как тебе? — спросила она.

— Славно мы провели день!

— Нет, как тебе девочка?

— И девчушка славная!

— Правда, Сережа?

— Правда, Наташа. Вы с ней чем-то похожи. Как мама и дочка. Она будет такой же красавицей, как и ты.

Сначала Наташа не поняла, что ее напрягло в этой фразе, но напрягло определенно. Дома они весь вечер говорили о девочке, делились впечатлениями, немножко строили планы с непременной оговоркой «если все сложится хорошо». Спать она легла успокоенная, умиротворенная и даже почти счастливая, но среди ночи проснулась, как от толчка: «Она будет такой же красавицей, как и ты». Вот в чем было дело. «Сейчас ей десять, она мала ростом и выглядит совершенным ребенком... Через семь лет — семнадцать... Мне через семь лет будет уже сорок два, а ему — только сорок два... только сорок два... И семнадцать... Прекрасные семнадцать...» Она вспомнила себя в этом возрасте. Конечно, Инга обещала быть необыкновенной, просто волшебной...

«Что я делаю? Похоже, я рою себе яму, причем своими руками. Здесь и семи лет не понадобится. Девочки сейчас ранние, хваткие, жесткие. А уж детдомовские тем более... Впрочем, они, наверное, всегда были такими». Наташа вспомнила свой первый роман, потом — как в свое время добивалась Сережи, и главным козырем в этой затяжной и тяжелой битве была ее собственная красота.

К этим невеселым размышлениям добавилось ее недавнее открытие: она относится к тому типу женщин, которых годы сильно меняют в худшую сторону. Маски, кремы, массажи, легкие подтяжки не могли спрятать почему-то ставший большим нос и вернуть на место слегка запавшие глаза. Волосы можно было красить, но нельзя было вернуть их былую роскошь: они заметно поредели. «А ведь мне только тридцать пять, это еще не возраст... Многие женщины к этому возрасту только расцветают... Что же будет дальше?» — думала она. Наташа стала исподволь наблюдать за мужем и догадалась, что он замечает те изменения, которые с ней происходят. А вот ему, его внешности годы шли на пользу. Ушло дурное нескладное мальчишество, он набрал вес, но при этом сохранил фигуру, копна жестких черных волос нисколько не пострадала, а намечающаяся седина делала его еще более интересным, и ни одна женщина не оставляла его без внимания.

«Черта с два он удочерил бы какую-нибудь страшненькую...» Наташа вдруг со всей отчетливостью поняла, что она не то что уже ничего не хочет, она категорически против этой затеи. Слава богу, вовремя спохватилась. Теперь надо очень осторожно, очень тактично, по-умному, раскручивать колесо обратно. Сколько было потрачено сил на уговоры, сколько она выдержала боев, чтобы уговорить мужа взять приемного ребенка, именно девочку, именно такого возраста, — и вот тебе пожалуйста: «Я раздумала». «Ничего. Я и это смогу. Надо сделать так, чтобы он сам отговорил меня».

Она тихонько встала, прошла на кухню, вынула

чашку, плеснула на донышко воды из-под крана, капнула туда капельку корвалола и оставила на столе вместе с пузырьком.

Утром Сергей укорил жену:

— Ну зачем же так волноваться, Наташа? Ну что это такое? Ты опять пила ночью корвалол... Запомни: у нас все хорошо. Если хочешь, я ускорю процесс. Это несложно с моими связями.

Наташа испугалась:

— Нет-нет, это действительно очень ответственный шаг. Мы должны ее хорошенько узнать. Вдруг с ней что-нибудь не так, а мы ее уже обнадежим? Пообщаемся, приглядимся...

— Ты права. Я всегда говорил, что у меня умная жена. Но если что, ты мне сразу скажи, и я нажму на все возможные кнопки. Девочка просто прелестная.

НЕПРИЯТНОСТИ

У Инги были свои мысли по поводу происходящего, и впервые в жизни она не стала делиться ими с Гулей. Конечно, что и говорить, ей хотелось, чтобы у нее были родители, чтобы она жила в доме, в своей комнате. В такой жизни была масса преимуществ, которые перевешивали тот факт, что сами родители ей почему-то не очень понравились. Какие-то они были ненастоящие, фальшивые, что ли... И друг с другом разговаривали, как в театре актеры... Может, потому что взрослые? Но наши воспитательницы, или няньки, или даже директор, Владимир Викторович, — они ведь нормально говорят, не жеманятся... «Нет, это точно не мои родители. Моя мама купила бы мне слоненка, когда мы стояли у киоска. Она же поняла, что мне так его хотелось!

А вдруг не поняла? Ладно, посмотрим, что будет. Может, они меня вообще больше никуда не возьмут».

Но в следующую субботу они приехали опять и забрали ее на целый день и, к восторгу девочки, повезли к себе домой.

В доме у них было как в музее: ничего нигде не валялось, книги стояли на полках, за безупречно чистым стеклом, красивая мебель сияла, нигде ни пылинки, полы были застланы коврами. Наталья Сергеевна провела ее в одну из трех комнат, и там, на полочке, Инга увидела кучу всяких игрушек. Таких в их интернате не было. Новенькие, не затасканные, пахнущие химией и магазином.

— Ты поиграй пока, а я приготовлю чай.

— А можно я возьму эту куклу?

— Конечно можно. Бери все, что захочешь, это все для тебя, — сказала Наталья Сергеевна и вышла.

Инга взяла куклу, потом большого мишку, потом игрушечный сервизик, распаковала его, расставила на столе. Одной играть не получалось. Она достала коробки с настольными играми, посмотрела, но опять-таки нужен был как минимум еще один игрок. Взяла книжку, полистала, взяла другую, и тут зашла Наталья Сергеевна и позвала пить чай.

На столе были пирожные, печенья, вафельки, шоколадные конфеты в роскошной коробке, варенье. И чашки, из которых пили чай, и изящные чайные ложечки, и вазочки, и розетки — все это было бы вполне уместно в каком-нибудь королевском дворце. Инге положили на блюдце всего понемногу, в розетку варенья и даже разбавили горячий чай холодной кипяченой водой, которую наливали из хрустального кувшинчика.

— Дорогая, когда пьешь, ложку надо вынимать из чашки, — сделала замечание Наталья Сергеевна. — Давай мы ее положим вот сюда. А вот пирожное как раз удобнее есть ложечкой. И сиди пряменько, не сутулься. Нет-нет, локти ставить на стол нельзя.

Когда с чаем было покончено, Наталья Сергеевна спросила:

— Что надо сказать, вставая из-за стола?

— Спасибо, Наталья Сергеевна.

— На здоровье, детка. А теперь пойдем, я хочу тебе кое-что показать.

Она опять повела Ингу в комнату, раскрыла шкаф и достала оттуда новое платье.

— Ну-ка примерь его... Ой, как раз, как будто на тебя шили. Просто замечательно! Так, теперь сапожки. Чуть-чуть великоваты. На вырост. — Она улыбнулась. — А теперь пальто и шапочку. Тоже немного великовато, но вполне... вполне... Нет, не снимай, мы сейчас идем гулять. И вот еще сумочка. — Наталья Сергеевна открыла другую дверцу стенки и взяла с полки замечательную, просто восхитительную сумочку, которая вполне могла сойти за взрослую.

— А можно я ее открою и посмотрю, что там лежит?

— Можно, — улыбнулась довольная Наташа. — Это теперь твоя сумочка. И то, что в ней лежит, тоже твое.

Инга достала кружевной носовой платочек, маленькую записную книжечку и крошечную шариковую авторучку и пришла в полный восторг.

Они погуляли по Красной площади, потом обедали в каком-то шикарном ресторане. Инга ловила на себе восхищенные взгляды и млела от счастья.

Правда, было ужасно жалко Гулю, но она уже решила, что пальто, которое ей великовато, вполне пока может поносить подруга, сапожки тоже, а потом, когда ей вещи станут малы, их носить будет уже сама Инга, а остальные пусть полопаются от зависти. С платьем же и сумочкой она расстаться не могла, это было бы выше ее сил.

В интернат Инга должна была вернуться к восьми, поэтому времени в их распоряжении было предостаточно. После ресторана они прошлись еще немного и направились домой. Сергей Владимирович завалился на диван с газетами, Наталья Сергеевна села в кресло и включила телевизор. Полистав программы, она остановилась на каком-то ток-шоу. Инга заикнулась, что неплохо было бы посмотреть диснеевские мультики, но Наталья Сергеевна отправила ее играть с игрушками.

Идя тихонько в туалет, Инга услышала негромкий разговор.

— Почему ты так против того, чтобы она у нас переночевала? — спрашивал Сергей Владимирович. — Я чего-то не понимаю. Ты уже передумала?

— Сереженька, во-первых, мы не предупредили, — отвечала Наталья Сергеевна.

— Можно же позвонить.

— Сережа, ты можешь остаться дома. Я сама ее отвезу.

— Нет уж, вместе забирали, вместе и отвезем.

Вскоре Ингу позвали опять пить чай, а потом стали собираться. Наталья Сергеевна вошла к ней в комнату, оглядела беспорядок и сказала:

— Инга, надо навести здесь порядок, прежде чем ты уйдешь. Ладно?

— Ладно, — покорно кивнула Инга и принялась

расставлять и рассаживать игрушки на полочке. Закончив, она вышла в коридор, обула сапожки, натянула пальто и, держа в руках заветную сумочку, стала дожидаться, когда соберутся взрослые.

— Дорогая, нет. Пойдем-ка с тобой переоденемся. — Наталья Сергеевна взяла ее за руку и опять отвела в комнату. Она вынула из шкафа Ингино интернатское обмундирование и протянула ей. — На, переоденься. А в новой одежде ты будешь ходить, когда будешь приезжать к нам.

Инга переоделась, взяла сумочку и пошла было в коридор, но Наталья Сергеевна остановила ее:

— И сумочку оставь.

Инга вернулась и положила сумочку на стол. Наталья Сергеевна взяла ее, раскрыла, заглянула внутрь и посмотрела Инге в глаза. В сумочке помимо платочка, записной книжки и ручки была еще кое-какая игрушечная мелочовка, которую Инга по наивности поторопилась посчитать теперь своей. Но получилось так, как будто Инга хотела ее тайком унести, то есть украсть. Девочка покраснела и с трудом сдержалась, чтобы не расплакаться. Наталья Сергеевна усмехнулась, молча закрыла сумочку и положила ее в шкаф.

— Ну что? Как? Рассказывай! — приставала к ней Гуля.

Инга отмахнулась: «Потом». Она боялась, что, если начнет говорить, тут же расплачется. Когда вечером все пошли смотреть телевизор, девочки уединились, и Инга, все-таки расплакавшись, рассказала все, как было.

— Одно я тебе скажу, это точно не мои родители, — всхлипывая, резюмировала она.

— Твои — не твои, на фиг они тебе такие нужны, — горячо отреагировала Гуля.

— Да они больше и не придут. Эта штучка небось решила, что я воровка.

— Еще пожалуется Наталье Ивановне...

— Она может... Дура я.

— Ничего ты не дура. Я бы тоже так решила.

— Что я воровка?

— Да нет, балда! Что она пожалуется.

Всю следующую неделю Инга переживала, что они придут в интернат и пожалуются на нее, мучилась из-за этого страшными головными болями, и чем ближе была суббота, тем сильнее были ее мучения. Она перебирала в памяти буквально по минутам проведенный с ними день и постепенно приходила к мысли, что жить с ними она бы не хотела. А Наталья Сергеевна вызывала в ней чувство леденящего ужаса, сходное с тем, какое испытывают перед змеей или ядовитым насекомым. Утешало одно: скорее всего больше они не придут или, если придут, возьмут кого-нибудь другого.

Однако в субботу они пришли именно за ней. Все повторилось, с той только разницей, что на этот раз пошли не на Красную площадь, а в Пушкинский музей. Ничего интересного, кроме головы мумии с зубами, там не было. Опять разболелась голова. Инга устала от объяснений, от толчеи, ей не нужен был ресторан, она чувствовала себя неловко с Натальей Сергеевной, боялась ее, и ей хотелось только одного — попасть скорее домой, в интернат. Но чашу пришлось испить до конца. Она просидела в «своей» комнате до шести. Игрушки снимать с полки не стала, просто полистала книжки, а потом, заранее переодевшись в свою одежонку, сидела и ждала, когда все закончится. Перед тем как всем выйти из квартиры, Наталья Сергеевна проверила у Инги карманы пальто и, поймав недоуменный взгляд мужа, быстро сказала:

— Я тебе потом объясню.

Дома Инга опять плакала:

— Я ее ненавижу! Я ненавижу ее! Я не хочу, чтобы они меня брали! Мне на них насрать! И на их игрушки тоже насрать! И на ресторан! И на музей! Мне ничего не надо!

— А ты сделай, как я скажу, — нашептывал Зверь, — и они больше не будут к тебе приставать...

ПЛАН И ЕГО ИСПОЛНЕНИЕ

И опять неделя прошла в мучениях от ожидания субботы, но больше Инга не плакала. У нее был план. Она пару раз уединялась с Виталиком Егоровым, и они что-то вполголоса обсуждали. Их поддразнивали, кричали: «Жених и невеста, замесили тесто!» — но Виталик показывал тощий кулак с белеющими костяшками, и это действовало безотказно. В пятницу вечером он дал ей свой драный свитер и разбитые ботинки, и в гардеробе нашлась страшная юбка, неопределенного серо-коричневого цвета, мятая, заношенная, с отвисающим отпоротым подолом. Колготки, драные и грязные, она взяла у Гули, с тем расчетом, чтобы они свисали гармошкой. Гуля была девочкой крупной.

В субботу она поджидала их уже на улице, в своем пальтишке и шапке. Они приехали за ней на шикарной машине. К ее расстройству, Наталья Сергеевна дала большой пакет и попросила переодеться: они шли в цирк, и времени заезжать домой не было.

Инга взяла пакет и ушла. Вышла она в парадном пальто, шапочке и с сумочкой. Какая на ней была обувь, никто не заметил.

Когда Инга уже в цирке сняла пальто, Наталья Сергеевна чуть не потеряла сознание: не каждый бомж мог похвастать такими живописными обносками.

— Боже мой! Почему ты не переоделась?

— Я переоделась.

— Но платье...

— Оно мне мало. И не нравится.

— Ты хочешь сказать, что эта одежда лучше?

— Лучше, — твердо ответила Инга.

Сергей Владимирович удивленно поднял брови и внимательно посмотрел на Ингу.

Наталья Сергеевна все представление просидела молча, с каменным лицом.

На ресторан Инга не тянула, поэтому после цирка они зашли в какую-то забегаловку, где не было гардероба. Но девочка, не смущаясь, сняла пальто, повесила его на спинку стула и предстала перед публикой во всей красе. Разделавшись со всем, что ей взяли, Инга сытно рыгнула и попросила добавки.

— Ты не переешь? — спросила Наталья Сергеевна, кидая на мужа отчаянные взгляды.

— Не-а. Все время есть хочу. — Инга пожала плечами. — Опять глисты, наверное... Прошлый раз их столько было! Не какашка, а крученая проволока!

Съев добавку, два пирожных, порцию мороженого, она сытно потянулась за столом и похлопала себя по животу.

— Ну, кажись, наконец-то наелась. До ужина продержусь.

Наталья Сергеевна молча встала и отодвинула

свой стул, чтобы Инга могла пройти к выходу. Инга, проходя мимо нее, пукнула на весь зал.

— В интернат, — коротко скомандовала Наталья Сергеевна, когда они загрузились в машину.

Но на этом ее мучения не закончились. По дороге Инге стало плохо, и ее вырвало прямо на дорогие велюровые чехлы.

Уже у ворот Инга вышла из машины, сняла парадное пальто и шапку и сунула их вместе с сумочкой на заднее сиденье, сказав при этом:

— Сейчас принесу остальное. Подождите минуточку!

— Не надо, — ответила Наталья Сергеевна, — оставь себе.

— Да мне не надо.

Инга поняла, что больше они не приедут. Из-за угла дома заговорщицы выглядывал Виталька Егоров и подавал ей знаки. Когда машина уехала, он подошел к Инге и спросил:

— Ну как? Удалось?

Инга кивнула головой. Говорить она не могла, душили слезы. Он это увидел и сказал:

— Не реви. Такие жлобы даром не нужны. Сами прорвемся.

Она опять кивнула, сглотнула и жестко ответила:

— Прорвемся.

— Прорвемся, — вторил Зверь. Он был доволен.

В среду вечером пришел Сергей Владимирович и вызвал ее из игровой. Инга страшно перепугалась.

— Ну ты нам и представление устроила, — смеясь сказал он. — Я тебе тут кое-что привез.

Только сейчас Инга обратила внимание на два огромных пакета. В одном были мелкие игрушки, настольные игры, большая кукла, несколько книг, апельсины и конфеты. В другом — заветная сумочка, два платья, какая-то нарядная кофточка и еще несколько книг.

— Это тебе. Слушай, а хочешь, я помирю вас с Наташей? С Натальей Сергеевной? Мы теперь будем строить все как-нибудь по-другому.

Инга помолчала, а потом ответила:

— Нет, не хочу. Я уж лучше так... И не нужны ей дети.

— Это почему же ты так решила?

— Патамушта...

Сергей Владимирович обиделся:

— Ладно, как знаешь. Ну, бери пакеты. Мне надо идти.

Инга взяла пакеты.

— До свиданья, Инга.

— До свиданья.

— Верни его, — прошипел Зверь.

Он уже дошел до конца коридора, когда она закричала:

— Подождите! Подождите!

Он обернулся и остановился. Она подбежала и быстро затараторила:

— Вы только не думайте, что я тогда хотела украсть игрушки... Честно... Я их взяла, потому что подумала, что это теперь мое... Она сказала, что это все — мне... Я тогда не знала, что их надо оставлять у вас дома, что нельзя брать с собой...

Он погладил ее по голове.

— Я и не думал. А знаешь что, я буду к тебе приходить иногда. Ладно?

— Ладно, — улыбаясь, великодушно ответила Инга.

— И вот еще что, дай-ка мне свою записную книжку.

Инга залезла в пакет, достала сумочку, извлекла из нее записную книжку и протянула ему. Он туда что-то записал.

— Вот тебе мой номер телефона, рабочий. Смотри, я тебе записал на букву «С». Если вдруг что-то случится... Ну, мало ли что... Звони. Только помни, что он рабочий и звонить надо в будние дни до шести вечера. С девяти до шести.

— Хорошо, — сказала она, забирая записнушку обратно.

— Только по пустякам не названивай, — строго добавил он.

— Есть!

— А вообще, — он сурово сдвинул черные брови, — маленькие сказочные феи за столом не пукают.

Инга расхохоталась, подхватила пакеты и побежала, оглядываясь. Сергей стоял, махал ей рукой и тоже смеялся.

Вечером она написала в своем дневнике сказку:

«В одном старом замке жил благородный король. И у него была жена, красивая, но очень злая, жестокая и жадная королева. Король не знал, что она была ведьмой и что она специально так наколдовала, чтобы у них не было детей. Она разъезжала по всяким балам, а он оставался дома и читал у камина книги. Он очень хотел, чтобы у него была маленькая дочка. И однажды он узнал, что у одних бедняков живет маленькая очень красивая девочка, которую им подбросили. И он сказал королеве, что хочет ее удочерить. Королева разозлилась, но виду не подала.

Они пошли к беднякам и взяли к себе эту девочку погостить. Королева отвела ее в свою комнату и там подарила ей три маленькие куколки. Целый день девочка играла во дворце, а когда собралась уходить домой, взяла своих куколок и положила их в карман. Но злая королева у самых дверей дворца остановила ее и вывернула ей карманы, и куколки упали на пол.

— Она воровка! — сказала королю королева.

Король очень расстроился. Такая красивая девочка — и воровка! Слуга отвел девочку домой, и там она проплакала всю ночь.

А король тоже не спал всю ночь и думал о ней. На другой день он тайно пошел к тем беднякам, и девочка сказала ему, что этих кукол она не воровала, а их подарила ей сама королева, но потом обвинила в воровстве.

— Ты очень похожа на маленькую фею. Я буду приходить тебя навещать, а королева об этом ничего не узнает.

И он приходил к ней и приносил ей разные подарки. А когда она выросла, он полюбил ее, выгнал свою королеву и женился на фее».

БУДИТЬ СПЯЩУЮ СОБАКУ

То, чего боялась Наташа, а именно, что когда-нибудь эта девочка отнимет у нее мужа, — произошло гораздо раньше, чем она думала, и совсем не так.

С той злосчастной субботы, когда они брали Ингу последний раз, отношения с мужем стали развиваться в какую-то иную, непонятную сторону. И раньше не отличавшийся многословностью, Сергей вообще стал молчуном. «Да», «нет», «привет», «спасибо», «не хочу»... Не более того. Она не понимала, что происходит. Ну да, не сложилось с Ингой... Но ведь в конечном итоге получилось так, как, собственно, он и хотел: ребенка они не усыновили. Жизнь пошла по старой колее, которая их обоих до сих пор устраивала. Его недовольство не было демонстративным, но она чувствовала его каждой клеточкой. С этим надо было что-то делать, и Наташа решилась на разговор. Дождавшись повода заслуженно обидеться на мужа, она пошла ва-банк.

— Сережа, давай поговорим.

Сережа поморщился и отложил газету в сторону.

— Я не понимаю, что происходит. Последнее время ты мне ясно даешь понять, что недоволен мной. Что я такого сделала, в чем я так провинилась, что ты позволяешь себе такое поведение?

Сережа помолчал, а потом, медленно подбирая слова, начал говорить:

— Понимаешь, Наташа, в чем дело... Мы с тобой уже столько лет вместе... Я полагал... Нет, я был уверен, что хорошо тебя знаю. Оказалось, что я ошибался.

— Господи, да что же такое случилось?

— Сказать честно?

Наташа испугалась, но, начав первой этот разговор, отыграть все назад она уже не могла, и она кивнула головой.

— То, как ты обращалась с этой девочкой, было отвратительно. Откуда в тебе это, не знаю даже как назвать? Как тебе даже просто могло прийти в голову такое — переодевать ее в старье, отправляя обратно?

— Но Сережа, ты же сам понимаешь, что ТАМ у нее бы все отобрали...

— Да к черту! Пусть бы отобрали. Это всего лишь вещи, ну и поносили бы другие девчонки. Или не надо было переодевать. А как ты могла устроить ей шмон?

— Что за воровской жаргон, Сережа?

— Ой, дорогая моя, а как это можно назвать по-другому? Досмотр? Обыск? Как ни назови, а шмон останется шмоном. Да пусть бы она забрала с собой эти жалкие игрушки!

— А ты не допускаешь мысли, что, если она тайком взяла эти, как ты их называешь, жалкие игрушки, она могла взять и что-нибудь из моих драгоценностей?

— Ты же сама ей сказала, что теперь это все принадлежит ей! Да она взяла их только потому, что ты так сказала! Что нам, взрослым, они уж никак ни к чему! Ты так страшно унизила безответного ребенка, что она сама — понимаешь? — сама не захотела быть удоченренной нами!

— С чего ты это взял? Ты что, с ней виделся после этого?

— Взял я это с того, что она так себя вела в последний раз. А этот сюсяво-менторский тон? Прямо-таки сентиментальность фашизма... Может быть, это и к лучшему, что у нас нет детей.

— Умеешь ударить...

— Уж прости. Ты сама хотела, чтобы я честно высказался.

— Да, у меня нет опыта общения с детьми, — тихо сказала Наташа, — наверное, я действительно вела себя глупо, нелепо, смешно...

— Да не смешно, моя дорогая, а страшно...

— Но почему же ты мне сразу об этом не сказал? Почему ты тогда же не поговорил со мной об этом? Я так понимаю, что ты просто нашел предлог, чтобы со мной развестись. Только и всего. Но для этого не стоило так меня унижать и оскорблять. Достаточно было просто сказать — и все.

— Господи! Ну почему вы, женщины, все сводите только либо к браку, либо к разводу? Да никто не собирается с тобой разводиться. Будем жить как жили. И вот что я хочу тебе сообщить: я ухожу в политику. А это значит, что мы с тобой окажемся под пристальным недоброжелательным наблюдением многих и разных людей. Так что я бы тебя попросил вести себя осмотрительней и впредь не допускать никаких ляпов. Хорошо, что все это произошло до того. Представляю, как бы это подали в прессе, если бы разнюхали...

Из разговора Наташа поняла, что Сергей виделся с Ингой, и, может быть, не единожды, и с этим она решила непременно разобраться: такие вещи нужно держать под контролем. В копилку тайных обид на мужа упала еще одна, пожалуй, самая большая, и было похоже на то, что места там уже практически не осталось.

МАЛЕНЬКИЕ ТАЙНЫ

В том, что фирма взяла шефство над интернатом, ничего необычного не было. Сергей Владимирович коротко побеседовал с директором, выслушал его жалобы и пообещал подумать, что они могут сделать для детей. Можно было разом перечислить определенную сумму на счет или перечислять ее по частям, два раза в год или раз в квартал, или закупить, скажем, телевизоров, или еще чего-нибудь и, торжественно обставив мероприятие, желательно с привлечением прессы, разом обустроить, например, игровые комнаты. А можно было растянуть благотворительность на длительный срок. Последний вариант был как-то больше по душе Сергею Владимировичу. На нем он и остановился. И дело завертелось.

Он старался в интернат без повода не ездить, поэтому непременно присутствовал при вручении подарков и потом обязательно заглядывал к Инге, интересовался ее учебой, расспрашивал о жизни, а после она его провожала до машины и там каждый раз получала подарочек, к которому обязательно прилагалась какая-нибудь детская книга. Однажды он обнаружил, что книги Инга не читает, и сделал ей серьезное внушение:

— Фея, из того, что я тебе привожу, самое ценное — это книги. Рано или поздно ты перерастешь игрушки и забудешь о них. А они навсегда останутся у тебя вот здесь, — и он постучал пальцем по ее головке. — И когда у тебя в жизни будут трудные ситуации, а они будут, ты будешь знать, как себя правильно вести, и не влипнешь в какую-нибудь неприятную историю. Тебе уже скоро одиннадцать лет, пора потихоньку взрослеть. Давай договоримся так: ты мне к следующему разу перескажешь содержание тех книжек, которые я тебе привозил, и тогда я исполню одно твое желание. Ну, естественно, если оно будет разумным. Как тебе такая идея?

— А когда будет следующий раз? — Глаза Инги алчно загорелись.

— А следующий раз будет не раньше чем в конце мая. Так что времени у тебя вагон и маленькая тележка.

— Эт хршо-о-о-о, — задумчиво протянула Инга, прикидывая что-то в голове.

— Почему же «эт хршо-о-о-о»? — очень похоже передразнил ее Сергей Владимирович.

— Патамушто как раз к моему дню рождения.

— И когда у феи день рождения?

— Если честно — то не знаю. А так написали 1 июня. День защиты детей, между прочим.

— Гм-гм... Ладно, тогда будет тебе два подарка, по желанию.

С Сергеем Владимировичем ей было почему-то легко и радостно, а его упреки и поучения не были обидными и занудными. Инга засмеялась:

— А мне хватит и одного. Вы мне подарите один вместо двух, и книги я читать не буду.

— Ну все, я рассердился. Ничего тебе не будет. Ни одного. И вообще я больше к тебе заходить не буду. Расти тупицей. И никакая ты не фея.

— Это почему же?

— Потому что феи не торгуются.

— Я пошутила, ну я же просто пошутила. И не надо мне никаких подарков. Я книги и так прочитаю...

— А я не шутил.

Она честно и трудно прочитала всю «Динку» Осеевой, а «Дорога уходит вдаль» Бруштейн прошла уже на ура. Неизгладимое впечатление произвели на нее «Водители фрегатов» Чуковского. К тому времени, когда май подошел к концу, она дочитала книгу в третий раз и дала ее Витальке. Гуля читать книги отказалась, но с удовольствием слушала пересказы в Ингином исполнении.

Сергей Владимирович был страшно доволен: и здесь он сделал правильный ход. Последнее время ему все удавалось, и его начинающаяся политическая карьера шла вперед мощно и ровно.

На этот раз он привез Инге Марка Твена, потому что считал детство неполноценным без Тома Сойера и Гека Финна.

— Кстати, имей в виду, что в любом пионерском лагере есть библиотека. Так что как минимум три книги сверху ты мне будешь должна.

— Как это — «сверху»?

— Эти две плюс любые три. Между прочим, летом хорошо читать Конан Дойля. Слышала о таком?

— Не-е-ет...

— Шерлок Холмс.

— А что, есть такая книга?

— И не одна! А знаешь еще что?

— Что?

— Спроси в библиотеке Беляева. «Человек-амфибия», «Голова профессора Доуэля»... Нет, ты забудешь. Дай-ка я тебе запишу.

Сергей Владимирович записал у себя в деловом ежедневнике названия и авторов, вырвал листок и протянул Инге:

— На, не потеряй.

— Я запомнила. У меня память хорошая.

— Так что там с подарками? Какие будут пожелания?

То, что он услышал, его весьма разочаровало, но виду он не подал.

— Мне нужна самая большая кукла, какая есть, но только чтобы не младенец. Не пупс.

— Так, хорошо. А еще что?

— А еще мне нужно все для шитья. Материал, иголки-нитки, ножницы.

— Хм, ты меня озадачила. Но раз уж я обещал, придется выполнять.

Жену он ни о чем спрашивать не стал, а решил проконсультироваться с женщинами в офисе, сказав им, что нужно обеспечить материалом интернатовский кружок шитья. После долгих обсуждений ему было предложено два варианта: набрать в Доме ткани по метру того-сего и всяких принадлежностей или договориться с какой-нибудь пошивочной фабрикой насчет отходов-лоскутов. Сергей Владимирович выслушал оба и отрядил одну сотрудницу в Дом ткани, а второй поручил добыть лоскуты. Куклу он решил покупать сам. Заехал в «Детский мир», но ничего подходящего там не нашел. То же самое случилось и в «Мире игрушек». Он объездил еще несколько магазинов, но безрезультатно. Наконец, в одном универмаге, в отделе игрушек, он увидел то, что ему хотелось. Правда, кукла не была самой большой, но, тем не менее, не была и маленькой. Зато она была удивительно похожа на Ингу.

Первого июня Инга получила обещанные подарки, и началось лето. Оно было потрясающим. Старый лагерь, изученный до мельчайших подробностей, казался незнакомым. Плакучие березы и ивы, склонившиеся над заросшим ряской маленьким прудиком, так светло и чисто грустили, что щемило сердце, вечернее пение лягушек было нежным и немного печальным, и ничуть не хуже, чем пение соловья. Печально куковала кукушка, а ласточки, стремительно чертившие какие-то письмена на небе, наоборот, казались переполненными радостью. Утренняя роса была алмазной, полдень ласково делился солнцем, а закат тревожил и обещал что-то огромное и важное. В душе теснилось что-то непонятное, неясное, волнующее, переполнявшее ее, и, чтобы не расплескать это непонятное, она ходила осторожно и медленно. В это лето она перестала бегать в одних трусиках и даже на купание ходила в маечке. Нет, конечно, были и всякие шалости, проделки, война с «домашними», и это было здорово, но она с каким-то сладким замиранием все время ждала осени.

Когда Сергей анализировал свое отношение к Инге, он первым пунктом ставил тот факт, что его благотворительность по отношению к ребенку может когда-нибудь пойти ему в плюс. Во-вторых, он немножко чувствовал себя Пигмалионом, и это было приятно. Своего рода игра. В-третьих, ему нравилась девочка, и, если бы у него была дочь, то он хотел бы, чтобы она была именно такой. В-четвертых, все это делалось в какой-то мере в пику Наташе, пусть и тайно. Однако эта история не настолько захватила его, чтобы он рвался в интернат. К тому же так складывались дела, что в следующий раз он появился там только зимой, в начале декабря.

Инга вышла к нему какая-то чужая, потерянная, настороженная. Она выросла, и личико ее повзрослело. Сергей Владимирович стал расспрашивать о том, как прошло лето, где она была, что делала. Инга избегала смотреть в глаза и отвечала односложно.

— Инга, посмотри мне в глаза, — наконец сказал Сергей Владимирович. Инга подняла голову. — Что-то случилось?

Инга пошевелила губами, пытаясь что-то сказать, и потом заплакала.

— Да что случилось, фея? Скажи мне! Тебя кто-то обидел?

— Я... Я думала, что вы больше никогда не придете...

— Прости меня, малыш, прости... Я был так занят... Я и теперь занят, может быть, еще больше, но я обязательно буду приезжать. А ты бы взяла и позвонила мне. Я ведь давал тебе свой номер телефона. Ты потеряла?

Все еще плача, Инга отрицательно помотала головой и, всхлипывая, ответила:

— Так ведь ничего такого не случилось, чтобы вам звонить.

Первое чувство, которое при этом испытал Сергей, было раздражение: ну почему любая женщина, в каком бы возрасте и статусе она ни находилась, всегда пытается заполучить мужчину целиком? И тут же его захлестнула острая жалость и что-то еще, непонятное, тревожное и немного счастливое. Он не знал, что такое отцовские чувства, но подумал, что, наверное, между ним и девочкой установилось некое подобие именно такой связи, какая бывает между отцом и дочерью.

Перед Новым годом он заехал к Инге в интернат и спросил, что бы она хотела получить в подарок.

— А можно мне еще таких лоскутов, которые с фабрики?

— Господи боже ты мой! Ребенок, ты хочешь сказать, что тот мешок уже закончился? Или его у тебя растащили?

— И растащили тоже... Пойдемте, я вам покажу...

Она повела его в свою комнату и стала доставать из тумбочки одно за другим платья для своей куклы — маленькие произведения искусства. Сергей

Владимирович обладал отменным вкусом, и то, что он увидел, его просто изумило. А Инга начала пояснять:

— Вот в этих платьях она жила у бедных людей, когда была маленькая. Вот эти два подарил ей король. Это она сшила сама себе на бал...

— Подожди-подожди, не тараторь, какие бедные люди, какой король?

— А! Так вы же ничего не знаете! Я когда-то написала одну сказку.

— Вот как? Интересно!

— Да. И сейчас мне нужно сшить для нее новое платье.

— У нее будет какое-то важное событие? — спросил Сергей Владимирович, подразумевая свадьбу.

— Да. Но она еще об этом не знает.

— А ты мне когда-нибудь дашь прочитать свою сказку?

— Может быть, дам. Но вам, наверное, будет неинтересно.

— Почему?

— Вы ведь взрослый...

— Знаешь, когда люди окончательно взрослеют и становятся мудрыми, они перестают читать умные книги и берутся за сказки. Надеюсь, что я все-таки когда-нибудь до них снова дорасту.

— Куда вам еще расти? Вы и так высокий...

— Это я в смысле ума.

— А-а-а... А я в смысле ума прочитала все, что вы мне сказали.

— Да ты что? Вот молодец! Ну и как?

— Здорово! Мне очень понравилось! А представляете? Виталик читал вслед за мной! Все перечитал. Но ему больше всего «Фрегаты» понравились. Пришлось ему эту книгу подарить. Вы не обидитесь?

— Что ты, что ты! Если хочешь, я тебе такую же куплю.

— Нет, не надо. Я ее уже наизусть знаю. А если что забуду, он даст мне почитать.

— А знаешь что?

— Что?

— А давай с тобой вместе поедем в Дом ткани, и ты сама выберешь, что тебе нужно.

— Ух ты! Это было бы здорово!

Домой он приехал в хорошем настроении, с удовольствием поужинал и даже выпил немного вина. Он захмелел и, махнув рукой на бумаги, которые собирался почитать вечером, отправился спать. На грани сна и яви он увидел лицо Инги и подумал: «А фея, похоже, пишет сказку о нас...»

В ближайшую субботу Сергей сказал Наташе, что уезжает по делам и будет отсутствовать до вечера, а сам заехал за Ингой, и они отправились по магазинам.

Они ходили мимо развешанных тканей, Инга восхищенно гладила их руками и никак не могла ни на что решиться, потому что хотелось всего. На них оборачивались женщины: девочка была необыкновенно красива, но и папа был хорош. Наконец она выбрала несколько кусков, потом спросила, можно ли ей еще купить немножко кружев и тесьмы. И они пошли покупать тесьму и кружева.

— А ты вязать умеешь? — спросил Сергей Владимирович, увидев разноцветные мотки шерсти. Наташа все время что-то вязала, но он никогда не видел, чтобы она носила что-то из своих поделок.

— Нет. Вяжут только старушки. Вот когда я буду старушкой, научусь... может быть...

— Ну почему... Не только старушки. — Он хотел сказать о том, что Наташа хоть и не старушка, а тоже вяжет, но почему-то осекся.

После Дома ткани они зашли в большой книжный магазин. Сергей Владимирович показал ей зал с художественной литературой и сказал:

— Ты тут себе выбери все, что понравится, а я пока схожу на второй этаж, посмотрю специальную литературу.

— Научную?

— Научную. Ты выбирай и жди меня здесь, у кассы. — И он обратился к женщине, сидящей за кассой: — Если я вдруг задержусь, пусть эта девочка постоит возле вас, подождет меня.

Кассирша улыбнулась и кивнула.

— Ну, иди.

Сначала Инга совсем растерялась, но потом нашла детскую литературу и выбрала сказки о феях и гномах. Походила по рядам, посмотрела, как люди вытаскивают по одной книге, листают ее, что-то читают из середины и потом либо ставят книгу на место, либо берут с собой. Она с умным видом протянула руку, вытащила какую-то книгу наугад и открыла ее ближе к началу. Это были стихи Ахматовой. Вырванная из столбиков строчка ударила ее в самое сердце, и тут же она услышала над собой голос Сергея Владимировича:

— Что-то ты негусто набрала.

Инга испуганно захлопнула книгу.

— Что это? Дай посмотреть... А, Ахматова... Ты любишь стихи?

Инга кивнула головой.

— Тогда берем. Это хорошие стихи. Давай еще что-нибудь посмотрим.

Они еще какое-то время поболтались по отделу, он набрал кучу книг и ей, и себе, и они наконец вышли из духоты на морозный воздух.

— А давай в кафе? Есть хочешь?

Инга опять кивнула.

— Устала? Что-то ты сегодня неразговорчивая.

— Я? Нет, что вы! Я просто обалдела немножко. Я очень даже разговорчивая.

В кафе она не закрывала рта. Рассказывала про лагерь, про то, как они воевали с «домашними», как мазали ночью зубной пастой мальчишек, как ходили в поход, как Виталик подрался с одним жирдяем и чуть было не вылетел из лагеря. Он слушал ее, вспоминал свое рафинированное детство и жалел, что так и не успел попробовать этой столь желанной расхристанной свободы летних лагерей.

Когда они уже прощались у ворот интерната, Сергей Владимирович сказал:

— Слушай, я должен научить тебя правильно есть. В следующий раз мы пойдем в ресторан и ты будешь учиться пользоваться столовыми приборами.

Инга обиделась:

— Значит, пока я вам все рассказывала, вы сидели и смотрели, как я неправильно ем...

— Нет, я сидел и думал, что ты заслуживаешь большего. Не обижайся. Я никудышный педагог, и Макаренко из меня никогда не получится. Но побуждения у меня самые лучшие.

Еще до Нового года они побывали в ресторане, и

он учил ее, какие ножи и вилки для чего, как ими пользоваться, что делать с салфеткой.

— Зря все это, все равно у нас в столовой нет ни таких вилочек, ни ножей. Я забуду.

— Не забудешь. Мы будем практиковаться время от времени.

— Ну, не знаю. Если мы вот так будем практиковаться, как сегодня, я скоро в дверь не пролезу.

— Пролезешь. Я вызову охранников, и они тебя протолкнут.

Инга расхохоталась.

— А почему не вы?

— А патамушта я не смогу встать со стула из-за обжорства....

— Может быть, тогда ну их, эти ножи-вилки...

— Нет, не ну их.

— Что же, по-вашему: лучше быть толстой и уметь пользоваться ими, чем худой и не уметь?

— Если бы их не было, мы бы съели еще больше.

Дома она открыла еще раз томик Ахматовой, нашла нужную страницу и прочитала:

> Слава тебе, безысходная боль!
> Умер вчера сероглазый король...

Сердце опять тоскливо сжалось. «А вдруг он умрет? Он же может попасть под машину, в аварию, или его кто-нибудь убьет... Как тогда жить?»

> Дочку мою я сейчас разбужу,
> В серые глазки ее погляжу.

«Значит, дочка была сероглазого короля... У них была дочка... У моей дочки будут серые глаза...» — уже засыпая, думала Инга.

МЕСТЬ

Чем ближе Сергей был к своей цели, тем меньше у него оставалось свободного времени. Иногда случалось так, что день с раннего утра и до позднего вечера был расписан по минутам. Но ему нравилась такая жизнь, и жалел он только о том, что не может раздваиваться или даже растраиваться, чтобы иметь возможность все делать самому. Сергей никому не доверял: «если хочешь, чтобы все было сделано хорошо, делай сам». Но так не получалось. А посему его наипервейшей задачей был правильный подбор кадров, и уж это он не доверял никому. В результате в его распоряжении оказалась мобильная боевая команда прекрасных специалистов, и те влиятельные лица, которые в свое время поставили именно на него, очень скоро поняли, что сделали исключительно правильный выбор. Кроме того, он умел просчитывать любую ситуацию на несколько ходов вперед и принимать более чем нестандартные решения. Он был в курсе не только того, что творилось в мире, но и что собирается иметь место в ближайшем и не совсем ближайшем будущем. Память позволяла держать в голове кучу, казалось бы, ненужных сведений, которые постоянно перетасовывались и в нужный момент выдавали некую целостную картину, позволявшую делать выводы и на их основании строить планы. Это было сродни шахматам, а в шахматы он практически никогда не проигрывал.

Но какой-то невидимый учетчик отщелкивал на счетах дни, недели, месяцы, мимо незамеченными проходили январские солнечные деньки, февральские метели, апрельские капели, майские ландыши... Вот и эта весна, не успев начаться, стремительно летела к концу, и Сергей ждал лета, когда у него

должны были образоваться две абсолютно свободные недели. За все это время, начиная с Нового года, они виделись с Ингой не очень-то часто. Но она
была удивительной девочкой: никогда не ныла, не
давала понять навязчивым бурным проявлением радости или не менее навязчивой молчаливой укориз-
ной, что он редко приходит. Она вела себя так, как
будто они расстались только вчера, словно понимала, как ему приходится тяжело, как трудно выкраи-
вать время и как раздражающе некстати были бы
излишние проявления эмоций.

Сергей, не имея ни сил, ни времени анализиро-
вать свои чувства, полагал, что привязался к Инге.
Он скучал по ней, часто думал о ней, но тем не менее каждый раз, когда собирался в интернат, им ов-
ладевало сомнение, какое-то ощущение подвоха или
допущенной где-то ошибки, и, как ни странно, он
никак не мог вычленить, где, когда и что пошло не
так. Постановив однажды для себя, что вся проблема в Наташе, он решил больше не задаваться вопро-
сами и получать удовольствие от общения с ребенком, но все равно слабый импульс тревоги никуда
не девался.

А Наташа очень изменилась. Она стала одеваться строже, изысканней, сократила до минимума макияж, больше не позволяла себе вольностей с прической... Даже говорить стала как-то по-другому,
медленно, веско, слегка иронично. Может быть, так
было правильней с точки зрения имиджа жены по-
литика, но все это ее старило еще больше, и уже не
было в ней ни шарма, ни изюминки, и от общения с
ней оставалось ощущение длинной серой полосы
потраченного зря времени. Больше не было вспле-
сков эмоций, откуда-то взялись дежурные фразы

«Да, дорогой», «Конечно, дорогой», с лица не сходила милая улыбка, которая, тем не менее, никак не утрачивала некоторой доли напряжения и неискренности, фальши.

Охлаждение к Сергею было очевидным, однако он считал, что нелепые сантименты в ее возрасте выглядели бы глупо. И он не мог даже допустить мысли, что в глубине ее души постоянно шла нехорошая, темная работа и что накопившиеся в результате этой работы злые силы когда-нибудь потребуют выхода наружу.

Наташа же тайно и очень внимательно следила за тем, что происходит с мужем. Время от времени она тщательно просматривала его органайзер, записную книжку, содержимое кейса и карманов. Поводом для размышлений служили новые фамилии, телефонные номера, письма, факсы. Она чувствовала, нет, она знала, что рано или поздно в результате своих расследований наткнется на нечто, на улику, которая даст ей в руки оружие, и тогда она сможет ответно унизить его, растоптать. Ей хотелось, чтобы он тоже прошел через тот ад, через который когда-то заставил пройти ее, любящую, верную, самоотверженную, никак не заслужившую такой боли от самого близкого ей человека. Она терпеливо ждала момента, не разменивалась на мелочи, и была уверена, что, когда найдет, эта улика сама укажет ей самое больное его место и подскажет, как бить.

Две свободные недели, выпавшие в августе, они провели в Турции, в режиме «dolce farniente». Единственное, чем утруждал себя Сережа, был просмотр новостей по ОРТ, единственной русской программе, и чтение англоязычных газет. Сама же Наташа купалась, загорала, моталась по экскурсиям и исподволь наблюдала за парами, решая несложный ребус их взаимоотношений. Она похудела, загорела, а Сергей смотрел на нее и думал о том, что и то, и другое ее старит, но ничего не говорил. Он тоже научился делать улыбки, которые могли провести кого угодно, но только не Наташу. Ему было скучно, жена раздражала, мысль об оставленных незавершенных делах тяготила, и почему-то безумно хотелось серого московского дождичка.

Выбрав день, когда Наташа была на очередной экскурсии, Сергей прошелся по местным магазинчикам и лавкам в поисках подарка для Инги. Ему хотелось привезти ей что-нибудь очень турецкое, интересное, необычное, но вместе с тем такое, чтобы не занимало много места и могло бы притаиться где-нибудь между его рабочими бумагами. «Что же? Какой-нибудь маленький сувенирчик она потеряет или его украдут. Украшение — нехорошо, нельзя, рано... Да и тоже украдут».

Однако уже в третьей лавке он увидел то, что могло принадлежать только фее: странного покроя платье было сшито из тончайшего материала, видимо, как раз из тех, что пропускали сквозь кольцо сказочные купцы. Все в фантастических разводах от темно-синего, почти черного, до самого светлого, какой только может быть. Вроде бы визуально оно должно было подойти девочке по размеру, но цена была запредельной, и он, неодобрительно покачав головой, пошел к выходу. Хозяин равнодушно отвернулся. И только когда Сергей уже вышел на улицу и пошел дальше, тот окликнул его из дверей. Сергей вернулся, и они принялись торговаться. Наконец ударили по рукам, хозяин, показав платье

Сергею с обеих сторон, достал откуда-то из-под прилавка небольшой бумажный пакет, бережно уложил в него покупку, предварительно сложив ее и подложив внутрь картонку. Затем он ловко заклеил с двух сторон пакет скотчем и передал его Сергею.

В номере Сергей вложил пакет в сложенную вчетверо газету, на которой вчера делал пометки и которую намеревался забрать домой, в Москву. Газету он положил в бумаги, ребром вверх, и оставил кейс на столе открытым нараспашку, как бы приглашающим убедиться, что он не содержит ничего крамольного. Вернувшаяся с экскурсии Наташа сама закрыла его и убрала со стола.

В сентябре начались более чем серьезные дела, для которых у Сергея давно уже были сделаны основательные заготовки. Он настолько замотался, что, когда наконец выбрался к Инге, забыл взять подарок с собой. Он сказал, что кое-что привез ей из Турции, но забыл дома. Инга долго пытала его, но он только посмеивался.

— Наберись терпения. Мне кажется, тебе должно понравиться.

— Ну, не знаю... Я разлюбила сладкое.

— Это не сладкое, — смеялся он.

— Тем более, кислое и соленое я тоже не люблю.

— Это не кислое и не соленое.

— Значит, горькое.

— Да. Горькое. Лекарство такое. От любопытства. А то у тебя нос совсем длинный стал.

— Это нечестно.

— Еще как честно.

— Ничего он не длинный. Нос как нос.

А в это время, по извечному стечению обстоятельств, Наташа, терзаемая мучительными подозрениями и ревностью, решила проверить карманы его бесконечных пиджаков, плащей и курток на разные сезоны и наткнулась-таки на затрепанный и затертый чек из Дома ткани, на котором, тем не менее, можно было разглядеть и дату, и сумму. Чек привел ее в бешенство. Сомнений быть не могло: Сергей покупал там что-то для женщины, а может быть, и вместе с ней. Она, решительно пройдя в его кабинет, стала методично просматривать бумаги и в нижнем ящике письменного стола обнаружила странный, запечатанный скотчем пакет. На ощупь она определила, что там материя. Она заприметила, между какими документами он лежал и как лежал, достала его и понесла на кухню.

Скотч, который Наташа нашла в ящике с инструментами, был немного шире, но его можно было обрезать до нужной величины. Она приготовила ножнички, аккуратно вскрыла пакет, извлекла содержимое, и фантастическая ткань заструилась по ее рукам. Она взяла платье за плечики, встряхнула и оглядела со всех сторон. Жалкая спасительная мыслишка, что, возможно, это заранее заготовленный подарок для нее, в ту же секунду была сметена пониманием: подарок предназначался для другой женщины, молоденькой, худенькой, небольшого роста. Муж его прятал. Он ее обманывает.

Наташа скомкала платье, постояла секунду, оглядывая кабинет, и начала яростно вытирать им пыль на столе, с книжных шкафов, наклонилась и прошлась им под диваном и креслами. Потом она пошла на кухню, обильно смочила указательный палец растительным маслом и посадила пятно на самое видное место чуть пониже выреза. И еще раз смочила и посадила еще одно, рядом. Затем она понесла его в ванную комнату, помазала подмышки шариковым дезодорантом, а на грудь брызнула духи. Потом она подумала, недобро усмехнулась, макнула руку в остывающий кисель и обильно смочила платье сзади, пониже спины. Только после этого она кое-как сложила его, подложила картонку и засунула в пакет. Отрезала нужные кусочки скотча, запечатала пакет и положила его туда, откуда взяла.

Наташе хотелось плакать, орать, выть, но горло перехватило, а глаза были сухими. Руки тряслись, сердце бухало. Она стала искать корвалол, но никак не могла идентифицировать его среди пузырьков в аптечке. Тогда она открыла бар, щедро налила себе мартини и выпила все одним махом. Медленно ее стало отпускать. Она налила еще и стала думать о том, что же ей теперь делать. Правильнее всего было бы собрать чемодан и уйти к маме. Она так четко представила себе, как возвращается в свой рабочий район побитой собачонкой, как идет по опустевшим грязным дворам, подходит к облезлой пятиэтажке и открывает дверь провонявшего кошачьей мочой подъезда, что ей стало страшно, но не от той картины, которую она себе нарисовала, а оттого, что это вполне может случиться, если Сергей соберется с ней разводиться. «Господи! За что? Что я такого сделала, что мне вот так обломилось?» Наташа выпила еще, потом еще...

Обнаружив жену спящей в одежде, Сергей потянул носом и понял, что она напилась. Пробормотав: «Только этого мне еще не хватало», он тихонько взял подушку, одеяло, достал комплект чистого белья и ушел в кабинет.

На другой день Наташа проснулась поздно. Она кое-как встала и поплелась в душ. Горячая вода помогла ей прийти в себя. Хотела сварить кофе, но банка оказалась пустой. Без кофе не имело смысла что-либо начинать делать. Она оделась, слегка привела себя в порядок и, еле передвигая ноги, пошла в магазин. Стояло роскошное бабье лето, было тепло, сияло солнце, в цветниках буйствовали бархатцы, астры, поодаль краснели клены, на чистом синем фоне неба в ласковых потоках ветерка плыли золотые ветви плакучих берез. В этой осени не было ничего грустного или отталкивающего. «Жизнь еще не кончена. Я еще повоюю, — решила она. — Какие мои годы... Татьяна права, для начала мне надо немного поправиться. Уберутся морщинки. Сменю гардероб. Парикмахера тоже сменю. И массажистку. Ее тоже к черту. И заведу себе любовника. Нет, не заведу. Нет, заведу, но не сейчас. Чуть-чуть позже. Да, чуть-чуть позже. Но его не прощу. Я его никогда не прощу».

После чашечки кофе пустота в груди перешла в приятную легкость, а мысли обрели четкость. Она зашла в кабинет мужа, выдвинула нижний ящик — пакет лежал на месте. Она вернулась на кухню, заварила еще кофе и стала размышлять. «Страсть уходит быстро. Ну, год, максимум полтора... Новизна стирается. А вот привычки вырабатываются годами, и с ними не так-то просто расстаться. Потом, ведь нужно еще притереться друг к другу... А она молодая... судя по платью... Черт!» Только сейчас до нее дошло, что платье было очень маленького размера. «Неужели она... — ахнула Наташа. — Но ведь она же ребенок! Сколько ей сейчас? Так... Тогда ей было десять, значит, сейчас... сейчас ей лет... будет... двенадцать с чем-то или тринадцать... Господи, как глупо все... Не может же он питать к ней что-то... Дура я, надо было с самого начала вытащить из него правду. Значит, он к ней ходит, водит ее куда-то, делает подарки, а мне говорит, что работа... Ребенок... Да нет, она не ребенок. Тринадцать лет... Грудь, месячные... Сейчас в тринадцать девки рожают... шлюшки скороспелые... Я же не знаю, как она теперь выглядит. Выросла, наверное... Новый Гумберт выискался... Так, спокойно. Пусть дарит ей это чертово платье. Пусть. Представляю, что с ней будет. Губа не дура, однако!»

ПОДАРОК

Инга несла пакет в комнату. Рядом с ней, напевая и пританцовывая, шла Гуля. Лена, Лариска и Юля заговорщицки переглянулись, встали с дивана и медленно двинулись за ними следом. По пути к ним присоединились еще две девочки — две Оли. Они вошли в комнату как раз в тот момент, когда Инга вынимала из пакета платье.

— Ух ты, какая же красота! — выдохнула Гуля. — Прямо какое-то волшебное платье. Будешь примерять?

— А то! — Инга бережно положила его на кровать и начала стаскивать с себя свитер.

В это время Лена независимой походочкой подошла к кровати, оттерла плечом Гулю, взяла платье в руки и стала его жадно рассматривать.

— Положь на место, — грубо сказала ей Гуля. — Испачкаешь еще своими грязными руками.

Злому торжеству Ленки не было границ. Она уже раскрыла рот, чтобы что-то сказать, но спохватилась, усмехнулась и протянула Инге платье:

— На, примерь.

Инга надела платье — и все ахнули: она была похожа на сказочную принцессу, на фею, и в нем она уже не выглядела ребенком, но прекрасной девушкой. Повисло молчание, которое неожиданно нарушило мерзкое хихиканье Ленки:

— Вот это подарочек! На тебе, боже, что нам негоже.

— Что ты болтаешь, дура! — вступилась опять Гуля.

— А ты посмотри сама, идиотка! Оно же ношеное-переношеное! Смотри, какое оно все грязное! — И она принялась вертеть Ингу. — Вот на груди два пятна масляных. Та-а-ак... — Она потянула носом. — Духами пахнет. Та-а-ак, — она подняла Инге руки, — подмышки с дезодорантом, вишь, аж замаслились. Ой, а чегой-то у нас такое интересненькое сзади? Что же это за пятно такое тут засохло? — Она приподняла сзади подол и показала девчонкам засохшее пятно. Ленка знала, о чем говорит: этим летом у нее был «настоящий роман» с одним вожатым, и для нее подобного вида пятно на таком месте могло иметь только одно происхождение — секс.

Раздавленная, опозоренная, уничтоженная, Инга стала молча стаскивать с себя платье. Она уже увидела и масляные пятна, и грязь, и уже поняла, что оно пахнет духами, но все еще не могла поверить в этот ужас.

— Слушай, Ингусь, а твой папик, видать, еще ничего... могет...

Девчонки загоготали. Инга повернула к ней измученное лицо и хрипло спросила:

— Какой папик? Что могет?

— Ой-ой-ой! Только не надо строить из себя целку! А то мы не знаем, зачем ты к нему в машину все время шастаешь. Уж наверное, ты подарки получаешь не за то, что вы там просто обжимаетесь.

Инга размахнулась и влепила Ленке тяжелую пощечину. Ленка на секунду опешила, а потом бросилась на Ингу. Ее бросилась оттаскивать Гуля, но тут на Гулю налетели остальные девчонки. Драка была яростной, жестокой, «женской», и когда остальные поняли, что дело зашло слишком далеко, побежали звать на подмогу воспитателей.

Болела голова и сломанная рука, нижняя губа была разбита, левый глаз заплыл совсем, а правый открывался только до щелочки. Но все это ничего не значило по сравнению с леденящим ужасом унижения. Теперь Инга точно знала, где расположена душа — где-то в районе грудной клетки, только чуть левее, — и как она болит, и что лекарства от этой боли не существует. И мучения, которые доставлял ей все детство Зверь, показались смешными и ничтожными по сравнению с этой болью. А сам он, упиваясь новыми ощущениями, как корни, тянул свои щупальца туда, где так болело, и осваивал новое пространство. «Что же ты молчишь? — обращалась к нему Инга. — Скажи что-нибудь! Научи меня, что делать!» «Научу, — обещал он, — я тебя научу. Только подожди немного»...

Гуля, лежавшая с ней в изоляторе, пыталась растормошить подругу:

— Слушай, все равно мы им классно врезали! Конечно, их было пятеро против нас двух, но им тоже нехило досталось! Кажись, я Ленке ухо откусила.

Инга молчала.

— Вот нас выпустят отсюда, мы им еще покажем. Ты придумаешь, как им отомстить. Придумаешь?

Ответа не последовало.

— Ну что ты молчишь, как истукан? А то я подумаю, что ты умом тронулась. И нечего тут переживать. Знаешь, что я на самом деле думаю? Это Она все подстроила.

— Ты правда так думаешь? — слабо отреагировала Инга. Кто такая «Она», было понятно и так: обе имели в виду Наталью Сергеевну.

— Больше некому. И знаешь, что я тебе еще скажу? — Гуля сделала паузу, чтобы дождаться ответной реакции Инги.

— Что?

— Она приревновала, вот что.

— Как это — приревновала? Они же хотели меня удочерить...

— Ну ты с Луны упала! Может, сначала и хотели, а потом расхотели, потому что она приревновала.

У Инги затеплилась слабая надежда, и боль как будто бы чуть-чуть отпустила.

— Вот увидишь, — продолжала Гуля, — когда он обо всем узнает, он ей даст просраться. Мало не покажется.

— Я ему ничего не скажу. — Инга с трудом села на постели.

— Ты точно больная. В психушку пора. Как раз ему надо все рассказать.

Гуля тоже села, и они принялись вполголоса спорить, надо или не надо ему все рассказать, но так и не пришли к согласию.

А ночью Зверь сказал:

— Король должен обо всем узнать.

Когда Сергей наконец выбрал время заскочить в интернат, о побоях свидетельствовал лишь правый глаз, никак не хотевший открываться до конца, и гипс на руке. Увидев его в щёлочку двери, Инга, прихватив приготовленный пакет с платьем, стремительно выскочила из комнаты, подхватила его за рукав и поволокла на пятый этаж, где был только актовый зал и куда без надобности никто не ходил.

— Господи! Что это? Что с тобой случилось?

— Сейчас... Сейчас я все расскажу.

Она вынула платье и, буквально дословно передавая слова девчонок, по ходу пересказа указывала на грязь и на пятна. Сергей похолодел: это могла сделать только Наташа.

— Дай сюда. — Он грубо вырвал из рук Инги платье, лихорадочно открыл кейс, запихнул его и захлопнул крышку. — Ладно, увидимся, — кинул он Инге и побежал по ступенькам вниз. Она бросилась за ним и крикнула ему вслед:

— Я знаю: ты больше никогда не придешь!

Топот затих — видимо, где-то в пролете Сергей остановился.

— Приду, не сомневайся!

И она услышала, как он побежал дальше, вниз.

* * *

Сергей лихорадочно шарил по карманам в поисках ключей, когда дверь открылась и на него чуть не наткнулась Наташа, выходящая с мусорным ведром. Он закрыл собой дверной проем и практически задвинул ее обратно в коридор.

— О господи! Как ты меня напугал!

Сергей, наступая, молча продолжал теснить ее из коридора в гостиную. Наташа, видимо принимая желаемое за действительное, почему-то решила, что он заигрывает с ней, изображая мачо, как это часто бывало в первые годы брака. Все еще держа мусорное ведро в руках, она, жеманясь, отступала.

— В твои годы пора хотя бы иногда думать о чем-нибудь другом кроме секса! — заорал Сергей, отталкивая ее и швыряя на стол кейс. — Что ты тут кривляешься передо мной, как обезьяна?! Видела бы ты хоть раз себя со стороны!

В первый момент Наташа опешила и растерялась. Она представила себе, как это могло выглядеть со стороны, и вспыхнула от стыда, и тут же накатила страшная обида, которую может нанести только правда. Она, наливаясь свинцовой тяжестью гнева, медленно поставила ведро на пол и уставилась на мужа. Ей хотелось сказать в ответ что-нибудь уничтожающе-злое, поставить его на место раз и навсегда, растоптать и унизить, но в голове вертелся только обрывок фразы «как обезьяна», и она никак не могла от него избавиться, а другие слова не приходили. Сергей между тем открыл кейс, достал оттуда платье и швырнул им в Наташу. Она инстинктивно поймала его и так и осталась стоять, прижимая платье к груди.

— Только не говори мне, что это не твоя работа!

До Наташи наконец дошло, в чем, собственно говоря, дело, а к этому разговору она была готова.

— Я так понимаю, твоя дама сердца осталась подарком недовольна? — прищурив глаза, спросила она. — И ты, который нагло врал все это время, смеешь мне что-то выговаривать?

— Что ты несешь? Какая дама сердца? Что я тебе нагло врал?

— То есть ты хочешь сказать, что этот предмет

женского туалета был куплен исключительно в хозяйственных целях — машину мыть, стекла протирать... Собственно, видимо, для этих же целей были сделаны закупки и в Доме ткани.

— О-о-о, дорогая моя, так ты, выходит, роешься у меня в карманах. Какая пошлятина... Жена, роющаяся в карманах у мужа... Впрочем, я забыл: опыт шмона у тебя есть...

— Не смей так со мной разговаривать, я тебе не твоя дешевая шлюшка! — И Наташа потрясла платьем перед лицом мужа.

— Я всегда знал, что ты эгоистична, не очень умна и в своих рассуждениях можешь плясать только от печки, то есть от себя. Но не предполагал, что настолько. Ты что, не видишь, что платье детское?!

— Нет, дорогой мой, не вижу. Это платье для маленькой женщины. Девочкам такие сексуальные вещи не покупают. — И она швырнула платье Сергею, и теперь он инстинктивно поймал его.

— Ты хоть соображаешь, что говоришь? Ей всего двенадцать лет!

— А-а-а-а, так это для этой маленькой дряни Инги... Значит, все это время ты ездил к ней, а от меня скрывал...

— Не смей так говорить о ребенке!

— И где же вы с ней проводили время? В кафе? В ресторанах? Ты водил ее по магазинам? Ты хоть понимаешь, что ты делаешь, идиот несчастный?! Я нисколько не удивлюсь, если завтра в криминальной хронике покажут, как тебя арестовывают за педофилию! Кто мне все это время зудел о «пристальном недоброжелательном внимании»?! — Почувствовав некоторую растерянность мужа, Наташа воодушевилась. — А если бы меня спросили репортеры, как я отношусь к тому, что мой муж бывает в ресторанах с малолеткой? Да, может быть, на тебя уже лежит у кого-нибудь целое досье с фотографиями!

Так вот в чем была его ошибка, которую он все время чувствовал, но от которой отмахивался... Действительно, какой же он дурак, какой же идиот! Так оплошать накануне выборов, так облажаться! Зачем ему вообще понадобилось ввязываться в эту историю? Как он докажет, что их отношения с Ингой были чистыми, безвинными, если даже ее одноклассницы приплели то, чего и в мыслях у него не было? И эта безмозглая курица, его жена, права: очень может быть, что у конкурентов собрана папочка. Скорее всего, что собрана. И дело его теперь провальное, и столько усилий было потрачено напрасно...

Наташа по обескураженному лицу мужа поняла, что попала в самую точку, и восторжествовала:

— И вытащить тебя из этой задницы смогу только я, если скажу, что в курсе всего и что мы собираемся ее удочерить!

Сергей исподлобья посмотрел на жену и устало сказал:

— Знаешь, я столько дерьма нахлебался за это время, я общался с такой мразью, но до такой грязи, — и он ткнул ей в лицо засохшее пятно киселя, — еще ни одна сволочь не додумалась. И я от тебя ничего не приму. Если надо, удочерю ее сам. Без тебя.

— Скажите пожалуйста, новый Гумберт! Ну-ну.

— А может быть, и Гумберт. Подожду еще годика три и женюсь на ней. Время у меня еще есть, — ответил ударом на удар Сергей и с удовлетворением увидел, как жалко сморщилось ее лицо.

Первые дни после ссоры с женой Сергей ожидал, что вот-вот разразится ужасный скандал, но ничего не происходило, и через какое-то время он успокоился. Наташа от него не ушла, вела себя как ни в чем не бывало, как будто не было этого ужасного разговора. Жернов политической карьеры вращался, набирая обороты, и теперь казалось, что в природе не существует силы, способной его остановить. Он прошел на выборах, и началась совершенно другая жизнь, в которой Инге не нашлось больше места, как, впрочем, и спонсорству, уже сыгравшему свою положительную роль в его карьере.

Инга ждала Сергея сначала до лета, расставляя вехи праздников и ожидая, что уж на Новый год, или на Восьмое марта, или на майские праздники, или на день ее рождения он обязательно придет. Потом ждала еще год. Потом еще год она ждала уже не его, а скорее чуда. А потом поняла две вещи: что короли умирают мучительно и долго и что чудес не бывает.

ВОЗВРАЩЕНИЕ В ЖИЗНЬ

Притормозив у ворот, Левчик вышел из машины и полез в карман брюк за ключами. Не спеша достал их, распахнул ворота и, прежде чем сесть обратно в машину, оглядел участок. Сюда бы кирпичный забор... Или нет. Чугунные витиеватые решетки, вставленные в кирпичные столбики. Кирпич светло-светло-бежевый, и фундамент высокий... Около берез отличное место для барбекю... Выложить плиткой... Нет, поднять уровень земли повыше и только потом выложить... Дом бы он отделал серым, под камень.

Белые рамы, темно-серая, почти черная черепица на крыше... Сколько раз эти мысли приятно и неприятно роились у него в голове... Он любил это место, этот дом в стиле ретро, окруженный старыми огромными деревьями... И он бы сделал из этого участка сказку, если бы участок принадлежал ему. Но он принадлежал Людмиле, и, стало быть, вкладываться в него не имело смысла.

Года два после трагедии Левчик тайно лелеял слабую надежду, что жена сойдет с ума или покончит с собой от горя, но ни того, ни другого не произошло. Бывали у нее жуткие срывы, особенно после того, как они первый раз после гибели Гоши летали в Грузию на его могилку. Помнится, они никак не могли найти эту чертову родню. Соседи говорили разное: кто — что они уехали в Англию насовсем, а кто — что они уже месяц как отдыхают на Кипре. Хорошо Левчик помнил название села, где похоронили мальчика. Могилка, как и обещал Леван Арчилович, была ухожена, стоял хороший памятник, чуть ли не из малахита...

Там, в Грузии, жена была какая-то странная, почти не плакала, а только все о чем-то думала, думала... А вот когда вернулись домой, началось...

Если говорить честно, он бы давно ушел от нее, если бы не некоторые обстоятельства. Как показала жизнь, тот расчет, из-за которого он на ней женился, имел несколько мелких огрехов, со временем разросшихся до больших проблем. Людмила оказалась неглупой, хваткой, предприимчивой и достаточно волевой. И живучей. Конечно, эти трагические события ее здорово подкосили, и она долго выходила из своего несчастья. Левчик, пользуясь тем, что жена забросила дела, начал потихонечку отщипывать от их общего пирога и делать для себя заначку. Периодически он оказывал мелкие, но хорошо оплачиваемые услуги местному криминалу, химичил с бухгалтерией и складывал деньги на свой тайный счет.

Однако не всегда все получалось гладко. Отошел от дел его сосед и компаньон, все эти годы обеспечивавший его крышей. Он продал Левчику свою долю в деле, вышел на пенсию и уехал с семьей на Волгу. Чем он там занимался, как распорядился деньгами, на что жил, — Левчик не знал, но догадывался, что бывший гаишник и там не бездействовал и не бедствовал.

Сначала налаженные связи кое-как работали, а потом стали пробуксовывать. Пошла полоса мелких неприятностей, его пару раз «кинули» и один раз подставили по-крупному. Чтобы не потерять бизнес, он занял у знакомого, связанного с мелкой криминальной группировкой, деньги под проценты, но вовремя отдать не смог. Его поставили на счетчик и пригрозили сделать из него асфальтовую заплатку на Рублевке. Левчик, опасаясь за свою жизнь, решил перевести стрелки и не придумал ничего лучше, как переоформить обе точки автосервиса на Людмилу, а самому на время скрыться. Людмила, ни о чем не спрашивая, подписала необходимые документы, и он отправил ее к родителям, в Труново. Она не сопротивлялась. Надо — значит надо. Сам же он, отпустив штат сотрудников в долгосрочный отпуск и закрыв точки, раздобыл себе фальшивые документы, снял квартиру в Подольске и затаился. Но и тут ему страшно повезло: один из должников его кредитора, чтобы не отдавать большой долг, заплатил какому-то алкашу тысячу долларов, и тот долбанул этого кредитора стальной трубой по голове. Убийство попало в телевизионные криминальные хроники, и Левчик вышел из своего добровольного заточения на свободу. Он вызвал из отпуска сотрудников и, теперь уже свободный от долгов, с удвоенной энергией занялся делами. Возвращать Людмилу он не торопился.

В напрасном ожидании сигнала от Левы, что все утряслось, Людмила прожила в своем Трунове около четырех месяцев. Из дома она практически не выходила. В родном селе было ненавистно все: скудная природа, убогость домов и их обитателей, ритм жизни, запахи, звуки... Ненавистны были соседское любопытство, зависть, ханжество... Очень быстро от мысли осесть здесь навсегда не осталось и следа. Она чувствовала себя Антеем наоборот: от соприкосновения с родимой землей тошнило, а сердце переполняла злоба. Но, как ни странно, именно это придавало ей силы, заставляло многое пересмотреть и расставляло все на свои места. Она поняла, что жить прошлым глупо, даже если оно было самым распрекрасным. И дважды глупо жить плохими воспоминаниями. Что было, то прошло, и если надо будет начинать все сначала тридцать три раза, значит, она будет столько раз начинать все сначала. Где-то там, далеко, кипела правильная настоящая жизнь, в которой имелось место и для нее. И однажды она решила, что больше ни на секунду не останется гнить в этом болоте, а посему, не дожидаясь вызова от Левы, собрала вещички и отбыла из отчего дома с ближайшим рейсовым автобусом до райцентра, а уже оттуда поездом до Москвы.

Левчик, давным-давно уладивший все неприятные дела, расположился жить один и в свое удовольствие. Приезд жены привел его в ужас, но делать было нечего, пришлось смириться с тем, что вольной жизни наступил конец. Вот только он никак не ожидал, что конец этот будет таким жестоким.

Переписывать документы опять на мужа Людмила не стала. Прежде всего, она поехала в офис и теперь уже как хозяйка провела ревизию всем и всему, уволила секретаршу, которая позволила себе насмешливо оглядеть ее костюм, и заявила обескураженному Левчику:

— Отныне я собираюсь участвовать в делах наравне с тобой.

— Люда, но ты же ничего в этом не понимаешь! Ты просто-напросто загубишь дело!

— Здесь большого ума не надо. Ты не забыл, что когда-то мы начинали вместе? Ничего, справлюсь. Я не собираюсь унижать тебя перед служащими. Ты будешь по-прежнему заниматься тем, чем занимался до сих пор, но ни одно решение больше не будет принято без меня.

— Ты меня уже унизила!

— Это чем же?

— Тем, что уволила эту девочку!

— Она — твоя любовница?

— Ну что ты порешь чушь?! Почему сразу «любовница»? Просто нельзя так с людьми... Ну за что ты ее уволила?

— За непочтительное отношение к моему костюму.

— Да сменила бы костюм, и все дела! Зачем же надо было ее увольнять-то?

— Костюм я сменю, не сомневайся. Но вошь должна помнить, что она — вошь, и вести себя соответственно. Кстати, о смене гардероба... Какая у нас наличность в доме?

Левчик засуетился, полез в портмоне, но Людмила остановила его:

— Я имела в виду сейф, Лева. Дай мне ключи. — И, видя его заминку, протянула руку и стальным голосом повторила: — Дай мне ключи.

Ключи Лева дал и поплелся за ней в кабинет. Людмила открыла сейф, выгребла из него все папки, отдельные документы, пачки долларов и для начала принялась их пересчитывать.

— Откуда эти деньги и почему они хранятся дома?

— Я собирался поменять машину, — отчитывался Левчик, как мальчишка. — На днях приходит партия новых джипов... Эту пора уже менять...

— Хорошо. Джип, значит. Пусть будет джип. Но эту продавать не надо. На ней буду ездить я.

— Но у тебя же нет прав!

— Я их получу. Так. С бумагами я разберусь попозже. Это я беру себе, — и она отложила половину денег, — а это — тебе, на джип.

— Но, Люда, этого не хватит.

— Добавишь. Уверена, у тебя есть из чего добавить. Завтра отвезешь меня в Москву.

Левчик не понимал, откуда в его жене такие неожиданные перемены. Он надеялся, что она так и останется пребывать в своем тихом болотце несчастий и воспоминаний. Ему и в голову не приходило, какую огромную очередную ошибку он совершил, обманом удерживая ее в Трунове. Вызови он ее обратно сразу же, как только неприятности рассосались, она вернулась бы той же тихой и покорной, какой уезжала. Но соблазн был слишком велик, и теперь последствия его просчета били по самым больным местам — по жадности, самолюбию и склонности к холостяцкому образу жизни. И стал он мечтать, фантазировать о несчастном случае, о смертельной болезни и даже прикидывать, к кому можно сунуться, чтобы по дешевке нанять киллера. А то и самому придумать что-нибудь такое... Стал покупать в неимоверных количествах детективы, чтобы найти в них идеальный способ убийства, и даже нашел несколько подходящих. Но Левчик был трусоват, и мечты оставались мечтами. О разводе не могло быть и речи, потому что тогда пришлось бы делиться, а он хотел, чтобы весь бизнес принадлежал ему. И, желательно, дача. И Людмилина квартира. Кроме того, где-то у Людмилы лежали эти проклятые ксерокопии произведений ее мужа, так что дергаться по поводу развода было бессмысленно.

Людмила же по этому поводу испытывала двойственные чувства. С одной стороны, она тоже мечтала освободиться от Левчика и даже прикидывала, не споить ли своего мужа, или, может быть, сдать по-тихому тому старичку-эксперту. А с другой стороны, статус замужней благополучной женщины был для нее по-прежнему значим. Она была твердо убеждена, что менять существующее положение вещей можно только на лучшее, а кандидатуры лучше Левчика, при всех его недостатках, пока не имелось. Но главное, делить бизнес она тоже не хотела. Ей он тоже был нужен целиком.

Как-то так получилось, что Людмила взяла в свои руки точку на Рублевке, оставив Левчику вторую, в Одинцове. Левчик был страшно недоволен, так как все, что можно было выжать на свой личный счет из этого автосервиса, он уже выжал, но изменить ничего не мог. Хотя был в этом и положительный момент: теперь они не толклись целыми днями бок о бок и виделись только вечерами, за редким исключением, когда дела требовали их совместных усилий. Первое время Левчик все ждал, когда же у Людмилы все пойдет вкривь и вкось и она запросит пощады, но она вполне справлялась с бизнесом.

СОНЯ

Однажды Людмила засиделась допоздна на работе. Было уже темно. Два механика заканчивали срочный заказ. На Рублевке начиналась ночная жизнь, из окна было видно, как оживленно снуют в обоих направлениях машины. Ей безумно захотелось все бросить и поехать в какой-нибудь ресторан, или в казино, или в клуб, познакомиться с каким-нибудь стоящим мужиком, поехать к нему... Размышления оборвал визг тормозов, глухой удар и женский пьяный голос, матерящийся, однако, вполне по-мужски. Она вышла на улицу посмотреть, что случилось. На площадке стоял роскошный открытый «Бентли», в нем сидела молодая женщина, пьяная в дымину, и, икая и матерясь, пыталась объяснить подошедшим механикам, что мотор у нее периодически глохнет и что она отсюда никуда не уйдет, пока они не починят машину. Имелись ли в самом деле какие-то неполадки — было неважно. Понятно было одно: отпускать ее в таком виде просто преступно. Она в лучшем случае разобьется сама, а в худшем — кого-нибудь захватит с собой на тот свет.

Людмила быстро сообразила, что делать. Вернулась к себе в кабинет, спрятала бумаги, выключила свет и закрыла на ключ дверь. Спустилась вниз, пошепталась с механиками, и те после долгих уговоров вытащили женщину из машины, пересадили ее в Людмилину, на заднее сиденье. Рядом с ней села Людмила, а механик — за руль. Несколько минут они препирались, но все-таки выудили из нее адрес и через полчаса уже втаскивали ее в дом. Вдвоем они кое-как устроили ее на диване в холле, Людмила написала записку с адресом их мастерской и оставила ее на столе. Они вышли, захлопнули за собой дверь и уехали обратно.

На следующий день женщина приехала за своей машиной. Отпустив шофера, она прошла прямо в кабинет к Людмиле.

— Здрасьте, — сказала она и села на стул. — Я — Соня. Кажется, я вчера дала вам всем прикурить.

Людмила улыбнулась:

— Ничего. Партия еще и не такие удары удерживала.

— А вот партию не надо трогать, — очень серьезно сказала Соня. — Если бы не она, где бы я сейчас была и что бы кушала?

Людмиле вдруг стало легко и весело, и она ответила:

— Я так думаю, если бы ее не было, вы все равно были бы там, где надо, и кушали бы хорошо.

Соня внимательно оглядела ее и сказала:

— Да. Я бы все равно хорошо кушала. Я люблю хорошо и много покушать.

Теперь Людмила осмотрела Соню: та была чрезвычайно худа.

— А вы не смотрите, что я худая. Мой бешеный темперамент сжигает через минуту все, что я ем. —

И без перехода добавила: — Слушай, давай на «ты»? Тебя как зовут?

— Людмила.

— Сколько я тебе должна за вчерашнее?

— Да ничего ты мне не должна.

— Ах вот даже как... Хм... Хороший ход.

— Я тоже так думаю, — в тон ей ответила Людмила.

— Та-а-ак... А что же тогда? В чем корысть?

— Да ни в чем. Просто хочу втереться к тебе в доверие и увести мужа.

Соня хрипло расхохоталась.

— Ошибочка вышла. Мужа у меня, — она задумалась и потом продолжила, — уже семь месяцев как нет. Слушай, интересный ты человечек. А давай я в благодарность приглашу тебя в ресторан. Мы посидим, потрепимся, познакомимся поближе.

— А давай, — неожиданно для себя согласилась Людмила.

— Я за тобой завтра заеду. — Она встала и пошла к двери. — Чао. Жди меня.

Соня заехала за Людмилой в обеденный перерыв. Ворвавшись в кабинет, она скомандовала:

— Собирайся.

— А я готова. — Людмила взяла сумочку и пошла к выходу.

— Ты — крашеная блондинка. Да? — спросила Соня.

— С чего ты это взяла?

— Ты не посмотрелась в зеркало.

— Я — натуральная блондинка. А чего мне в него смотреться? Я всегда хороша.

— Даже по утрам?

— Даже по утрам.

— Муж тоже считает, что ты по утрам хороша?

— Да. Он меня любит до беспамятства.

— О! Вот оно как! А ты его?

— И я его.

Во время обеда в ресторане они попикировались, а потом Соня серьезно и грустно спросила:

— Люда, а муж твой тебя правда так любит?

— Правда, — ответила Людмила. Ей совсем не хотелось откровенничать с этой взбалмошной Соней.

— Вы давно вместе?

— Почти шесть лет.

Соня присвистнула.

— Не свисти, денег не будет.

— Деньги у меня будут всегда. Такая уж у меня планида — быть богатой. Меня сначала папочка обеспечил, а потом и муженьки. Завидуешь?

— Деньги — это хорошо. Но это еще не все.

— Ты так считаешь? А что к ним еще нужно? Муж?

— Муж, — твердо ответила Людмилка. — Любящий муж. Знаешь, у меня родители, простые деревенские работяги, прожили всю жизнь душа в душу, и мне, видимо, передали это умение сохранять семейный очаг.

Соня внимательно посмотрела Людмиле в глаза и призадумалась. Для нее это был больной вопрос. Мужья ее обеспечивали, но почему-то надолго у нее никто не задерживался. Отсутствие длительных отношений с мужчинами она компенсировала скандальными победами, срок упоения которыми с каждым разом становился все короче и короче, и поэтому она постоянно находилась в поисках нового вызова. А самой ей казалось, что она идет по жизни, сшибая на ходу головки самых крупных ромашек.

— Может быть, ты и права. Мне с мужьями не везло. А ты красивая.

— Ну, моей заслуги в этом нет, — ответила Людмила.

— А я вот — так себе.

— Да ладно тебе прибедняться...

— Я не прибедняюсь. Я реалистка. Некрасивая я. Но мужики липнут, как мухи на мед. Отбоя нет.

После ресторана они зашли в пару бутиков, остались недовольны ассортиментом и поехали на Рублевку. Соня высадила Людмилу у автосервиса и помахала ей рукой:

— Пока, подруга. Рада была познакомиться.

Людмила была уверена, что Соня больше не покажется, но ошиблась. Через день она приехала снова и потащила ее на какой-то показ мод.

Соня была странной, и отношения у них развивались странно. Получалось какое-то нелепое блюдо дружбы-вражды. Очень скоро эти отношения стали Людмилу тяготить. Дома ее изводил Левчик, и в автосервисе она уже не принадлежала самой себе, потому что в любую минуту могла неожиданно появиться Соня, и неважно, в каком настроении: и плохое, и хорошее было чрезмерным, и это было тяжело.

Однажды, когда они собирались поехать куда-нибудь пообедать, в автосервис заявился Левчик, и пришлось брать его с собой. Соня была притихшей, милой, не подкалывала Людмилу, не употребляла крепких выражений, пила умеренно и к концу обеда совершенно обворожила Левчика. На прощание он поцеловал ей руку и сказал:

— Надеюсь, вы будете время от времени пускать меня в ваш очаровательный девичий кружок.

Соня поспешила ответить:

— Вторники ваши.

— Так мало? — обиженно затянул Левчик.

— Посмотрим на ваше поведение. Да, Люда? — Она повернулась к Людмиле. — Ты не возражаешь?

— Нет, конечно. Это будет здорово! Мы с Левочкой последнее время так редко видимся днем.

Вернувшись на работу, Людмила принялась разбирать бумаги, но мысленно все время возвращалась к Соне: ей не нужны мужчины как таковые, ей нужно самоутверждение, и она будет пытаться отбить Левчика.

Вечером Левчик как бы невзначай спросил Людмилу, что такое эта Соня.

— Она очень славная. Веселая, заводная, добрая. Очень щедрая. Хотя... Легко быть щедрой, когда имеешь столько денег.

— Муж богатый?

— Она не замужем. Ей с мужчинами не везет.

— А что так?

— Но ты же ее видел! Красотой она, прямо скажем, не блещет, а вам за ваши деньги подавай супермодель.

— Да ладно! Баба как баба!

— Лева, я давно хотела с тобой поговорить.

Лева напрягся:

— О чем?

— Как-то неправильно мы с тобой живем. Все чего-то делим, ругаемся. Почему так? У нас есть все, мы хорошо зарабатываем. Может быть, нам просто надо завести ребенка?

Левчик испугался, но виду не подал. А Людмила продолжала:

— Родили бы одного, через годик — другого. Было бы для кого жить.

Левчик испугался.

— Ты беременна?

— Пока нет, но мне кажется, что мы могли бы... Что ты думаешь?

— Я не против, — через силу улыбнулся ей Левчик. — Но давай приурочим это к следующей зиме.

Последнее время у Сони было отвратительное настроение, и она не могла ничем его поправить. Обычно срабатывавшие приемы самоутешения на сей раз перестали действовать: ей не хотелось ни очередной коллекционной шубки, ни нового авто — ей не хотелось ничего. Все ее мысли о том, чем же все-таки порадовать себя любимую, уперлись в старый анекдот с длинной-предлинной бородой, в котором говорилось о том, что если в борделе плохо идут дела, то надо менять не белье, а шлюх. «Ну, так как в этом борделе шлюха только одна — и это я сама, а себя я, разумеется, сменить не могу, то не попытаться ли снова сменить бордель на семейное гнездышко?» Она была уже несколько раз замужем весьма удачно с финансовой точки зрения, но крайне неудовлетворительно со всех остальных. В ее браках обе стороны слишком быстро уставали друг от друга, а потому ее сильно задела Людмилина история и заставила почувствовать себя какой-то ущербной. И ей захотелось, с одной стороны, разрушить их идиллию, а с другой стороны — отобрать

Левчика себе, чтобы зажить с ним так же мило и уютно, как это выходило у него с Людмилой. Не откладывая дела в долгий ящик, она направилась на Левину точку под шитым белыми нитками предлогом, и уже на следующий день он оказался в ее постели.

Сам же Левчик был весьма доволен таким поворотом дел, ему казалось, что близится его звездный час, тот самый, к которому он так долго и упорно шел. Козыри Сони были на порядок весомее Людмилиных, и Соня недвусмысленно давала ему понять, что они откроют перед ним невиданные доселе перспективы. Ослепленный, пребывающий в эйфории, он даже не задавался вопросом, что в этой истории не так, почему Соня выбрала его, с его разменянным полтинником, весьма скромной внешностью и жалким бизнесом на паях с женой.

Параллельно с бурно развивающимся романом с Левой Соня продолжала общаться с Людмилой, иногда к их девичьим посиделкам присоединялся и Лева. Эти встречи втроем придавали их отношениям особую пикантность, и Соню забавляло то, как глупо выглядит эта деревенская дурочка. Тем временем «деревенская дурочка» отметила для себя произошедшие перемены и, для того чтобы знать наверняка, есть ли что-то у Сони с Левчиком, обратилась в частное детективное агентство, специализирующееся на разводах. Она дала Левины координаты и вскоре получила фотографии, подтверждающие ее подозрения.

Сидя в одиночестве за столиком ресторанчика, Людмила перебирала их и пыталась понять, почему так нелепо, ненормально складывалась ее судьба, почему ей все время попадались какие-то странные мужчины, навязывающие странные отношения. Что с ней не так, что ни один из них не полюбил ее настолько, чтобы сделать нормальное предложение, жениться и идти рядом по жизни? Она красива, умна, прекрасная хозяйка... Что им нужно еще? Что? Она вспомнила некрасивую девушку Арунаса, ничем не примечательную жену Баграта, Соню, на которую запал Левчик. «Почему они, а не я? — пыталась понять Людмила. — Ладно, Арунаса я упустила по молодости, да и обстоятельства были не в мою пользу, но Баграт... Да, мне все время отстегивали деньги, сделали квартиру, прописку... Все сделали, только чтобы он не женился на мне. Ну почему?» И вдруг ее осенило: то, что Леван Арчилович делал, было для него незначительной мелочью, подачкой, подаянием. Так... кидали кость нищенке, да и то пока у нее был Гоша... На глаза навернулись слезы. «Боже мой, о чем я думаю? У меня умер сын, а я сижу тут, перебираю своих неудавшихся мужиков... А ведь это Лева во всем виноват. Если бы он меня тогда не уговорил отправить Гошу к Левану, он был бы жив. Скотина, как он тогда меня уговаривал! Лишь бы только отделаться от ребенка... А что, так уж ему мешал мой мальчик?» Враг приобрел конкретные очертания. Она вспомнила все плохое, что когда-либо сделал ей Левчик, что он пользовался всем, что у нее было: телом, деньгами, имуществом и не в последнюю очередь ее горем, и неожиданно для себя решила, что с нее хватит. Она разведется с ним, и притом так, что он останется ни с чем. Да, она разведется. И начнет все сначала. Еще не поздно. Горевать бессмысленно. Ничего не вернешь, а жизнь продолжается.

Людмила принялась при каждом удобном случае

распалять свою новую подругу разговорами о том, какой у нее хороший муж, какие у них замечательные отношения, и по странному торжествующему блеску в глазах Сони понимала, что избрала правильную тактику. Однажды она сказала Соне, что к следующей зиме они с Левой собираются обзавестись потомством, и, видимо, попала в цель, потому что вечером Левчик пришел домой злой, как оса, и так как он напрямую высказаться не мог, начал цепляться к мелочам. Людмила стала огрызаться, и разгорелась нешуточная ссора, которая кончилась тем, что Левчик ушел в ночь, изо всех сил хлопнув дверью. Он понимал, что при разводе не получит ничего: слишком опасным был инструмент воздействия, которым в свое время предусмотрительно запаслась Людмила. Сколько раз он перерывал сверху донизу дачу, гараж, квартиру, офисы, но тщетно. Скорее всего, существовала где-то банковская ячейка, добраться до которой не представлялось возможным, а нанимать киллера было чревато: вполне вероятно, что и этот вариант она предусмотрела. Слава богу, хватило ума организовать себе заначку. К тому же Соня, для которой точка автосервиса была пустяком, торопила Левчика с разводом и уговаривала не мелочиться и не связываться с разделом имущества. И к Соне он приехал с готовым решением.

Утром Людмила на работу не пошла и стала дожидаться, когда появится муж. Он вернулся ближе к полудню, мрачный и полный решимости.

— Люда, так дальше продолжаться не может.

— И что ты предлагаешь?

— Я предлагаю развестись. Это надо было сделать давно.

— Я так понимаю, у тебя кто-то есть. Это так?

— Что за бред?! Как ты могла так подумать? Почему у тебя всегда только грязные мысли?

— Не всегда. Только когда вижу грязь. Значит, когда мы планировали завести детей, у тебя уже была баба...

— Не было у меня никакой бабы. Я тебе никогда не изменял.

— Значит, вы с Соней здесь просто играли в спасателей, делали искусственное дыхание. — Людмила швырнула перед ним фотографии. Левчик сделался пунцовым.

— Вот даже как. Ну что же. Времени ты не теряла.

— И в дальнейшем не собираюсь. Поехали подавать на развод. Но учти: если ты будешь претендовать на бизнес, процесс будет грязным. И я пущу в ход не только эти фотографии, но и рукописи моего мужа. И это будет главной причиной развода.

Соня, добившись своего и вернув настроению тонус, поиграла какое-то время в любовь, возможно даже искренне, и была ангелом ровно до тех пор, пока у Левы в паспорте не появилась печать о разводе. А день спустя она получила от Людмилы немыслимо роскошный букет из орхидей с вложенной в него карточкой, на которой было написано одно слово: «Спасибо!» К букету прилагалась небольшая книжица «Как стать счастливой в браке». Она все поняла и почувствовала себя проигравшей. Ее элементарно просчитала и ловко использовала в своих интересах деревенская выскочка, а Левчик стал для нее непереносимым свидетельством позорного поражения. Вымещать свою злость на Людмиле было бы мелко, и поэтому, сказав Левчику: «Прости, но у нас с тобой ничего не получится», она выключила все телефоны и отбыла за границу.

Немало времени Левчик потратил на размышления о том, как вернуть утраченные позиции. Он даже был согласен на унизительное возвращение, но наведение мостов было настолько жестко и холодно пресечено Людмилой, что ему не оставалось ничего иного, кроме как попытаться открыть новое дело на базе утаенных за годы брака денег.

ПЕРЕМЕНЫ И ПЛАНЫ

Лену Волкову за беспричинную агрессию направили на обследование к психиатрам, и вернулась она оттуда вроде бы притихшая, испуганная, но, проходя мимо Инги, незаметно для других показала ей кулак. А через неделю у нее нашли пакетик с дозой. Ленка опять билась в истерике, каталась по полу, клялась, что дозу подбросили, но ей никто не верил. Все знали, что Ленка якшается с парнями, у которых всегда можно раздобыть дурь. Чтобы избежать скандала, ее перевели в другой интернат, но со строгим режимом. Класс как будто бы избавился от скверны, от хронической болезни и начал потихоньку выздоравливать.

Виталик, зачитав до дыр «Водителей фрегатов», размечтался поступить в мореходку, взялся за ум, стал прилично учиться, вырабатывать в себе характер, а посему в психушку больше не попадал.

Ближе к окончанию школы Гуля с Ингой частенько обсуждали, куда им податься, но никак не могли остановиться на чем-нибудь одном, хотя Гуля, например, считала, что Инге непременно надо идти в модельеры.

Инге сначала эта мысль тоже нравилась, и она даже хотела на заработанные летом деньги прикупить материи и сшить несколько платьев, чтобы было с чем идти непосредственно к Зайцеву или Юдашкину, но оказалось, что суммы недостаточно. Гуля с Виталиком посовещались и добавили немного из своих прикопленных, и Инга сшила два платья, с которыми, после раздумий, пошла в начинающий Дом моды. Платья посмотрела какая-то женщина и взяла их кому-то показать, а Инге велела звонить. Инга безуспешно звонила, приходила несколько раз, и все-таки ей удалось отловить эту женщину. Та долго делала вид, что не помнит, о каких платьях идет речь, и что Ингу она видит впервые в жизни, потом сказала, что платья потерялись и что она может только из своего кармана оплатить стоимость потери. Отсчитав в два раза больше того, что было потрачено Ингой, она злобно сунула ей деньги и попросила больше ее не беспокоить.

— Слушай, — заговорщицки сказала Инга Гуле, когда тетка ушла, — ты представляешь, как на самом деле их оценили?

— Что ты имеешь в виду?

— Я имею в виду вот что. Смотри. Тетка эта работает с одеждой, так?

— Так, — не понимая, к чему клонит Инга, ответила Гуля.

— Значит, она прекрасно знает, сколько стоит материал. Знает?

— Наверное, знает...

— Вот и прикинь, остальное — за работу. Она, скорее всего, выдала их за свои и пряталась от нас.

— Ну и что из этого?

— А вот что. Я отдаю вам с Виталькой долг, а на оставшиеся покупаю материал и шью еще.

— Ну? — все никак не могла поймать мысль Гуля.

— Баранки гну. Ты пойдешь к ней и предложишь ей платья, только чтобы деньги сразу отдала. Чтобы мы за ней не бегали больше.

— Почему я? Почему не ты?

— Патамушта так надо. Ты будешь моим агентом. Поняла?

— Кажись, поняла.

— Фух, ну до тебя и доходит долго...

Все каникулы Инга шила. Платья взяла другая тетка, заплатив половину ожидаемой суммы, но торжественно поклялась, что через неделю отдаст остальное. С тем и пропала. И опять девчонки караулили ее, пытались что-то узнать, однако безрезультатно. Они стали ходить на показы мод и однажды действительно увидели Ингины модели, только сшитые из другого материала. Инга поняла: здесь правду искать бессмысленно. И как-то потеряла интерес к этому делу.

Заканчивала школу Инга неплохо, но на вуз явно не тянула, да она и не собиралась никуда поступать. Как, впрочем, и Гуля.

Последние месяцы в интернате были беспокойными. Говорили только о том, какое дадут жилье и где, что из мебели и вещей и сколько на одежду. Слухи ходили разные, один хуже другого, но все как-то образовалось более или менее хорошо. Инга, напополам с Сашкой, парнем из параллельного класса, получила в Марьине отличную двухкомнатную квартиру, им выдали по дешевенькой стенке, кухонному гарнитуру, по столу и паре табуреток. Из вещей — набор посуды, столовые приборы, кастрюли, сковородку, чайник, утюг и даже швабру и ведро. От пальто и прочего барахлишка она отказалась — взяла деньгами и жила на них лето, а осенью устроилась на работу в ателье по ремонту одежды.

С Сашкой ей повезло: он устроился проводником на поезда дальнего следования и практически все время пребывал в разъездах. Когда же возвращался, то пару дней отсыпался, а потом бегал на свиданки с девушками. Так что своим присутствием не обременял, и Инту это очень устраивало.

Виталик Егоров тоже получил комнату в Марьине, по соседству. В мореходку он не смог поступить, но ему посоветовали подать документы в какой-то не очень престижный технический вуз, но с военной кафедрой. Он написал сочинение на тройку, а остальное ему вытянули, да еще и пристроили работать на кафедру техником. Так что вроде бы все сложилось для него неплохо. Вот только денег все время не хватало.

Гуля работала в маленькой фирме секретаршей, ходила на работу к девяти, часто задерживалась допоздна, работы было много, потому что ее использовали и как машинистку, и как делопроизводителя, и как курьера, а платили гроши. Она страшно уставала, но дома отдохновения тоже не было: она въехала в квартиру в Черемушках, в которой они когда-то жили с родителями, и очень скоро на нее обрушился поток откуда-то взявшихся многочисленных родственников из Таджикистана. Одни сменяли других, жили подолгу, хозяйничали и так надоели, что она пожаловалась Инге:

— Пока была в интернате, никаких родственничков и в помине не было, ни одна сволочь не отозвалась. Никто не интересовался, где я, как я... А тут кишлаками ездят. Лопочут что-то по-своему, на меня поглядывают. А иной раз посмотрят на меня, кто-нибудь что-нибудь скажет, и все как заржут...

— Слушай, как ты можешь это терпеть? Да выгони ты их один раз!

— Как же, выгонишь их. Теперь уже их не выгонишь. Что делать, даже и не знаю.

— Погоди паниковать. Что-нибудь придумаем.

— Ингусь, ты уж придумай что-нибудь, а то больше нет никаких сил терпеть.

— Уж не сомневайся. Придумаем. А они тебе хоть какие-нибудь деньжата подбрасывают?

— Ты что, с Луны упала? Какие деньжата? Я уже стараюсь домой ничего не покупать, все метелят. Обедаю на работе, по дороге домой перекушу что-ни-то, и все. И все равно еле дотягиваю до зарплаты...

— Я тоже. Хоть и без родственников. Квартплата, туда-сюда — и жить уже не на что...

— Ага... Я вот думаю, а вдруг сапоги развалятся, что тогда делать? На какие шиши новые покупать? — подхватила тему Гуля. — Через годик-другой будем оборванками, как бомжихи. Я бы устроилась еще куда-нибудь, на вторую работу, но когда мне? И так до ночи иной раз сидеть приходится, а то еще в субботу или воскресенье выходить.

— Не ной. Может быть, через годик-другой мы с тобой о-го-го! Найдем хорошую работу...

— Ага... На панель.

— Ты даже думать об этом не смей, идиотка! — возмутилась Инга.

— Чего ты сразу орать?! Я просто так сказала!

— Ну и нечего воздух сотрясать. Придумаем что-нибудь.

Первая зима их самостоятельной жизни была тяжелой. Они с трудом привыкали к работе, к тому, что надо теперь самим ходить в магазины и покупать продукты, а затем их еще и готовить. Деньги уходили на всякую ерунду и на то, что можно было принести домой, порезать и сразу же съесть. Работалось тяжело, и когда наступали выходные дни, идти никуда не хотелось, потому что не было сил. Сидели у Инги, болтали о том о сем, смотрели отданный сердобольными соседями старенький телевизор. Иногда приходил Виталик и распалял их разговорами о море, которого никто из них никогда не видел. Они строили планы, но по-всякому выходило, что сначала надо где-то как-то подзаработать.

Фирма, на которую устроилась работать Гуля, неожиданно закрылась. К этой неприятности прибавилась еще одна: приехавшие таджикские «родственники» привезли с собой какого-то дядьку. Он нагло ходил по квартире, все осматривал, трогал и о чем-то разговаривал с ними по-таджикски. А вечером женщина, которая называла себя Гулиной тетей, вызвав ее на кухню, сообщила:

— Тебе пора выходить замуж, давно пора.

— А я замуж пока не собираюсь. Да и не за кого.

— Вот жених к тебе приехал, Карим, и ты ему понравилась. Девушке жить одной неприлично. Так и до беды недалеко. Он — человек хороший, зарабатывает, детей любит. Обижать тебя не будет.

— Нет, ну как это так: раз — и замуж?! Мы с ним и словом не перекинулись, только «здрасьте-здрасьте», и вот тебе — жених!

— Еще наговоритесь. Мы на праздники домой едем, а числа десятого вернемся. Карим хочет тут

мебель поменять, новую купить, — и тетка многозначительно улыбнулась и кивнула головой. — Будет у вас и мебель новая, и ковры везде. Оденет тебя, как пэри. Свадьбу будем делать у нас, а то здесь
все гости не поместятся.

Как только родственнички уехали, Гуля помчалась к Инге.

— Инга, ты представляешь? Они мне жениха
привезли!

— Да ты что! — удивилась Инга.

— Ага! Какой-то старпер лет сорока, по-русски
ни бельмеса, ходит у меня по квартире, как хозяин,
везде лезет, все трогает. А тетка моя говорит, свадьбу делать у них будут.

— У них — это где?

— А я знаю — где? В кишлаке каком-нибудь!

— Послушай, это уже не смешно. Они тебя завезут куда-нибудь и не выпустят, а он себе квартиру
возьмет.

— Я тоже об этом думала, если честно, — при-
зналась Гуля.

— Так, всё. Хватит. Терпение мое кончилось.
У тебя есть деньги? — Глаза у Инги даже как-то
просветлели от гнева.

— Есть. Мне расчет дали.

— Как расчет? Тебя уволили?

— Всех уволили. Фирма наша развалилась.

— Ладно, об этом потом. Пошли к Виталику.
Одевайся.

Девочки зашли за Виталиком, втроем они отправились в магазин, купили два новых замка и поехали на квартиру к Гуле. Виталик поменял старый замок, врезал дополнительный новый, они собрали

кое-какие Гулины вещи, закрыли квартиру и отправились к Инге.

— Поживешь у меня пока. Пусть-ка они покантуются у закрытой двери.

— Я же не могу вечно у тебя жить, — заканючила Гуля.

— Можешь. Надо будет — будешь жить у меня вечно.

— Можешь жить у меня, — предложил Виталик. — Я все равно собирался на тебе жениться, когда вырастешь.

— Ого! А я-то нарасхват! — засмеялась довольная Гуля и огрызнулась по привычке: — Сам сначала вырасти.

2004 ГОД.
СОВЕРШЕННОЛЕТИЕ

Новый 2004 год гуляли у Инги, весело и шумно. А потом наступили будни. Оставшиеся деньги растягивали, как могли, до Ингиного аванса, но аванс не дали, а обещанную в конце месяца зарплату не выплатили. Прошел слух, что денег до марта не будет и что в марте в лучшем случае выплатят за январь. Девочки стали голодать. Иногда из своей более чем скромной зарплаты им подбрасывал немножко Виталик, но эти крохи не спасали положения.

Однажды утром Инга сказала, что на работу больше не пойдет.

— Так недолго и ноги протянуть. Пойдем-ка мы с тобой в кафе, поедим от пуза.

— Ты что, у нас денег — ноль. На какие шиши?

— Пошли-пошли. Только оденься поприличнее.

— Инга, ты что задумала?

— Не то, что ты подумала. Нет, сейчас рановато.

Подождем пару часиков. Давай пока займемся прическами и маникюром. А то у меня руки рабоче-крестьянские.

В половине первого, когда народ из местных офисов потянулся на обед, они зашли в кафе ресторанного типа, в котором уже почти не оставалось свободных мест, сели и сделали заказ от души. Гуля с ужасом смотрела на подругу и пыталась делать ей страшные глаза, но та не обращала на эти попытки никакого внимания.

— Ешь, получай удовольствие и ни о чем не беспокойся. Я за все отвечаю.

— Какое там «с удовольствием»! У меня кусок в глотку не лезет.

— Ну и напрасно, — ответила ей Инга, мастерски, можно сказать, изысканно управляясь ножом и вилкой.

Она ела так аппетитно, а Гуля была такой голодной, что ею вдруг овладело бесшабашное настроение и она тоже принялась есть. Когда второе уже подходило к концу и казалось, что больше в них не влезет ни одна ложка, Инга тихо сказала Гуле:

— Мне сейчас станет плохо, а ты засуетишься вокруг меня и начнешь звать на помощь официанта.

— Тебе что, плохо, Инга? — забеспокоилась простодушная Гуля.

— Мне хорошо. Просто начинай суетиться. — И она, отклонившись к проходу, начала издавать звуки, которые обычно предшествуют рвоте. Гуля, моментально забыв, о чем они только что договаривались, испугалась, вскочила из-за стола и кинулась к Инге. Разговоры в зале смолкли, и все взоры устремились на двух хорошеньких девушек, одной из которых явно было плохо. К ним уже издалека спешил официант.

— Помогите! — крикнула ему Гуля. — Моей подруге плохо!

Официант подошел к ним и, бережно поднимая со стула Ингу, тихо спросил:

— Что случилось?

— Та... Та... Тар...

Инга молча указала на свою тарелку, и тут же у нее опять начались позывы к рвоте. Официант посмотрел туда, куда указывал изящный пальчик девушки, и, к своему ужасу, увидел в рисе большого рыжего вареного таракана. Он подхватил Ингу с одной стороны, Гуля — с другой, и они буквально потащили ее в дамский туалет. По пути официант кинул несколько слов своему коллеге, и тот направился к столику, где сидели девушки. Там он проворно собрал тарелки, смахнул крошки с новенькой клетчатой скатерти и унес все в подсобку, где моют посуду.

Из кабинки, возле прикрытой двери которой дежурила Гуля, периодически раздавались звуки рвоты, затем спускалась вода в унитазе, и на какое-то время устанавливалась тишина. Потом все повторялось снова. В дверь дамской комнаты уже несколько раз заглядывал хозяин заведения, но Гуля только разводила руками. Наконец из кабинки вышла Инга, бледная, с размазанной по лицу тушью, и направилась к умывальникам. Нерешительно вошел хозяин. Инга прополоскала рот, попыталась умыть лицо, но тут же схватилась обеими руками за раковину, согнулась пополам, а потом опять побежала в кабинку. Звуки повторились.

— Да сделайте же что-нибудь! — закричала Гуля.

— Что же я могу сделать? — растерянно ответил хозяин.

— Ей же плохо! Вызовите неотложку! Срочно!

Сама того не подозревая, Гуля попала в яблочко. Хозяин засуетился, куда-то побежал и вернулся с дородной дамой. В руках у нее был флакончик с нашатырем. Она отвинтила пробочку и поводила им перед Ингиным носом. Та дернулась и вроде бы немножко пришла в себя. Потом ей удалось все-таки умыться, девушек отвели в какой-то кабинет и принесли обеим горячего крепкого чая с лимоном, а Гуле даже слойку.

— Вы знаете, для нас это просто ЧП! — оправдывался хозяин. — У нас никогда ничего подобного не было. Мы всегда так строго следим за чистотой! Даже не могу представить, откуда мог взяться в гарнире таракан...

Инга умоляюще подняла на него свои невероятные синие глаза и, закрывая рот ладонью, начала подниматься с кресла.

— Все-все-все! Молчу! Простите ради бога! Давайте еще чаю...

— Нет, спасибо. Мы, пожалуй, все-таки пойдем.

Их вывели с черного хода, всучив Гуле на прощание какой-то большой и тяжелый пакет. Об оплате обеда речь не шла.

В пакете оказался небольшой кусок буженины, балычок, батончик сервелата, коробка «Рафаэлло», маленькая бутылочка мартини и в отдельном бумажном пакете куча всякой выпечки.

— Три дня живем! — возбужденно щебетала Инга.

— Ты — колдунья? Откуда ты заранее знала, что в рисе будет таракан?

— Нет, я не колдунья. Я — фея. — И Инга сделала восхитительный жест рукой. — А таракан был не местный... У нас их мно-о-ого... Так что... подруга... голодать мы с тобой в ближайшее время не будем.

Отдышавшись, она спросила:

— Слушай, а какой смысл во всем этом, если все, что ты съела, ушло в унитаз?

— Гулька, вот за что я тебя люблю, так это за наивность. Я же только притворялась!

— А-а-а-а... А что бы мы делали, если бы они все-таки заставили нас заплатить?

— Но они же не заставили...

— А если бы заподозрили?

— Н-да... Это надо обдумать.

— А как он испугался, когда я сказала про неотложку! — хвасталась довольная Гуля.

— О! Идея! Так, нам нужно немного денег.

— Хорошая у тебя идея, — засмеялась Гуля.

На ужин позвали Виталика и пересказывали ему в лицах и «с выражением», как было дело. Он был в восторге от выдумки, но предупредил, что когда-нибудь их побьют.

Инга уволилась со своей работы, а из денег, полученных при расчете, часть потратила на интернет-кафе, где рылась часами, выписывая в записную книжку, которая сохранилась у нее с детских времен, какие-то адреса, телефоны, постановления, правила, пункты... Один раз она заглянула на страничку с буквой «С», и сердце ее сладко замерло. В этом году ей исполнится восемнадцать, и она ждала своего дня рождения с нетерпением и с трепетом, потому что тогда она могла бы встретиться со своим Королем уже на равных. И было еще одно дело, не менее важное: она должна была разыскать свою мать.

В небольшом магазинчике с самообслуживанием нахальная девица восточной внешности, активно жующая жвачку, заплатила за пару йогуртов и, получив чек, уже собиралась отходить от кассы, но задержалась на секунду и издала вопль:

— Вау! А йогурт-то о-го-го как просрочен... Как в том анекдоте про надпись на могилке: «Не все йогурты одинаково полезны...»

Лицо кассирши исказилось ненавистью.

— Смотреть надо на дату, когда берете! Понаехали тут...

— Кого и что вы, собственно, имели в виду, когда сказали «понаехали тут»? — взорвалась восточная красавица.

— Коня в пальто! На тебе деньги, — кассирша лихорадочно изъяла из кассы требуемую сумму и швырнула ее на прилавок, — давай сюда йогурты и проваливай.

Посетители в зале, в основном пожилые люди, придвинулись поближе к месту скандала.

— Это, конечно, очень благородно с вашей стороны — вернуть мне деньги... Но если бы я случайно не посмотрела на дату, вполне возможно, я бы сегодня вечером отбыла к Аллаху.

— Туда тебе и дорога. Забирай деньги и уходи.

— Значит, если я мусульманка, то уже и не человек?

Небольшого росточка необыкновенно красивая белокурая девушка, стоящая следующей после наглой девицы, звонко подала голос:

— По какому праву вы оскорбляете покупательницу?

— Так, еще одна! Не задерживайте очередь! Платите!

— Минутку. — Белокурая девушка достала из сумочки сотовый телефон, записную книжку, открыла ее на какой-то странице и протянула восточной девице трубку: — Звоните и вызывайте инспектора прямо сюда. У меня шпроты тоже просроченные. Телефон санэпидемнадзора... — И она продиктовала реальный номер телефона, от которого у женщины-администратора, вышедшей на повышенные тона склоки, похолодело внутри. — Будем составлять протокол. Кстати, разжигание межнациональной розни — статья 282, часть первая Уголовного кодекса. Я с удовольствием буду вашим свидетелем, если вы захотите подать в суд.

Кассирша перепугалась:

— Я же предложила вам вернуть деньги обратно...

— Ну, во-первых, КАК вы предложили, и, во-вторых, почему у вас на полках просроченный товар? И какое вы имеете право оскорблять меня только потому, что я имею темный цвет кожи? Я, между прочим, коренная москвичка. Вот мой паспорт. Вот прописка.

— А, кстати, вы сами, конечно же, москвичка, — обратилась к продавщице Инга, — и медицинская книжка у вас, наверное, в порядке...

Из служебной двери вышел огромный лысеющий мужчина, за ним две женщины, и процессия засеменила к кассе.

— Что тут происходит? Чем недовольны наши очаровательные покупательницы?

— Ничего особенного. Сейчас будет инспектор из санэпидемнадзора, он и разберется во всем. А за оскорбление, — Гуля повернулась к кассирше, — вы будете отвечать в суде.

— Девушки, девушки, пройдемте ко мне и во всем спокойно разберемся. Кассир у нас новый человек, третий день только работает и, полагаю, последний. Мы сейчас все уладим... — Хозяин приобнял обеих девушек могучей рукой и буквально втолкнул их к себе в кабинет.

Вышли они из магазинчика минут через двадцать, и у каждой в руке было по фирменному пакету, до самого верха набитому разной снедью.

— В следующий раз, когда пойдем в «рейд», будем давить на межнациональную вражду, нам нужны наличные, — резюмировала дома Инга.

Так они вполне сносно протянули до весны. Бывали, конечно, и неприятные моменты. Несколько раз их выкидывали без выходного пособия, а один раз даже слегка побили, но Москва — большой город, и много в нем мест, где можно разжиться продовольствием.

ИДЕЯ ОБОГАЩЕНИЯ

День был по-весеннему теплым и ласковым. На огромную лоджию выставили журнальный столик, который Виталик еще зимой притащил с помойки и за который девчонки его долго пилили. Вынеся туда табуретки, троица наслаждалась солнцем, бьющим в окна, и квасом.

— Виталь, а ты в машинах что-нибудь петришь? — спросила Инга.

— Не пробовал петрить. Но, как мне кажется,

принцип у всех двигателей внутреннего сгорания одинаковый. А что?

— Слушай, а ты умнеешь прямо на глазах, — одобрительно сказала Гуля.

— А может такое быть: вот, к примеру, я тебе дам книжку по какой-нибудь машине, ты ее изучишь...

Виталик почуял что-то очень хорошее в ее словах и загорелся.

— Да ты скажи, к чему клонишь. Чего ты ходишь вокруг да около?

— Нам нужна машина.

— Всего-то? — ядовито заметила Гуля.

Виталик грозно нахмурил брови и направил указательный палец на Гулю:

— Женщина, не встревай. — И, повернувшись к Инге, сладенько протянул: — Говори, Инга, говори.

— А я уже не женщина? — спросила Инга, делая вид, что обиделась.

— Ты — фея, ты хочешь наколдовать машину. Да или нет?

— Вот слушайте. Меня тут подвозил один старый армянин. Он приехал в Москву на нулях. Родственники...

— Ни слова о родственниках! — вставила Гуля.

— Родственники устроили его на какую-то работу. Он скопил двести долларов и купил, как он сказал, убитую «Волгу». Сам ее отремонтировал...

— Врет он. Может, и купил за двести, но он тебе не говорил, во что ему ремонт обошелся?

— Да подожди ты! Он детали брал на кладбищах.

— Вау! — завопила Гуля.

— Машинных, я имею в виду. А теперь ездит на ней, левачит и зарабатывает неплохо. Короче, ты смог бы вот так же? Вроде у тебя руки из нужного места растут...

— Наверное, смог бы, — ответил польщенный Виталик. — А ты что, предлагаешь мне левачить?

— Левачить, Витка. Смотри, если купить «четверку» и отделить багажник от салона решеткой, то можно перевозить не только людей, багаж, но и животных. Я посмотрела объявления и кое-куда позвонила. Животных перевозить очень выгодно. Тем более, сейчас сезон. Сделаем так...

И все трое по интернатской привычке сдвинули головы. Инга продолжала:

— Чего ради Гулькина квартира пустует? Мы ее сдадим. Я уже узнавала: за нее можно в месяц получать где-то долларов четыреста пятьдесят — шестьсот.

— Слушай, да ты богатенькая невеста! Все, завтра в ЗАГС!

— У, сутенер! — парировала Гуля.

— Меня обижают! Откуда ты слова такие знаешь?

— Виталь, сконцентрируйся! Я серьезно!

— Yes, boss! — И Виталик «взял под козырек».

— Допустим, заключаем договор на год. Предположим, по шестьсот долларов. Мы сразу же получаем деньги за первый месяц и за последний. Так положено, я уже узнавала у агентов. Итого у нас в руках оказывается минимум тысяча долларов.

— А почему не тысяча двести? — спросила Гуля.

— Потому что агенту тоже придется что-то заплатить. А если чуть-чуть уступить, то можно договориться, чтобы нам заплатили сразу за первые полгода. Чуете?

— Это сколько же получится? — Гуля наморщила лоб и выдала: — Три тысячи шестьсот!!!

— Три тысячи пятьсот. Сто отдадим агенту.

— Куча деньжищ! — разволновался Виталик. — Можно и тачку получше подобрать.

— Об том и речь, — согласилась Инга. — Берем тачку за, скажем, полторы. Пятьсот уйдет на ремонт, на оформление... Остается полторы.

— А что мы будем делать с ними? Я лично хочу приодеться. — Гуля хотела еще что-то сказать, но Инга ее оборвала:

— Приодеваться будем на заработанные. Сначала Виталику надо получить права, это тоже стоит денег. Опять же, мало ли, понадобятся запчасти. — Инга по скривившемуся лицу Гули поняла, что та не очень довольна, и поэтому поспешила добавить: — Впрочем, почему бы и нет... Только сначала надо все сделать и посмотреть, сколько останется.

Прежде чем что-то начинать, девочки буквально вылизали Гулину квартиру, а Виталик, как мог, привел в порядок сантехнику и подправил мебель. Теперь ее можно было показывать. Так как она была удачно расположена — близко от метро и от рынка, — ее оценили в шестьсот долларов и начали показывать.

Молодой и симпатичный агент очень быстро нашел желающих снять квартиру, и ему удалось договориться на пятьсот, но с оплатой за полгода вперед, и после расплаты с ним ребята получили на руки кошмарную, по их понятиям, сумму — две тысячи девятьсот.

Первым делом Инга по Интернету нашла срочные курсы вождения, и через месяц Виталик, разрывавшийся между занятиями, работой и сдачей экзаменов, был с правами.

Далее по плану шла покупка машины. Обратились к Ваньке, пожилому преподавателю с Виталькиных водительских курсов, и он сосватал им за полторы тысячи «четверку» в очень неплохом состоянии. Снабдили ее, как и планировали, решеткой, и стали давать объявление в газеты. План сработал, появились небольшие деньги. И кое-что осталось в загашнике.

До сих пор получалось так, что все заработанные деньги были общими и кусками хлеба не считались. Ни у кого даже мысли не возникло, что потерявшая работу Гуля должна выкручиваться сама. Добытые в «рейдах» продукты поедались втроем, и никогда ничего не утаивалось от Виталика. Ему тоже не приходило в голову делать себе заначку втайне от девчонок. Все было общим.

Когда жизнь нормализовалась, вошла в колею, этот факт начал Гулю напрягать. Где-то впереди, не так уж и далеко, маячила следующая выплата, и у Гули уже были свои виды на эти деньги. Ее перестал устраивать этот «колхоз», эта детдомовская коммуна. Хотелось своего угла, своего куска и своего мужчины. Ее нехитрый расклад был таков: да, конечно, квартира принадлежала ей, как, впрочем, и машина, но права были у Виталика, и зарабатывал извозом он. Инга была умной и сильной, способной выжить в любой ситуации. Себя же Гуля считала наивной и слабой и потому нуждающейся в опоре, а самой ближайшей и легкодоступной опорой был Виталик. А поскольку предметом его матримониальных шуток была Гуля, а не Инга, то она с полным правом решила, что Инге она его не отдаст, и однажды, воспользовавшись отсутствием подруги, затянула его в постель.

Виталик был ошарашен случившимся и предложил завтра же идти подавать заявление в ЗАГС. Убрав следы преступления, они, не сговариваясь, как нашкодившие школьники, ушли из дома к Виталику. До вечера они строили планы, и все получалось так хорошо, так ладно и складно... А что? Если бы они с Гулей поженились, то машина автоматически стала бы принадлежать только им. Скоро снова пойдет плата, Виталик будет что-то подрабатывать, Гуля устроится на работу... Да и вдвоем легче выживать, чем в одиночку или втроем... Они даже договорились до того, что со временем, поднакопив деньги на ремонт, они переберутся в Гулину двушку, чтобы жить как нормальные люди. Вот только Инге в этой их будущей безоблачной жизни места не находилось. И как сказать ей о грядущих переменах, они не знали.

Только Инга отложила книжку и выключила свет, как появился Зверь.

— Ты видела, какое у нее было выражение лица? — спросил он. — Виноватое и торжествующее.

— Ну и что? Мало ли... — отмахнулась Инга.

— Они снюхались. Они спят. Твоя подружка поторопилась застолбить Виталика, пока этого не сделала ты. Увела его у тебя.

— Да нет ничего между ними, мы просто все дружим, — попыталась протестовать Инга.

— Конечно же есть. Очень скоро ты в этом убедишься. Они поженятся, а тебя за ненадобностью выкинут из своей жизни. Вот увидишь...

— Я тебе не верю! Ты все врешь! Убирайся! Отстань от меня!

— Скоро ты останешься совсем одна, — констатировал Зверь и замолчал.

Однажды вечером, поужинав, троица засела на балконе. Настроение было никакое. Инга днем случайно столкнулась с Натальей Ивановной, их бывшей воспитательницей, и та рассказала, что Лариска Кананыхина успела родить ребенка и оставить его в роддоме, потому что ее хахаль уговорил продать квартиру, деньги хапнул и был таков; что Сережка Щукин подался писать иконы и что он — голубой, живет с каким-то парнем; что Юля Петрова поменяла с доплатой свою комнату на какую-то лачугу в деревне, а деньги у нее вытянул сожитель, что Лена Волкова — проститутка, Юрку Логинова убили и что практически никто из их класса не работает. Новости Инга рассказала ребятам, и они долго молчали, вспоминали свое интернатское житье-бытье. Гуля не выдержала и расплакалась:

— Вот чем мы виноваты, что нам так достается? Вот за что?! Почему именно мои родители погибли?

— Ну ладно, ладно, — перебил ее Виталик, — чего ты раскудахталась? Мы есть, мы живы, у нас жилье, денег заработаем, все у нас еще будет. Я вот тут подумал и решил, что брошу институт и начну конкретно зашибать деньгу. На хрена мне этот институт облокотился? Только время терять.

— Нетушки, — встряла Инга, — ты должен доучиться. Иначе так и будешь левачить или рынковать и никогда из грязи не вылезешь. Потерпеть осталось всего ничего...

— Ну да, всего ничего... Четыре года...

— А куда ты торопишься? — спросила Инга.

— Туда, что мы с Гулей решили пожениться.

— Что? — поразилась Инга, но тут же взяла себя в руки. — Да женитесь себе на здоровье. Что изменится, если вы поженитесь? Просто станете жить вместе — вот и все. Гуля, скажи ему, а то он наделает глупостей!

— Я не знаю. Он — мужчина, пусть он и решает, — открестилась от неприятной темы Гуля. Она одобряла решение жениха.

— И когда вы женитесь? Заявление уже подали?

— Нет... только собираемся... — все еще всхлипывая, ответила Гуля.

— Ну а чего тогда реветь? Можно подумать, что это у вас квартиры отобрали и на улицу выкинули... Будете жить припеваючи у Виталика, твою квартиру сдавать, машина у вас есть, — как бы между прочим Инга расставила финансовые вопросы по своим местам. — Можно сказать, буржуи, почти новые русские уже, — улыбнулась она. — А свадьбу можно в кафе сделать. Посидим, отметим вчетвером.

— Как — вчетвером? А кто четвертый? У тебя кто-то завелся втайне от нас?

— Никто не завелся, — грустно улыбнулась Инга. — Вчетвером — это вы двое, я и таракан.

Гуля засмеялась, а Виталик отрезал:

— Нет, свадьбу будем гулять без таракана. По-честному. А то нас так и будут всю жизнь крышевать тараканы. Я заработаю. Ладно. Ты в кино хотела? — обратился он к Гуле.

— Инга, пошли в киношку? — спросила Гуля.

— Не хочется. Идите без меня, — ответила она, поняв, что спросили ее только из вежливости и рассчитывали на отказ.

Выдав свою тайну, Виталик с Гулей на следующий же день подали заявление и вечером пришли с бутылкой шампанского. Разговор вертелся вокруг организационных вопросов: звать кого-нибудь из класса или не звать, в каком кафе и на какую сумму делать свадьбу, покупать новое платье или же по объявлению.

— Зачем тратить такие деньжищи ради одного дня?! Это глупо! — убеждала Инга.

— Тебе не понять! — возмущалась Гуля. — Это же свадьба! Я хочу платье и фату, я хочу фотографии, чтобы все было как у людей! Вот когда ты будешь выходить замуж, можешь идти хоть в халате, а я буду в платье!

— Да что ты кричишь? Будет тебе платье с фатой! Возьмем машинку напрокат, и я сама их тебе сошью, и выйдет это в десять раз дешевле! И будешь ты лучше всех! И платье твое в ЗАГСе будут целый год помнить!

БЛАГОДАРНОСТЬ

Вроде бы она не сделала ничего плохого, но чувствовала себя несколько виноватой. Гуле почему-то все время вспоминались эпизоды из их интернатской жизни, в которых Инга стояла за нее горой и порой получала за это и от ребят, и от воспитателей. И хотя она была без малого на год старше Инги, всегда находилась под ее опекой, защитой. С любой бедой, с любой проблемой она обращалась к своей подружке, почти сестре, и та непременно что-нибудь да придумывала, спасала положение, не давала пропасть. И теперь Гуля думала, как сделать так, чтобы красиво отблагодарить Ингу за все хорошее, каким-то образом расплатиться с ней за время, прожитое у нее. Думала она, думала и придумала: они с Виткой подарят ей на совершеннолетие швейную машинку, чтобы Инга могла на ней зарабатывать себе на жизнь. С этой идеей она помчалась к Виталику.

— Слушай, Вит, вот что я придумала. Ведь у нас остались еще деньги от сдачи квартиры. Мы должны подарить Инге на восемнадцатилетие швейную машинку, только хорошую, со всякими там наворотами.

— А что?! Это хорошая мысль, — поддержал невесту Виталик, тоже чувствовавший себя перед Ингой неловко. — Как ты думаешь, сколько она может стоить? Денег-то у нас не так уж и много осталось, а нам еще и на свадьбу надо.

— Да всякие есть, и подешевле, и подороже. Но вот смотри: я жила у нее почти полгода. Если бы я снимала у нее угол, это стоило бы, скажем... скажем... — Гуля лихорадочно соображала, но, даже если брать по тысяче рублей в месяц, а таких мизерных цен в реальной жизни не существовало, выходило тысяч шесть-семь. — Ну, тысяч пять.

— Ну, ты и загнула, мать. С какого потолка ты взяла такие копейки?

— Витка, да ты сам подумай! Если бы она даже и захотела кому-нибудь сдать этот свой угол, где бы она нашла клиента?

— Инга-то? Ха! Захотела бы, так нашла бы!

— А сколько же тогда, по-твоему, это стоит?

— Ну хотя бы стольник в месяц.

— С ума сошел? Что же ей, шестьсот долларов отваливать? Нет уж. Столько мы не можем потратить. Пять тысяч. За пять тысяч мы можем купить вполне приличную машинку. Ну, может быть, с наворотами я погорячилась, но и за пятерик выйдет не иголка с ниткой. Можно взять подержанную.

— Ты чего жадишься, Гуля? Это же — Инга! А ты ей собираешься помойку бэушную дарить! — возмутился Виталик. — Давай собирайся. Поедем смотреть, что почем.

Походив по магазинам, они, по настоянию Виталика, выбрали машинку за семь тысяч. Виталик долго читал инструкцию, выслушивал продавщицу, а потом пошел платить, оставив у прилавка недовольную Гулю.

На обратном пути они заехали в пару салонов для новобрачных, правда, ничего не купили, но Гуля развеселилась: самое дешевое свадебное платье, которое к тому же ей не понравилось, стоило под тысячу долларов, и она была уверена, что Инга ей сошьет гораздо лучшее и машинка в какой-то мере окупится.

На совершеннолетие Инги Виталик с Гулей подарили ей шикарную швейную машину, напичканную электроникой.

— Ребята, да вы с ума сошли! Обалдели, что ли, дарить такую дорогую вещь?! — запротестовала Инга.

— Даже не спорь, — категорически заявила Гуля.

— Ты еще скажи, что она тебе не нужна, — поддержал Гулю Виталик.

— Ребят, да нужна, конечно! Я даже о такой и не мечтала! Но тратить деньги...

— Так, хватит, — оборвал ее Виталик. — Деньги это квартирные. А придумала сдавать квартиру ты.

И Гуля живет все это время у тебя. Так что бери подарок, садись и начинай шить.

— Тогда день рождения отменяется, — сказала Инга. — Сейчас я все смету со стола и начну. А вы можете идти погулять.

— Давай, начинай, а то свадьба скоро, а конь еще не валялся, — ляпнула Гуля.

Инга как-то странно посмотрела на нее и ответила:

— Не переживай. Сделаем. В ЗАГСе ты будешь лучше всех.

Материал выбрали из недорогих, теплого матового цвета, который изумительно подходил к Гулиному цвету кожи. Инга не стала смотреть журналы, выискивая в них фасон. Она уже видела, каким оно должно быть и какой должна быть к нему фата. На фату прикупили в тон материи кусок тюля, кружева, какие-то кисти, бисер и кучу всяких шитейных принадлежностей. Шила Инга вдохновенно, и когда платье и фата были готовы и Гуля надела свой наряд, обе ахнули: он был изумителен!

Время пролетело быстро, и в назначенный день начищенная, отмытая и украшенная лентами «четверка» загудела у окон Ингиного дома, из нее вышел Виталик, строгий и серьезный, и стал ждать. Наконец дверь открылась, выплыла Гуля, довольно сильно накрашенная, с высокой взрослой прической, немного печальная, как и полагается невесте. А за ней шла маленькая сказочная фея в синем платье с рассыпанными по плечам светлыми, слегка отдающими в золото волосами, глаза ее были цвета весеннего неба, кожа нежнее и белее молока, и сердце у жениха почему-то болезненно сжалось, промелькнула какая-то недодуманная мысль об ошибке, он испугался ее, поспешил открыть двери и помочь невесте забраться в машину.

Гуля действительно произвела в ЗАГСе фурор. К ней несколько раз подходили какие-то девушки и спрашивали, где она купила себе платье, и та отсылала их к Инге. Двум она пообещала, что сошьет еще лучше, и дала свой номер телефона. И уже через неделю после свадьбы Инга вместе с заказчицей выбирала материал и необходимые украшения. Еще не было готово первое платье, как проявилась вторая заказчица. Инга шила не разгибаясь, и вот уже поступил третий заказ, и она взяла его тоже. За все это время Гуля звонила ей только один раз, и как-то получилось так, что говорить было не о чем.

ТРИ ОСТАНОВКИ
НА ЗАМКНУТОМ КРУГЕ

Практически впервые после выхода из интерната предоставленная самой себе, не знакомая с физическим одиночеством, Инга попала в некий вакуум, который требовал хоть чьего-то присутствия. Но рядом не было никого, с кем она могла бы хотя бы поговорить. И Зверь, появлявшийся до этого не так уж часто, воспользовавшись ситуацией, стал заполнять этот вакуум собой, пока его присутствие не стало постоянным. Живя за счет темных эмоций, он растравлял мелкие ранки обид до ноющих кровоточащих язв, а серьезные, обоснованные обиды возводил в ранг катастрофы. Он водил и водил ее по мучительному замкнутому кругу с тремя остановками: «Предательство друзей», «Мать» и «Король». Он обнажал перед ней все их жалкие нечистые мотивы, приведшие к тому, что она сидит над тяжелой работой одна, всеми брошенная, она, делавшая только добро и никому не причинившая незаслуженной боли.

— Но ведь они заслуживают боли, — вновь и вновь внушал ей Зверь. — Боль их должна быть соразмерна твоей. И только тогда ты освободишься...

— От чего я должна освободиться? — спрашивала его Инга.

— От своего проклятья. Ты же проклята.

— Кем я проклята?

— Матерью.

— А что же мне делать?

— Я тебя научу. Ты же все равно хотела ее найти. Найди ее.

— А как же я ее найду?

— Это просто. Нужен мужчина, который приведет тебя к ней.

— А кто же это?

— Ты же умная. Нужный мужчина должен работать в милиции. Я тебе его покажу.

— А что делать дальше?

— Ты красивая. Ты чистая. Таких больше нет. Ты никогда ни на что не жалуешься. Он тебя полюбит и сделает для тебя все.

— А когда я ее найду, что мне делать?

— Я тебя научу.

Однажды утром Инга встала с готовым планом, продуманным до мелочей. Она скромно оделась, слегка подкрасилась, так, чтобы подчеркнуть красоту, но не стать вульгарной, и отправилась в интернет-кафе. Выписав себе несколько адресов ближайших отделений милиции, она пошла по первому. Потолкавшись там, она отправилась по второму, потом по третьему. Заглянув в открывающуюся дверь, она увидела сидящего за столом молодого мужчину. Он был широкоплеч, массивен, волосы цвета темной меди коротко подстрижены, брови вразлет сурово сдвинуты. Зверь сказал:

— Этот, рыжий, подойдет. Он одинок, и он ищет идеал. Занимай очередь.

— Слушаю вас, — сказал следователь. Взгляд его был холодным, колючим и недоброжелательным.

— Я, наверное, зря вас беспокою... — начала она.

— Вы говорите, что у вас, а я решу, зря вы меня побеспокоили или не зря.

— Хорошо, — покорно ответила Инга. — У меня украли сумочку. И я понимаю, что найти ее вряд ли удастся. Дело даже не в том, что там были деньги. Хотя для меня и полторы тысячи — большая сумма. Но в ней были фотографии. Я детдомовская, и эти четырнадцать фотографий — все, что у меня осталось от моего детства. Ведь бывает, что кто-то находит сумки... Деньги взяли, а остальное выбросили...

— Документы в сумке были? Паспорт, права? — довольно грубо и как-то устало спросил он, потому что навидался всякого, в том числе и аферисток с ангельскими личиками, и не верил в отсутствие корыстных мотивов.

— Прав нет, как и машины. Нет, слава богу, никаких документов, только фотографии и кошелек. Даже ключи от квартиры были, к счастью, в кармане. — Она опять посмотрела ему в глаза, увидела в них облегчение и поняла, что сказала все правильно.

— Напишите заявление. Всякое бывает. Вдруг и правда найдется ваша сумочка.

Он продиктовал ей, что нужно писать, прочитал и положил листок в папку.

— Спасибо вам большое, — поблагодарила его Инга.

— Вот вам моя визитка. Звоните, узнавайте. Или, если вдруг что-то будет, я вам сам позвоню.

Инга прочитала, что написано на визитке, и еще раз поблагодарила:

— Спасибо вам, Павел Алексеевич. До свидания.

Он что-то пробурчал в ответ, и она вышла.

Уже через два дня он ей позвонил:

— Инга, добрый день, это вас беспокоит Павел Алексеевич, следователь. У нас тут образовалось несколько сумочек, некоторые подходят под ваше описание. Сам я в них плохо разбираюсь. Вы бы к нам заглянули посмотреть.

— Здравствуйте, Павел Алексеевич! Спасибо, что позвонили! А когда можно?

— Да хоть сегодня или завтра. Давайте лучше завтра. Приходите к нам часам к шести. Помните, куда идти?

— Конечно, помню. Я обязательно завтра приду. — Торжествующая Инга положила трубку. «Все идет хорошо. Теперь позвони Гуле. Трубку снимет Виталик. Теперь можно заняться ими».

Трубку снял Виталик.

— Вит, привет, это я, Инга.

— Привет. Как жизнь?

— Жизнь идет потихоньку. Шью, зарабатываю. А как у вас?

— Да тоже вроде нормалек. Что это у тебя голос вроде как убитый? Случилось чего?

— Случилось. У меня украли сумку, а в ней были все фотки наши, интернатские. Ничего не осталось... — Инга всхлипнула.

— Да не реви ты! Подумаешь, фотографии! Я думал — деньги.

— Денег, Виталик, хватает. Я ведь хорошо зарабатываю. Фотки жалко. Я вот что хотела спросить: у вас-то наверняка что-то есть. Может, и я где-нибудь там завалялась.

— Да есть, конечно. И ты там есть.

— Слушай, Вит, по старой дружбе... ты мне их не занесешь как-нибудь? Хочу переснять, а то вроде как второй раз осталась без семьи.

— О чем разговор, конечно, занесу. Хоть сейчас.

— Ух ты! Правда? Тогда я побежала готовить.

— Давай-давай. Давненько не ел вкусненького.

— Так я жду?

— Жди. И надейся.

— Надеюсь. — Улыбнувшись, Инга прошла в комнату и спрятала альбом с фотографиями подальше, за книги. На всякий случай. А затем переоделась и стала краситься. Инга хорошо знала Гулин грех — небрежность и неряшество. Гуля могла целый день ходить нечесаная и неумытая в ночной рубашке или же, в лучшем случае, в халате поверх ночнушки. И вряд ли замужняя жизнь как-то радикально изменила ее привычки. Так что контраст должен быть разительным. Виталик должен знать, что он приобрел и что потерял.

Виталик же молниеносно собрался, подхватил

теперь уже общий с Гулей фотоальбом и рванул из дома, пока жена не пришла с работы. И он даже не задался вопросом, почему Инга пригласила только его, ни словом не обмолвившись о подруге.

Инга вышла к нему во всеоружии: причесанная, подкрашенная, одетая в узенькие брючки и немыслимо соблазнительную легкую кофточку.

— Ты куда-то собралась? — спросил ее Виталик с порога.

— Нет. Почему ты так решил?

— Одета по-парадному.

— По-парадному? Нет, это моя домашняя одежда. Если ты забыл, я тебе напомню, — улыбнулась она, — я всегда так дома хожу. Ладно, пошли ко мне, посмотрим, что ты принес. Тем более что бефстроганов еще не готов.

— Беф-чего? — спросил Виталик.

— Бефстроганов, темнота. Тебе Гулька никогда не готовит бефстроганов?

— Нет. А что это?

— Мы же на домоводстве всякие рецепты записывали... Ладно, попробуешь. Тебе понравится.

Они смотрели фотографии, потом ужинали при свечах, и Виталик ушел домой весь какой-то благостный, расслабленный, в приятном и слегка ностальгическом расположении духа. Гули дома все еще не было. Он прошелся по квартире, захламленной разбросанной верхней одеждой и несвежим нижним бельем, зашел на кухню, окинул взглядом не убранный с утра стол, посмотрел в раковину, заваленную грязной еще позавчерашней посудой, и его охватила тоска. У Инги все было иначе.

Когда Гуля вернулась с работы, Виталик сделал ей замечание, и они впервые крупно поссорились.

ПАВЕЛ

Ни одну из предъявленных сумок Инга не признала своей и ужасно расстроилась.

— Ну не надо так переживать... Ну что теперь поделаешь? Может быть, еще найдется.

— Фотографии жалко. Я могла бы, конечно, попросить переснять у ребят, но вы знаете, не у всех они сохранились, да и не ко всем обратишься.

— Почему так? — спросил Павел.

Инга помолчала, а потом ответила:

— Знаете, жизнь разметала.

Павел удивился:

— Господи, какие ваши годы говорить так: «жизнь разметала»?!

— Годы не годы, а вот Лариска Кананыхина из нашего класса уже успела родить и сдать ребенка в детдом. Ленка Волкова на панель пошла. Юлька сидит за воровство, обе Ольги — наркоманки, Сережка — голубой... Не хочется даже говорить...

— А вы, Инга, чем занимаетесь?

— Я хорошо шью и работала в ателье по починке одежды, а потом нам перестали платить зарплату, и я уволилась. А жить на что-то надо. У меня же нет родственников, чтобы хотя бы занять деньги или поесть. А тут так получилось, что сшила я одной знакомой свадебное платье, и пошли мне заказы. Пока перебиваюсь. Отдала одну работу в ателье мод, теперь жду, возьмут меня туда работать или нет. Блата-то нет... Я еще в интернате начала шить. И даже у меня приняли два платья в ателье, только не заплатили...

— Инга, а знаете что? Если вы меня подождете немного, мы бы могли с вами посидеть где-нибудь в кафе. Вы так интересно рассказываете. У вас есть время?

— Есть. Хорошо, я вас подожду.

Они посидели в кафе, после погуляли немного, Павел проводил Ингу до дома и в смятенных чувствах поехал к себе, унося в сердце ее чистоту, искренность и покорность.

С того дня, как она вошла в его кабинет, он не переставал о ней думать. И дело было не только в ее красоте. Что-то в ней было не от мира сего, космическое, волшебное, но и вместе с тем она была реальной до исколотого иголкой указательного тоненького пальчика правой руки. Он уже почти решил, что его идеала не существует. Его мать была одинокой учительницей литературы и успела напичкать сознание единственного сына неработающими моделями отношений и несуществующими типами людей, и теперь он шел по жизни, разбрасываясь реальными женщинами, круша судьбы направо и налево. Иными словами, он впервые в жизни влюбился по-настоящему и без нее уже не мыслил своей жизни.

Еще через пару дней Инга сама позвонила Павлу и сообщила, что сумочку ей вернули:

— Денег там, конечно, не оказалось. Зато фотографии все целы. Правда, немного помяты и испачканы, но это не страшно.

— Кто же тебе вернул ее?

— Дворничиха. Не из нашего района. У меня в сумке было несколько визиток, сама делала... Она и позвонила.

— Здорово! Очень хочется посмотреть твои фотографии в детстве. Ты не против сходить еще раз в кафе?

— Конечно нет.

Они начали встречаться. Ходить часто в кино или кафе было дороговато, а просто гулять — утомительно. К себе Павел приглашать не хотел — дома была больная мама. Инга к себе тоже не приглашала. Она вообще держала Павла на расстоянии, и это ему было непонятно и обидно. Если он брал ее за руку, руки она не отнимала, но оставалась холодной и безответной. Не пройдя эту ступень отношений, он не мог идти дальше. Павел боялся нарушить хрупкое равновесие, установившееся между ними, но отсутствие развития событий его очень мучило. Иными словами, отношения складывались странно, а странностей Павел не любил, они его настораживали. Чувствуя себя распоследним предателем, но в то же время опасаясь остаться в дураках, он все-таки пробил ее по базе данных и, получив исчерпывающую информацию, которая полностью соответствовала истории, рассказанной Ингой о себе, принял решение с ней серьезно поговорить.

Они договорились встретиться у памятника Пушкину. Инга собиралась на свидание долго и тщательно. Перед выходом Зверь сказал:

— Сделай так, чтобы он тебя обидел.

Павел, как и полагается, пришел первым и, стоя в ожидании, в тысячный раз крутил фразу, с которой собирался начать разговор. Наконец Инга появилась. Он взял ее под руку, и они пошли по направлению к Красной площади, мимо шикарных стеклянных витрин, уютных кафешек... В людском потоке его профессиональный взгляд безошибочно определял мелких воришек, проституток, потихоньку выползавших на работу, рыщущих в поисках дозы наркоманов.

Какое-то время они шли молча, а потом Павел, боясь растерять слова, взял не с того места, но в карьер:

— Послушай, глупо так все получается... Я хочу сделать тебе предложение, а мы с тобой даже не целовались... — Он посмотрел на Ингу. В глазах у нее стояли слезы. — Ну вот... Вечно я, как медведь...

— Паша, я не могу выйти замуж, — ответила она, моргнула, и по щекам прокатились две слезинки.

Паша оторопел:

— Почему?

— Потому что я не знаю, кто я. Кем были мои родители. Эта неизвестность меня убивает. А вдруг моя мать была какой-нибудь наркоманкой, или проституткой, или воровкой... Или сумасшедшей.

— Но ты же нормальная... Не воровка, не проститутка, не наркоманка...

— Паша, ты меня проверял, да?

Паша молчал.

— Вот видишь... Я еще ничего плохого тебе не сделала, а ты уже меня проверял.

— Послушай, Инга, я тебе сейчас все объясню. Это совсем не то, что ты думаешь. Я сделал это еще тогда, когда ты пришла ко мне первый раз, это обычная процедура, — соврал Паша и от этой лжи почувствовал себя подлецом.

— Вот об этом я и говорю. Нас же, детдомовских, называют «группой риска». А что тогда говорить о твоей маме? Я же знаю, как люди относятся к детдомовским.

— Но ты же не за маму выходишь замуж!

Инга грустно улыбнулась:

— Ты так говоришь, как будто уже все решено.

— Для меня — да. Ты выйдешь за меня замуж?

— Паша, не рви мне сердце! Я не могу, я почему-то все время чувствую себя испачканной. И никак не могу отмыться.

— Ну, хорошо. Давай найдем твою мать. — Он сам предложил то, что, собственно говоря, от него требовалось. Теперь он был готов сделать для Инги все, только чтобы загладить свою вину.

— Как, Паша, мы ее найдем? Меня в коляске оставили у магазина. Все! Ни следа, ни концов! В детстве мы с подружкой тайно читали свои личные дела, но это было так давно, что я даже не помню номера этого проклятого магазина!

— Вот тебе два варианта: едем в твой интернат и трясем директора, это раз. Я по своим каналам поднимаю старые дела, это два. Год нам известен. Я не думаю, что каждый день у магазинов оставляют по ребенку.

— А дальше что?

— Дальше? Едем в этот магазин. Берем фамилии всех, кто в нем тогда работал. Случай неординарный, кто-нибудь да знает что-нибудь об этом. Вполне возможно, что кто-то из тех еще там работает. Найдем след.

— Вряд ли, Паша... Если тогда не нашли, то через восемнадцать лет тем более...

— И что теперь? Ты так и будешь всю жизнь казниться да отмываться? Давай хотя бы попробуем. Только ты мне обещай, что, если у нас ничего не получится, ты поставишь на этом крест и начнешь жить нормально. Ну наркоманка так наркоманка. Ты же не колешься, не нюхаешь! Сойдешь с ума —

вылечим! — Говоря это, Паша сам заражался собственным оптимизмом, и любая проблема казалась решаемой, а сам себе он казался бесконечно сильным.

— Ладно, давай попробуем. Пусть даже мы узнаем самое страшное. И тогда ты еще раз подумаешь и сделаешь мне предложение. Только уже с цветами. — Инга опять грустно улыбнулась.

— Какой же я дурак! Про цветы даже не подумал...

ПОИСКИ

В интернат Инга с Павлом поехали вместе. Здание было подновлено, территория ухожена, переделано парадное крыльцо. Внутри тоже были перемены в лучшую сторону, и только запах оставался тем же. Заметив, что Паша принюхивается, Инга сказала:

— Так пахнет сиротство.

На первом этаже оголтело носились детишки и, завидев дядю-милиционера в форме, тормозили и чинно шли дальше, хихикая и подталкивая друг друга. Выше этажами был слышен гвалт детских голосов.

— Обед закончился, — констатировала Инга.

— Вам к кому? — спросил их охранник.

— Мы к директору, — ответил Павел, представившись.

— Направо и до конца, — и охранник рукой махнул в сторону кабинета.

— Я знаю, спасибо, — кивнула ему Инга.

— А как его имя-отчество? — спросил Павел у Инги.

— Ее, — встрял охранник. — Марина Ильинична. У нас новый директор.

Марина Ильинична оказалась высокой, худой, нелюбезной женщиной, и сразу же стало понятно, что если бы Инга пришла одна, ее бы даже не стали слушать.

— Помилуйте, после Владимира Викторовича мне достался, извините, не побоюсь этого слова, сущий бардак! — чеканила слова хорошо поставленным голосом директриса. — И в финансах, и в делах, во всем бардак. Мы только-только начали наводить здесь хоть какой-то порядок. — Она нажала кнопку селектора: — Полиночка Семеновна, зайдите ко мне.

Через мгновение в кабинет вошла немолодая женщина.

— Слушаю вас, Марина Ильинична.

— Что у нас с архивами? Вам удалось с ними разобраться?

— Архивы в полном порядке, Марина Ильинична.

— Будьте любезны, окажите всяческое содействие нашим гостям.

Той бумаги, которую читала в детстве Инга, в документах не оказалось.

— Она была написана от руки, на простом листке, — вспоминала Инга. — Наверное, Владимир Викторович писал ее для себя, а потом за ненадобностью выкинул. Чего ее хранить?

— Ничего. Я попробую пробить по своим каналам. Найдем. Не расстраивайся.

Вежливости ради они зашли еще раз к директрисе поблагодарить, но ее на месте не оказалось.

— Тем лучше, — сказал Павел. — Что-то она мне не понравилась.

Они молча шли по дорожке, усыпанной последними листьями. Во дворе играли дети.

— Знаешь, когда мы поженимся, давай усыновим какого-нибудь ребенка, — неожиданно предложил Паша.

— Меня в свое время тоже хотели удочерить.

— Как это? Ты мне не рассказывала! И почему не получилось?

— Кукла оказалась живая, Паша.

— Понятно. Нет, ну я серьезно. В смысле про усыновить.

Инга промолчала.

Задействовав все свои связи, Павел довольно быстро получил нужную справку и в магазин решил ехать один, без Инги.

— Нет уж, я поеду с тобой, — возразила она. — Я должна увидеть, откуда все началось.

Они долго препирались, и Павел сдался.

В магазине к ним также отнеслись не особенно приветливо, и на этот раз милицейская форма Павла была воспринята плохо. Никто ничего не знал или не хотел говорить. Хозяин сказал, что не знает, кто тут работал восемнадцать лет назад, что никаких архивов нет: был пожар, и если что и было, то все сгорело. Павел, глядя на потерянную Ингу, нервничал, раздражался, повышал голос, и это не способствовало контакту.

На унылом обратном пути он клятвенно пообещал ей, что найдет всех, кто там работал, Инга молча кивнула ему в ответ. А на следующий день отправилась туда одна.

— Девушка, это опять вы? — узнал ее хозяин.

— Опять я... Вы простите, если вчера мой спутник не так себя повел... Дело в том, что в этой коляске была я...

Хозяин присвистнул:

— Вот оно что... И что же вы хотите?

— Я хотела посмотреть на место, откуда началась моя теперешняя жизнь. И еще я хотела найти хоть какие-то следы моей матери.

— Зайди ко мне, — сказал хозяин, открывая дверь своего крошечного кабинетика, и кому-то крикнул: — Верку позови!

Вошла женщина лет сорока.

— Верунчик, познакомься: это она лежала в той коляске.

Верунчик всплеснула руками.

— Не может быть! А ведь я тебя даже на руках держала! Я тогда была совсем девчонка, вот вроде как ты сейчас...

— Расскажите, как это было, пожалуйста!

Верунчик принялась рассказывать в подробностях и под конец даже вывела ее на улицу и показала, где стояла коляска.

— А почему вы вчера не захотели с нами разговаривать?

— Понимаешь, я тут вроде как не работаю... не должна быть здесь. У нас тут свои дела, а парень твой слишком уж настырный да с гонором. К тому же мент. Что же касается твоей мамаши, то никто ее не видел. Сколько людей было, а все говорили по-разному, и одежду описывали разную, и возраст. Но вот что я тебе скажу. Был у нас полгодика спустя один интересный случай. Какой-то барышне стало плохо у магазина, и она, чтобы не упасть, ухватилась за коляску. Сначала вроде решили, что она хотела украсть из нее ребенка, но потом поняли, что она просто теряла сознание. Поговаривали, что это была та самая, которая подбросила ребенка... ну, тебя... Но это так, домыслы, как говорится.

— Да, негусто... — сокрушенно вздохнула Инга.

— Погоди. Работала у нас тогда одна уборщица, ушлая такая бабка, Нина Васильевна. Я сейчас спрошу ее адресок, ты съезди к ней. Она тогда эту барышню приводила в чувство. Может, та ей что-нибудь и сказала.

— А она жива, бабка эта?

— Весной жива была. Лет ей восемьдесят сейчас. Может, она что-то вспомнит. Подожди меня здесь, я сейчас тебе ее адрес принесу.

Верунчик вышла в торговый зал, пошепталась с продавщицей кондитерского отдела, и та принялась что-то писать. Верунчик вернулась с клочком бумаги и отдала его Инге. На нем был адрес и имя-отчество.

— Бери.

— Спасибо вам. Если придет вчерашний мент, не говорите ему ничего. Что я у вас была и что вы мне адрес дали. Я мать ищу, а не он.

— Не скажу. Никто не скажет. Удачи тебе, девочка!

Из магазина Инга сразу же поехала по адресу. Она ничего не замечала вокруг, ни дождя, ни людей, ни транспорта. Она чувствовала себя каким-то древним хищником, взявшим след жертвы. Подходил автобус и вез ее до метро. Подходил поезд и вез ее до нужной станции. Подходил автобус и вез ее на нужную улицу. Опомнилась она только у двери Нины Васильевны.

Звонок... Он может быть требовательным, зловещим, угрожающим, а может быть и просительным, робким. «Робким», — сказал Зверь. Инга слегка дотронулась до кнопки, и за дверью раздался слабый писк. Послышались старческие шаркающие шаги, и скрипучий голос спросил:

— Кто там?

— Нина Васильевна, мне ваш адрес дала Вера, Верунчик из магазина. Она сказала, что вы можете мне помочь.

— Чем же я могу кому-нибудь помочь? Мне бы кто помог, — заворчала старуха, открывая замки. — Заходи, что ли...

Оглядев Ингу с ног до головы, она приказала:

— Снимай все с себя, сушиться надо. Обувь тоже. Я тебе тапочки дам.

Инга разделась, переобулась в клетчатые стоптанные тапочки и прошла за старухой. В чистой комнате стояла старая, но добротная мебель в хорошем состоянии, в красном углу висел киот с множеством икон, больших, средних, маленьких, совсем крошечных. Горела лампадка, пахло ладаном и воском.

— Молилась я Создателю нашему перед твоим приходом. Грехи свои замаливала, — сказала Нина Васильевна, увидев, куда смотрит Инга. — Садись на диван. Рассказывай, кто такая, зачем пришла.

— Меня Ингой зовут. Нина Васильевна, я — та девочка из коляски, подкидыш... Вы помните?

— Склерозом не страдаю, — ответила Нина Васильевна. — Так это, значит, ты... Вот оно как... Нашла. От Господа нашего никакая малость не укроется... И что же ты хочешь от меня?

— Я хочу найти свою мать.

— Мать, говоришь... Кукушка тоже мать... Зачем

она тебе? Деньги хочешь получить или прописаться к матери? Или, может, ласки материнской захотела?

— Нет, ничего мне от нее не надо.

— Все так говорят, а потом в суд идут...

— Квартира у меня есть, государство выделило. Работа хорошая, денег хватает. Ласки... теперь уже не надо, я выросла.

— А чего же ты ее тогда ищешь?

— Я полюбила человека. И он сделал мне предложение. Но я не могу выйти за него замуж. Я ни за кого не могу выйти замуж.

— От-те раз... Чего это так?

— Я должна знать, кто моя мать. Может, она была сумасшедшей, или пьяницей, или наркоманкой, или убийцей... Вдруг я в нее пошла? И начну пить, или воровать, или сойду с ума... Не могу я так. Я должна знать. Пусть даже самое худшее. И я тогда скажу ему, кто я такая, и пусть решает, брать меня замуж или нет.

— Вот оно что... — Старуха с любопытством посмотрела Инге в глаза.

— Вы знаете, кто она?

— Еще десять минут назад точно не знала. Теперь знаю. Ты очень на нее похожа. Мельче только. Но это, видать, от детдомовского недоеда. Ну, слушай. Летом тебя подбросили, а осенью она пришла к магазину. Это как убийц тянет на место преступления, так и ее потянуло, не иначе. Подошла она к магазину, а там, на том же месте, коляска стоит, и ребенок в ней плачет. Тут-то ей плохо и стало. Ну, отвели мы ее в подсобку, отпоили чаем. А директор-то мне и говорит: «Кажется мне, Васильевна, что это та самая кукушка, которая нам ребеночка летом подбросила. Ты ее документики посмотри как-нибудь». Отправила я ее в туалет умыться, себя в порядок привести, а сама юрк обратно в подсобку, ну и переписала ее имя-фамилию да где учится. А директору сказала, что не было при ней документов. Ушла она, так ни о чем нас и не спросила. А меня словно бес попутал. Решила я заработать на ней. Выждала время и пошла в этот институт, сказалась ее теткой из деревни. Ну, мне там и дали ее новую фамилию и адрес.

— Новую фамилию?

— Новую. Замуж она вышла, фамилию сменила. Вот и стала я ее караулить, ходить за ней по пятам. Только хотела поприжать, как она пропала. Караулила я, караулила, да квартира пустая стоит. Потом-то я узнала, что на дачу она ездит. Дача у нее за Перхушково. Следила я за ней. И вот веришь? Только я соберусь к делу приступить, как то одно со мной случится, то другое... Никак не получается. Да и сомнения были: а вдруг все-таки не она? Вот Бог отвел от греха... — И Нина Васильевна обернулась к иконам и перекрестилась. — А тебе я скажу и адрес ее, и как зовут. Если виновата перед тобой, пусть отвечает. Ты мне тут складно рассказала, чего тебе нужно. Но я-то чувствую: есть у тебя еще что-то к ней. Ну да Бог тебе судья. — Старуха полезла в сервант, погремела посудой и вытащила железную коробочку. Порылась в ней и достала оттуда бумажку. — Вот, смотри, Людмила Николаевна Бражникова. Это новая фамилия, по мужу. А была она Сулешева. Это адрес ее городской, московский. А это — адресок дачи. Как туда ехать — тоже есть. Бери. Мне это все теперь ни к чему.

— Спасибо вам, Нина Васильевна, — сказала,

вставая, Инга. — Пойду я. Извините, что побеспокоила.

— Какое там беспокойство! А видишь, бумажку-то не зря хранила. Вот, значит, каким путем вел меня Господь наш, вот к чему: чтобы ты мать нашла. — И она опять перекрестилась. И уже стоя в дверях, сказала в спину: — Не суди ее строго. Кто знает, почему так вышло...

Темп жизни все ускорялся и ускорялся, и Инга едва за ним поспевала. Она по-прежнему не отказывалась от заказов, выслеживала свою мать, наводила всеми правдами и неправдами о ней справки, продолжала изредка видеться с Павлом. Она ничего ему не рассказала о полученной информации, чтобы не провоцировать его на очередное предложение. Будь ее воля, она бы давно с ним рассталась, но Зверь однажды ей сказал попридержать его, а Зверя надо было слушаться.

Одновременно, тайно от Гули, Инга встречалась с Виталиком. Один раз они вместе ездили в какой-то дачный поселок неподалеку от Перхушково. Инга говорила, что одна богатая дамочка так и не заплатила ей за работу, и теперь она пытается выследить ее, чтобы потребовать свои деньги. С той же целью они не один вечер провели возле какого-то дома в районе метро «Аэропорт», и Виталик наивно думал, что им просто не везет.

— Послушай, — увещевал он Ингу, — может, она на каких-нибудь Канарах отдыхает, а мы здесь мерзнем. Пошли лучше в киношку.

— Нет, рано или поздно она объявится, — отвечала Инга.

Как-то в очередной раз Инга, уже без Виталика,

присела на лавочку, расположенную практически напротив подъезда Людмилы, раскрыла книгу и стала делать вид, что читает. Через какое-то время дверь открылась и вышла интеллигентного вида старушка. Она прошлась по двору туда-сюда и, видимо, устав, села рядом с Ингой. Еще через какое-то время к подъезду подошла компания молодых людей и девушек, и они стали пробовать разные варианты кодов, чтобы открыть дверь.

— Вам чего здесь нужно? — громким четким голосом вопросила их старушка. — Вы к кому пришли?

Компания пошушукалась, девушки засмеялись и, не отвечая ей на вопросы, стайкой упорхнули за угол дома.

— Ишь, повадились ходить пиво пить по подъездам. Напьются, заплюют все, окурками закидают, а то и наблюют... А у нас дом солидный, здесь абы кто не живет.

— Да что вы говорите! — поддержала разговор Инга. — А кто здесь живет?

— Дом старый, писательский. В четвертом подъезде жили Заславский и Максимов.

— Да что вы! Правда?! — изумилась Инга.

— Да. А в нашем — Бражников Василий Андреевич, царствие ему небесное.

— Неужели сам Бражников?

Старушка с сомнением и подозрением посмотрела на Ингу.

— А ты что, читала что-нибудь Бражникова?

— А как же! Еще в школе проходили, в десятом классе, рассказы его и роман. «Березняк» называется.

Старушка, если говорить честно, никогда не читала его романов, но точно помнила, что был у него такой роман.

— Да, есть такой. Несчастливая семья у них. Сын у них был, Славка. Вроде парень рос хороший. А потом вообразил себя писателем. Да только, видать, на самом деле никудышным он был, так ни одной книги и не написал. Вернее, писать-то он писал, да никому его писанина оказалась не нужна. Стал пить, куролесить. Вот и довел отца-то с матерью до могилы.

— Какой ужас!

— Да, ужас. С одной женой развелся, бросил с дитем. Ему уж за сороковник было, когда молодую взял. Новую жену, стало быть, привел. Ну, там дело, видать, по залету было. Она ему быстро-то сыночка родила. А он-то жену — в роддом, а сам загулял. Запил. Ну и убили его по пьяни. Только я тебе вот что скажу. Нехорошая она женщина. Есть такие, которые несчастье людям приносят.

Она бы долго еще говорила и много чего бы рассказала, но тут на втором этаже распахнулось окно, и какая-то женщина крикнула:

— Валентина Петровна, я смотрю, вы сидите, а сериал-то уже начался.

— Иду! Иду! — крикнула в ответ старушка и, не прощаясь, засеменила к подъезду.

Однажды Инге все-таки удалось увидеть свою мать. К подъезду подъехала машина, и из нее вышла ухоженная, дорого одетая женщина, довольно высокая, статная, с роскошными светлыми волосами, собранными на затылке в благородный узел. Ни на кого не смотря, она уверенно набрала код и исчезла за дверью. «Я действительно на нее похожа», — подумала Инга, пытаясь унять дико колотящееся сердце.

Когда настало некое насыщение фактами, Инга суммировала то, что удалось узнать. Итак, ее мать была вдовой, с квартирой в престижном писательском доме, с дачей на Рублевке, и к тому же состоятельной женщиной, у которой имелся свой бизнес. Она не была ни проституткой, ни наркоманкой, ни алкоголичкой. Ненормальной ее тоже нельзя было назвать. Почему тогда она так поступила с Ингой? Как она могла взять ее и вот так выбросить, подкинуть?

— Как? — спрашивал Зверь. — Да вот так. Ты для нее ничего не значила, была просто куском ненужного мяса. Ты ей мешала. Неужели ты не понимаешь? Она хотела красиво жить, а тут ты с пеленками. На тебя тратиться надо было.

— А вдруг ей негде и не на что было жить?

— Не забывай, она училась в институте и закончила его. Получается, что выбрала она институт, а тебя выкинула, чтобы не мешалась. — И Зверь в ярости сдавил ей голову. — Ты пожалей ее, пожалей. Ой, какая она бедная, несчастная. Живет припеваючи, деньги швыряет направо и налево... Вспомни, как она была одета...

— Замолчи! Я не хочу тебя слушать! Мне и так больно!

— Конечно, тебе больно. Ты же никому не нужна. Отец твой вообще неизвестен, мамашка тебя выкинула, Виталик твой женился на Гуле...

— Замолчи, я сказала! Меня Паша любит! Я выйду за него замуж и все забуду! И никому не буду мстить!

— Любит тебя Паша, как же. То-то вы с ним все

реже и реже видитесь. Прикинул твой Паша, что к чему, и давно передумал на тебе жениться. Он ведь не сделал тебе предложение еще раз?

— Он сделает! Я расскажу ему, что я узнала, и он сделает. И я выйду за него замуж, выйду! И все у меня будет хорошо!

— А ты открой книжечку записную на буковку «С». Посмотри, кто у тебя там записан?

Наутро Инга встала разбитой, но голова не болела, и Зверь молчал. Она просмотрела свой гардероб, потом пересчитала наличные. Прежде чем решить, что же делать с матерью, она должна была разыскать Сергея.

Сначала Инга позвонила по номеру телефона из записной книжки и попросила Сергея Владимировича. После паузы ей сказали, что он давно здесь не работает.

— Простите пожалуйста, что я вас беспокою, но не могли бы вы мне помочь его разыскать? Дело в том, что он когда-то спонсировал наш детский дом, в частности наш класс.

Хитрый ход сработал, на том конце провода опять помолчали, а потом женский голос ответил:

— К сожалению, я действительно ничем не могу вам помочь. Но он — человек публичный, и если вы наберете его фамилию в Интернете, я думаю, ссылок будет предостаточно.

— Да вы понимаете, весь ужас в том, что мы все помним, как его зовут, но никто не знает фамилии, а очень хочется его просто поблагодарить.

— Борисов. Сергей Владимирович Борисов.

— Ой, спасибо вам огромное. Всего доброго.

В Интернете Инга действительно нашла много ссылок, записала кучу адресов и телефонов и звонила до тех пор, пока ей в какой-то консалтинговой фирме не ответили, что у Сергея Владимировича сегодня неприсутственный день и что он будет завтра с утра.

— Ему что-нибудь передать? — вежливо спросила секретарша.

— Нет. Я, собственно, звоню по поручению своего шефа. Он хотел обратиться в вашу компанию за консультацией. Если Сергей Владимирович будет завтра, то мой шеф позвонит ему непосредственно.

— Да-да, конечно, как вам удобно.

— А во сколько вы начинаете работать? Во сколько ему лучше звонить?

— Сергей Владимирович приезжает обычно к десяти. Думаю, в половине одиннадцатого будет лучше всего.

— Хорошо. Спасибо большое за информацию. До свидания.

Хотя Инга и предполагала, что такие пустые звонки на фирме — обычное дело (мало ли кто хотел обратиться, а потом передумал), на всякий случай она выждала несколько дней, потому что не хотела, чтобы странный звонок можно было связать с ее появлением. Их она потратила на рекогносцировку. Скорее всего, он ездит на машине. Значит, караулить его надо будет у офиса. И у нее должно быть готовое объяснение, что она делает в этом районе. Пройдя окрестности фирмы вдоль и поперек, она ничего подходящего, кроме букинистического, так и не нашла. Теперь нужно было придумать, что же ей могло понадобиться в нем, какая книга. Нужна была какая-нибудь редкость. Посидев часок в интернет-кафе, она определилась: она якобы будет искать «Дервиш и смерть» Меши Селимовича.

Без четверти десять Инга зашла в магазинчик, расположенный в том же здании, что и фирма, и стала ждать. Ее колотило. Через десять минут подъехала и припарковалась иномарка, и из нее вышел Сергей. Он хлопнул дверцей, нажал на кнопку брелка, машина мигнула фарами и издала звук, как будто бы сглотнула что-то большое. Сергей развернулся и быстрыми шагами направился к двери. Все это заняло несколько секунд. Значит, завтра ей придется почти бежать, чтобы успеть оказаться у него на пути...

СЕРОГЛАЗЫЙ КОРОЛЬ

В политику Сергей наигрался довольно быстро. Может быть, для кого-то эта овчинка и стоила выделки, но только не для него. Он, конечно, с самого начала понимал, что придется поступиться многими вещами, но не думал, что верхушка айсберга окажется столь мала в процентном отношении к той невидимой громаде, которая скрывается под водой. А посему, заработав себе немало очков, связей и материальных благ при минимально возможном количестве врагов, он проанализировал расстановку сил, возможные варианты развития событий и решил потихоньку, незаметно для постороннего глаза отходить от дел. В самом начале он поступил мудро: не только не ликвидировал свою консалтинговую фирму, но и сделал в нее несколько хороших вливаний и на чужое имя открыл еще одну, занимающуюся пиаром. Эту новую фирму он назвал «Успех+» и ненавязчиво подтягивал к себе клиентов из нижних и средних политических пластов. Обладая незаурядным аналитическим умом, непосредственно·пройдя по всем кругам политической карьеры, он мог практически из любого материала (так он называл своих клиентов) сделать вполне удобоваримую модель, пригодную для употребления.

Обеспечивая себе тылы, он при первом же подвернувшемся случае выкупил дачу у одряхлевшей и бедствующей академической вдовы, и опять-таки не промахнулся: Рублевка была уже не просто направлением, но понятием, и стоимость покупки буквально через год выросла вдвое. Оставалось теперь закруглиться с карьерой.

Для начала Сергей развелся с Наташей, выкинув ее из своей жизни, как когда-то роскошный, а теперь засохший и запылившийся букет. Однако отступные были более чем щедрыми. Официальный развод не очень приветствовался, и против его фамилии появился первый минус. Затем он стал активно прибаливать, чем заработал себе еще один минус. Потом случилась небольшая утечка информации. Тот факт, что он в это время находился в больнице, его не оправдывал, и недовольные высокие боссы сменили ему двух заместителей, а третий ушел сам. После больницы был санаторий, и к тому времени, когда Сергей вернулся к работе, его новые заместители здорово обновили штат. А дальше, как само собой разумеющееся, новый срок ему не предложили. Однако вышел он из политики с хорошей репутацией, и у всех где-то в подсознании отложилось, что сделал он это по состоянию здоровья.

Пока связи не остыли, Сергей принялся активно раскручивать свой «Успех+», и ему это удалось.

Фирма набирала обороты, и оставалось только держать руку на пульсе и привлекать к себе лучших специалистов, будь то визажист, логопед, журналист, диетолог, системный администратор или психоаналитик. Собственно говоря, точно так же когда-то строилась работа его первой фирмы, так что никакого колеса изобретать заново не пришлось. Метод был испытанный, проверенный и быстро давал свои положительные результаты.

Уже через год отпала необходимость вкладывать поступающие гонорары в дело. Обе машины работали в полную силу, принося немалый доход, и Сергей решил взять тайм-аут и немного отдохнуть.

В начале апреля укатил в так полюбившуюся ему Италию. Он с удовольствием провел там целый месяц. Первые две недели он потратил на путешествия по разным городам и городишкам, а на сладкое оставил себе Вечный город. Однажды вечером, спустившись к ужину, он увидел за соседним столиком очаровательную девушку. Ее молодость и красота были безыскусны и притягательны. Девушка отчаянно и безуспешно пыталась объяснить что-то официанту по-русски. Оба улыбались, но разговор никак не сдвигался с мертвой точки. Сам Сергей к тому времени уже немного поднаторел в итальянском, по крайней мере, на уровне туристического минимума, а потому, немного смущаясь, он подошел к ним и попросил у девушки разрешения помочь. Она поблагодарила и попросила перевести официанту, чтобы он подошел минут через пять, потому что к ней должен присоединиться ее муж. Сергей выполнил ее просьбу, откланялся и сел за свой столик, продолжая исподтишка наблюдать за ней. Он представлял себе, что к ней вот-вот спустится молодой бог, он словно уже видел вместе эту гармоничную пару, и вдруг поймал себя на мысли, что как-то по-стариковски завидует их счастью, и понял, что молодость ушла. Он отвлекся, делая свой заказ, а когда вернулся к наблюдению, был шокирован, поскольку мужем оказался небезызвестный ему бизнесмен, на полтиннике которого сам Сергей лет пять назад гулял в хорошей компании. Значит, ему где-то пятьдесят пять, а ей, допустим, не больше двадцати. «Хорошо, пусть ей даже двадцать пять. Двадцать пять и пятьдесят пять. Тридцать лет разницы, а она отнюдь не выглядит жертвой неравного брака, да и он не выглядит старше меня. А мне-то всего сорок три... А что? Еще не поздно... Я вполне могу жениться на молодой девушке, иметь детей... Молодых девушек, желающих выйти замуж за состоятельного мужчину, полно... Надо найти себе какую-нибудь помоложе, воспитать... Изваять Галатею...» С этими мыслями он уснул и с ними же проснулся. Идея создать семью захватила его, и Рим перестал быть интересным.

Вернувшись в Москву, Сергей с головой окунулся в светскую жизнь. Он стал принимать приглашения на разнокалиберные рауты, презентации и иже с ними с прицелом найти себе подходящую пару и одновременно с этим взялся за ремонт дома на Рублевке. Нанял толкового прораба, определил круг работ, сумму и сроки и обязательно регулярно заезжал посмотреть, как продвигается дело.

К концу июня дом был готов. На неделю Сергей ангажировал ландшафтного дизайнера, тот привел в порядок участок. Теперь можно было приглашать гостей к себе.

Наметив небольшой пробный сабантуйчик на

ближайшие выходные, он заранее прикупил спиртного, соков, кое-какой закуски, заказал на пятницу в испытанном месте шашлык. И только в субботу утром вспомнил, что не озаботился ни зеленью, ни хлебом. Время до приезда гостей еще было, и он отправился на ближайший рынок. Набрав лаваша, узбекских горячих лепешек, петрушки, укропа, лучка, кинзы, он пошел по рядам выбирать огурчики с помидорчиками. Ему хотелось, чтобы огурчики были непременно маленькими, темно-зелеными и с пупырышками, а из помидоров признавал только «бычье сердце». Они тоже должны были быть небольшими и сахариться на разломе. Найдя наконец то, что ему было нужно, он подождал, пока крикливая дама возьмет свое и уйдет, и, протянув продавцу пакет, попросил его взвесить по три кило того и другого.

— Сколько стоят ваши помидоры? — услышал он сзади приятный женский голос, обернулся на него и остолбенел: прямо за его спиной стояла Инга. Уже в следующее мгновение он понял, что это не могла быть она, потому что женщине было около сорока. Она была удивительно красива, роскошные светлые волосы были собраны на затылке в узел, дорогой костюм из хлопка отлично сидел на превосходной фигуре, и во всем ее облике было какое-то царственное достоинство, которое дается либо от рождения, либо вырабатывается годами благополучия.

Продавец протянул Сергею два пакета, тот расплатился и отошел в сторонку. Когда женщина получила свои покупки и пошла дальше по ряду, он догнал ее:

— Разрешите мне помочь вам?

Женщина обернулась, посмотрела на его сумки и ответила:

— Да у вас у самого полна коробочка.

— О, это пустяки. Давайте, я донесу вам хотя бы до машины. — Ему даже в голову не пришло, что у нее машины может и не быть.

— А у меня сегодня день общественного транспорта. Так что придется нести до такси.

— Зачем же до такси? Я вас с удовольствием отвезу домой...

Женщина улыбнулась.

— Что же, это очень любезно с вашей стороны. Только мне надо еще купить хлеба и сыра.

Когда все было куплено и они загрузились в машину, Сергей представился:

— Меня зовут Сергей. А вас?

— Людмила.

— Очень приятно. Так куда же мы едем?

Людмила объяснила, куда ехать. Машина тронулась с места.

— Мы с вами практически соседи. Удивительно, что до сих пор не встречались. Рублевка — место довольно тесное, — продолжил разговор Сергей.

— Не знаю... Я здесь давно, еще с тех пор, когда она не была именем нарицательным.

— А я не так уж и давно. Года три тому назад сосватали мне дачу, место понравилось... Но как-то руки все не доходили. А в этом году отремонтировал дом, привел в порядок участок и теперь подумываю, а не переселиться ли сюда на постоянное жительство.

— Я тоже люблю эти места, — Людмила помолчала. — Но если вы связаны с постоянной работой, то, боюсь, жить здесь довольно проблематично. Пробки... В позапрошлую пятницу четыре часа стояла, только чтобы на нее въехать. Дома была только в десять.

— Вы работаете? — спросил Сергей.

— У меня небольшой бизнес, но ехала я не с работы. Следующий поворот направо и до магазинчика. Сразу же за магазинчиком въезд в поселок.

— Так вы в писательском поселке?

— Да.

— Догадался. Вы — писательница, пишете детективы.

Людмила рассмеялась.

— Нет, даже и не пробовала. Мой свекор и мой покойный муж были писателями.

— Простите...

— Нет-нет, ничего. Дело давнее. Здесь — прямо, потом налево до конца и направо.

Сергей помог занести сумки в дом, и она предложила ему кофе. Он посмотрел на часы.

— Людмила, у меня сегодня скучное официальное гостевое столпотворение, и я должен торопиться. Но я очень хочу как-нибудь посидеть с вами в спокойной обстановке, где-нибудь за чашечкой кофе и познакомиться поближе. Вы не будете против?

— Почему бы и нет? — улыбнулась она и, открыв сумочку, достала оттуда визитную карточку. — Здесь все мои телефоны. Позвоните.

Сергей взял ее карточку, но свою на всякий случай не предложил. Он привык быть осторожным. А Людмилу жизнь словно бы ничему и не научила, ей не показалось странным то, что он не оставил ей никаких координат, потому что она уже снова была во власти азарта погони за тихой гаванью. После его ухода, довольная собой, она расположилась на веранде в своем любимом кресле и стала размышлять.

Сергея она заприметила давно: мужчины с такой внешностью бросаются в глаза. Пару-тройку раз видела его на рынке, один раз он заезжал к ней в автосервис, один раз они пересеклись в филиале банка. В этот раз, ходя за ним по рядам рынка, она решила попробовать обратить на себя его внимание, и ей это удалось. Она ни капельки не сомневалась в том, что он позвонит и назначит свидание, как не сомневалась и в его состоятельности. В этом ее наметанный глаз никогда не ошибался. Оставалось выяснить для себя кое-какие мелочи и, разумеется, главный вопрос: женат он или нет. Потому что, если он женат, то и отношения надо будет строить легкие, необременительные или вообще не строить, а если нет, то пускать в ход всю имеющуюся в наличии тяжелую артиллерию, ибо время поджимало.

Сергей ехал домой и тоже размышлял. Людмила ему очень понравилась, но смущал ее возраст. Вряд ли она захочет и сможет родить ему ребенка. Да и вполне вероятно, что у нее уже есть дети. С другой стороны, гламурные девушки его сильно разочаровали. Те, которые были из хороших семей, знали себе цену, имели все и вряд ли бы прельстились перспективой быть домашней клушей у немолодого бизнесмена средней руки. Те из низов, которые всеми правдами и неправдами пробивались в свет, были слишком хваткими, прагматичными, и под позолотой рано или поздно обнаруживалась свиная кожа. Одним словом, они никак не вписывались в образ чистого юного существа, будущей жены и матери его детей. Сергей решил, во-первых, не торопить события, а во-вторых, несколько изменить свой план. Для начала нужно расширить круг поисков, найти подходящую кандидатуру, удостовериться, что она готова и способна родить, и тогда жениться. А пока что у него есть роскошная женщина Людмила, которая его вполне устраивает.

НОВЫЙ ВИТОК

Он позвонил ей уже в воскресенье вечером.

— Добрый вечер, Людмила. Вас беспокоит ваш новый рыночный знакомый Сергей.

— Здравствуйте, Сергей. Как ваши скучные официальные гости?

— Только что выловил в сарае последнего и отправил домой.

Людмила рассмеялась и спросила:

— Он очень сопротивлялся?

— Бешено. Но я с ним справился и теперь свободен. Какие у вас планы на завтрашний вечер?

— На завтрашний вечер у меня планы грандиозные. Видите ли, я тут познакомилась на рынке с одним очень интересным человеком, и он собирается пригласить меня в миленький маленький китайский ресторанчик.

— Вы удивитесь, но я даже знаю, в какой.

— Вот это да! И в какой же?

— В предместьях Пекина есть один такой, называется он «Царская охота». Много веков стоит он там, и все китайские императоры хотя бы один раз, да побывали в нем на своем пути в столицу. И я уверен, что этот ваш рыночный знакомый назначил свидание именно там, в двадцать один ноль-ноль, чтобы как следует пустить вам пыль в глаза и завоевать ваше расположение.

— Ну что же... Вы не ошиблись. Именно там он и назначил мне свидание.

— На всякий случай я тоже буду там. Вдруг этот ваш новый знакомый окажется аферистом или, что еще хуже, не придет, и тогда я смогу спасти ваше неловкое положение.

Людмила опять рассмеялась.

— Хорошо. Я рассмотрю этот запасной вариант во всех подробностях.

— Непременно рассмотрите. А я даже знаю еще одну вещь.

— Какую же?

— Он пришлет за вами машину.

— А это не опасно? Вдруг он украдет меня и продаст в рабство? Все-таки я его почти совсем не знаю.

— Не бойтесь. Я сяду ему на хвост.

Закончив разговор с Сергеем, Людмила тут же позвонила своей приходящей домработнице:

— Вера Борисовна, добрый вечер. Это Людмила Николаевна. У меня к вам огромная просьба. Не могли бы вы вместо вторника прийти завтра?

— Добрый вечер. Конечно, могла бы. А что нужно?

— Нужно навести полную икебану, сменить все белье и кое-что закупить. Я вам оставлю деньги и список на столе. Да, и перед уходом пожгите эти индийские палочки или аромалампу...

— Хорошо, Людмила Николаевна. Все сделаю, — ответила домработница и про себя подумала: «Опять новый любовник...»

Они славно посидели в «Царской охоте». Сергей с удовлетворением отмечал, как смотрят на Людмилу мужчины, а Людмила с таким же удовлетворением наблюдала, как смотрят на Сергея женщины.

На этом первом свидании оба выяснили для себя несколько немаловажных вещей. Людмила — что Сергей разведен, детей нет из-за бесплодия бывшей жены, но детей очень хочет, и все это в совокупности представлялось ей весьма и весьма перспективным. А посему она пребывала в ударе, в эйфории, напропалую флиртовала, и ей казалось, что в таком же бесшабашно-счастливом настроении находился и ее партнер.

Сергей же для себя выяснил, что Людмила дважды была замужем. Первый муж умер, а со вторым она развелась. Детей нет, самостоятельно управляется с бизнесом и готова к отношениям. Факт, что ни от первого, ни от второго мужа она так и не родила, он принял к сведению с некоторой долей сожаления. Да и старовата... Что же, значит, надо расслабиться и просто получить удовольствие от романа с красивой женщиной, который не помешает ему идти дальше по намеченному пути.

Около полуночи они вышли в тепло летней ночи, слегка хмельные и романтично настроенные. Они долго целовались в машине, потом чье-то бибиканье сзади заставило их уехать. Уже у ворот Людмилиной дачи они опять долго целовались, а потом рука об руку пошли к дому.

Их днем свиданий стала пятница. Первое время Сергей обычно заезжал за Людмилой либо на дачу, либо в офис, и они отправлялись в какой-нибудь ресторан, оттуда в театр, казино или еще куда-нибудь. Потом он отвозил ее домой и обычно оставался до утра, но утром обязательно уезжал. Такое времяпрепровождение после напряженной рабочей недели не только не давало отдохновения, но даже утомляло. Видимо, по этой причине довольно быстро их встречи перешли в более спокойное русло: Сергей просто приезжал к ней пятничными вечерами, она к его приходу сама готовила что-нибудь замысловатое, они мирно проводили вечер вдвоем, как устоявшаяся супружеская пара, и в субботу он уже не торопился уезжать. Чем-то Людмила была похожа на его бывшую жену: спокойная, самодостаточная, понимающая, не болтливая, и вместе с тем в ней не было раздражающих моментов, присущих Наташе. К тому же Людмила прекрасно выглядела для своих лет, и если она и вела борьбу с возрастом, то борьба эта не происходила у него на глазах. Он терпеть не мог всяких там масок, бигуди, массажеров и прочей женской ерундистики. Нельзя сказать, что он оставил идею создания семьи. Нет. Но идея эта как-то полиняла, потерлась и обветшала. А время шло.

Однажды он стал вспоминать, как они познакомились. Казалось, что это произошло всего какой-то месяц назад, и вдруг он осознал, что роман их длится уже больше полугода. Это почему-то Сергею не понравилось, и он обозлился на Людмилу, на ее обволакивающий, затягивающий уют, на ее служение ему же и даже на ее бесконечные и обязательные пироги. Он почувствовал, что за эти полгода обленился, обрюзг, отяжелел, что исчез азарт и что куда-то в никуда уходят остатки его молодости и начинается тихое медленное увядание. Сергей испугался и решил, что с Людмилой пора расстаться. Благо у него хватило ума не приглашать ее к себе домой, а из телефонов дать только номер второго сотового, который легко можно было сменить на другой.

ВСТРЕЧА

Утром он проснулся в отличном расположении духа. Ему показалось, что стало легче дышать, двигаться, голова была ясной, мысли четкими, а в душе разливалась какая-то прекрасная весенняя тревога. Сергей взглянул на календарь и усмехнулся: «Ну да, ну да, первое марта. Я как мартовский кот... А что? Почему бы и нет?! Сегодня же позвоню ей и для начала отменю пятницу». Он заулыбался своим мыслям, замурлыкал что-то себе под нос, с удовольствием позавтракал и отправился на работу.

Припарковавшись недалеко от входа в офис, он выбрался из машины, захлопнул дверцу, включил сигнализацию и, резко развернувшись, сделал шаг вперед. Спешащая куда-то девушка налетела на него, споткнулась и упала на утоптанную до льда дорожку. Он увидел, как, описав дугу, упала в сторону ее сумочка, как слетела шапочка, как рассыпались ее светлые волосы, и почти физически почувствовал, как больно она ударилась головой. Он легко подхватил ее на руки, уже узнавая, но еще не веря в то, что это она.

— Господи, как я мог! Девочка моя, прости меня, прости старого дурака! — кричал Сергей, имея в виду свою медвежью неловкость. Инга же поняла его слова так, как просило ее сердце. Она уткнулась ему в плечо и заплакала:

— Ты не старый, Король, ты совсем не старый... Я выросла... Я уже выросла... Я всегда любила тебя... С самого начала... С самого первого дня...

— Не плачь, малыш, не плачь. Все будет хорошо. — Он поставил Ингу на ноги, и она охнула от боли. — Я отвезу тебя домой. Давай, садись вот сюда. Осторожно... Сейчас я принесу твою сумочку.

Сергей усадил ее в машину и, спеша и почему-то волнуясь, бросился собирать ее вещи. Сунув Инге сумочку, он захлопнул дверцу. Достал сотовый, набрал номер и сказал кому-то, чтобы его сегодня не ждали.

Веселые крупные снежинки, кружась, летели в лобовое стекло, создавая иллюзию оторванности от внешнего мира. Как будто специально для них какая-то высшая воля расчищала дорогу, услужливо зажигая зеленый свет.

Поддерживая Ингу, Сергей довел ее до квартиры. Она открыла дверь, и он вошел следом за ней, снял с нее шубку, повесил на вешалку и, присев на корточки, бережно и медленно снял сначала один сапог, потом второй.

— Я тебя никуда не отпущу, — тихо сказала Инга. — Иначе ты опять уйдешь, и я тебя больше никогда не увижу.

Сергей встал, и она начала расстегивать ему пальто.

— Инга, я... — Сергей хотел что-то сказать, но она его перебила:

— Я уже выросла, Сережа. Я больше не ребенок. Я так долго тебя ждала... Не говори ничего. Просто поцелуй меня — и все.

Говорят, что только по лицу спящей женщины можно точно определить, действительно ли она красива или же нет. Сергей смотрел на освещенное уходящей луной личико Инги и в который раз поражался тому, насколько она прекрасна. И еще он думал о том, как хитро плетет свои узоры судьба. Для того чтобы сейчас Инга принадлежала ему, нужно было когда-то жениться на Наташе, наделавшей по молодости глупостей и оставшейся бесплодной. Именно она выбрала Ингу из многих десятков детей... А он привил девочке любовь к чтению, как будто дал ей некий талисман, который через много лет привел ее к нему... Ведь она тогда шла в букинистический магазин за редкой книгой... И привел как раз в тот день, когда он решил порвать отношения с Людмилой... И это удивительное сходство между ними, не дающее ему покоя... Конечно, Людмила по возрасту вполне могла быть матерью Инги, вот только он никак не мог придумать, как могло бы так случиться, что Людмила, такая правильная, разумная, благополучная, домовитая, могла бы бросить своего ребенка. Да и, в принципе, это было неважно. Он был влюблен, счастлив и с каким-то сладким страхом ждал момента, когда Инга скажет ему, что у них будет ребенок. Он уже продумал до мелочей, где и как они будут жить, какой заботой и вниманием он ее окружит, каких знакомых задействует, чтобы найти самый лучший роддом и приличную няню. Мысленно он уже составил список детских книг, которые будет читать на ночь своему ребенку. Ему было все равно, мальчик это будет или девочка. Если мальчик, он непременно будет воспитывать его как мужчину, закалять, водить в походы, учить ориентироваться на местности, разжигать костер... Если девочка, он вырастит ее как принцессу. Она будет носить самые лучшие платья, будет ходить в балетный класс, учиться музыке, рисованию. Он будет внимателен, он будет очень внимателен к своему ребенку, и обязательно откроет в нем какой-нибудь талант, и сделает все, чтобы развить его, наймет лучших преподавателей.

Мечты были чистыми, светлыми, и дальнейшее

присутствие в его жизни Людмилы было невозможным. Ей нужно было как-то сказать, что больше ничего не будет, а это было сложно и тяжело. Сейчас он понимал, что сделал ошибку, не оборвав отношения резко и навсегда. Сначала соврал, что уезжает в командировку в Германию, и таким образом выиграл для себя две недели. Потом они встречались в ресторане днем, и он, чтобы не ехать к ней, ссылался на рабочий аврал. И если теперь он приедет и скажет, что между ними все кончено, то будет выглядеть по-мальчишески глупо, потому что станет понятно, что он ей врал. Однако, как бы там ни было, нужно было что-то предпринимать, и не только в отношении Людмилы. По-хорошему, надо было бы сделать предложение Инге, но Сергей все тянул и подспудно ждал, чтобы она сначала забеременела. «Вот когда все получится, тогда и сделаю, — решил он для себя. — А в пятницу непременно съезжу к Людмиле и дам ей отставку».

В пятницу, переполненный благими намерениями и собственным благородством, Сергей отвез Ингу домой, в Марьино, и велел быть готовой завтра с утра ехать на дачу, на шашлыки. По пути на работу он сначала заскочил в салон сотовой связи и купил ей самый лучший аппарат и за небольшую мзду хороший номер. После салона зашел в расположенный рядом ювелирный магазинчик и купил дорогое колечко с бриллиантом: пусть будет наготове.

Уже с работы позвонил Людмиле и сообщил, что приедет к ней вечером.

Интуитивно почувствовав, что вечер будет судьбоносным, Людмила на всякий случай встретила его во всеоружии: на ней был черный шелковый японский халат с золотыми драконами, шитые золотом тапочки и нитка черного жемчуга. Под халатом не было ничего. Тугой узел волос был прихвачен единственной шпилькой.

После ужина они, захватив по бокалу вина, перебрались в кресла у камина, и она сказала:

— Что-то ты неважно выглядишь. Много работы?

Оттягивая момент, Сергей принялся рассказывать ей о новой фирме, которую он начал создавать.

— Это будет эдакая мужская консультация. Не в медицинском смысле слова, — добавил он, заметив Людмилино удивление. — Понимаешь, мужчины в своей массе на самом деле страшно закомплексованные существа.

— Ни за что не поверю, — рассмеялась Людмила.

— Да-да, это так. Даже если мужчина обладает голливудской внешностью, состоялся в бизнесе, пользуется успехом у женщин, это не значит, что он не подвержен тайным комплексам. При всем при том он, например, не может переступить через себя и сделать любимой женщине предложение, потому что боится получить отказ.

Людмила заволновалась, приняв это на свой счет:

— Но почему?! Если женщина его тоже любит и он знает об этом, почему он думает, что получит отказ?

— Дело не только в этом, — Сергей испугался, поняв свою ошибку, и мгновенно соскользнул с темы. — Многие мужчины слишком требовательны к своей будущей избраннице и поэтому при всем своем желании не могут никак найти себе подходящую пару. И вот тут как раз наш «Пигмалион» должен помочь ему определиться, понять, в чем его ошибка...

Людмила же, увидев его испуг, поняла, что он увиливает, и обозлилась:

— По-моему, это глупости.

— Да? Ты так считаешь?

— Тот, кто хочет иметь семью, тот ее имеет, несмотря ни на что. А тот, кто не хочет, будет придумывать себе комплексы и причины, только чтобы отвертеться. Вот ты не имеешь семьи, значит, она тебе не нужна. Тебе хорошо одному, ты уже привык, тебе так комфортнее. И развелся ты скорее всего потому, что по природе одиночка. А найти повод для развода проще простого. Особенно мне нравятся «разные духовные интересы». Или «не может рожать»... Если бы тебе были нужны дети, они бы у тебя давно были.

Разговор начал перерастать в ссору. Сергею это было на руку.

— Ну что же, значит, и ты — одиночка. Ты ведь тоже развелась, и у тебя тоже нет детей. Значит, и тебе так удобнее — не обременять свою жизнь лишними людьми.

— Не обременять свою жизнь лишними людьми? Да что ты знаешь о моей жизни? У меня был ребенок от первого брака! Сын. Во время путча мой второй муж буквально сплавил его к родственникам в Грузию. Он не любил Гошу, мальчик его раздражал... Он постоянно бил его... Жадничал на игрушки... А какой спрос с трехлетнего ребенка? Он же был совсем малыш, — Людмила разрыдалась. Она уже сама верила в то, что говорила. — А там он погиб, попал под машину... И пришлось похоронить его там... Развелась? Конечно, я развелась! Он пичкал меня транквилизаторами и хотел упрятать в психушку, и спал с моей подругой... — Она встала и пошла за сигаретами.

Сергей тоже встал, подошел к ней, обнял и стал гладить по голове.

— Ну, успокойся... Прости меня... Ну, прости... Я не знал, ты никогда об этом не говорила...

— Сережа, разве об этом можно говорить? Не дай бог никому... такая боль... — Она посмотрела ему в глаза. — Она сидит внутри, и иногда кажется, что только ждет момента, чтобы разорвать в клочья...

Людмила плакала, Сергей утешал ее, целовал ей заплаканные глаза и сам не заметил, как они оказались в постели.

Утром они проснулись поздно. Сергей, сославшись на дела, засобирался, но пообещал на днях позвонить и вытащить ее на какую-то модную выставку.

«Теперь он так просто от меня не отделается», — подумала Людмила.

«Теперь так просто с ней не порвешь», — подумал Сергей.

Виноватый, от Людмилы он помчался к Инге и вместо обещанных шашлыков потащил ее покупать новую шубу.

Он вообще баловал Ингу, как только мог, а она радовалась подаркам, восхищалась ими и как будто бы тотчас о них забывала. Для нее важно было одно: он сейчас здесь и с ней. И только в этом случае мир существовал и имел смысл, и она мчалась сквозь него вспыхнувшей в солнечном луче пылинкой, счастливой, благодарной и беззащитной. Она простила свою мать, поняв, что сделать то, что сделала с ней мать, невозможно, если ты счастлива, а значит, мать была несчастлива, очень несчастлива, и ее можно было только жалеть. Она с улыбкой вспоминала свои планы страшной мести и прощала себя, потому что была тогда всего лишь неразумным ребенком. Зверя больше не было. Он исчез, растворился. И она поняла, что просто придумала его себе, чтобы иметь хоть какую-то защиту от страшных головных болей, так мучивших ее в детстве, от одиночества. Ей было жалко Виталика, потому что заморочила ему голову, и Гулю, которая ни о чем не догадывалась и от этого выглядела глупо, и их обоих вместе, потому что у них все было так обыденно-просто. И ей было жалко Пашу, потому что она чувствовала, что он посвящен в тайну любви, прикоснулся к ней, и теперь ему придется долго страдать.

Когда Сергей уходил, время останавливалось, а когда приходил, с ним возвращалась жизнь. Она готова была идти, ехать, лететь с ним куда угодно, неважно куда, лишь бы с ним. И когда он в который раз рассказывал ей, что они будут делать в Италии, куда он собирался поехать с ней осенью, она замирала от счастья, потому что там они будут все время вместе, каждый день, каждый час, каждую минуту.

Вечерами они часто ходили в ресторан поужинать, а если оставались дома, то смотрели какой-нибудь фильм, уютно устроившись под пледом на диване, или Сергей рассказывал ей что-нибудь интересное. Он много знал, много читал и был хорошим рассказчиком. А Инга умела слушать.

По воскресеньям они то делали налеты на книжные магазины, то ехали в Измайлово на Вернисаж, или же, если было настроение, вставали пораньше и мчались по пустым дорогам куда-нибудь в пригород посмотреть на древнюю церквушку или побродить по какому-нибудь большому монастырю. На обратном пути Сергей скупал у придорожных бабок и пацанов сирень, в машине благоухало, и Инге казалось, что так пахнет счастье. В июне оно стало пахнуть пионами, потом королевскими лилиями.

Несколько раз они ездили на дачу. Когда это было в первый раз, Сергей водил ее по дому и говорил:

— Из этой комнаты можно сделать библиотеку в английском стиле. Поставим у камина два больших-пребольших кресла и будем сидеть здесь, читать и слушать, как дождь стучит в окна. Здесь у нас будет спальня. Мы будем просыпаться утром и видеть, как цветут яблони. А осенью — смотреть на красные яблоки. А зимой смотреть, как идет снег. А из этой сделаем детскую.

— А у нас будет много детей? — спросила счастливая Инга.

— Много. У каждой стены влезет по две двухъярусных кроватки и вот сюда еще одна.

Инга рассмеялась:

— Так мало?!

— Нормально, — деловито ответил Сергей. — Комнату напротив тоже сделаем детской.

В жаркие дни купались в маленьком бассейне, и каждый раз, когда он смотрел на ее хрупкую точеную фигурку, сердце его сжималось от нежности и благодарности судьбе за подарок. Она была совершенна.

Они никогда не ссорились, не цепляли друг друга. Если Сергей задерживался, Инга ждала его, не допуская дурных мыслей, и, когда он приходил, только радовалась. Она не заглядывала вперед, не строила планов, но просто проживала каждый день, медленно выпивала его, смакуя и не получая утоления жажды. В прошлое она тоже не заглядывала, да и прошлое ее было совсем крошечное и очень-очень счастливое, и начиналось оно первого марта.

Реальность ворвалась в ее грезы телефонным звонком. Была пятница, а в пятницу у Сергея всегда были какие-то совещания допоздна, и он отправлял ее в Марьино. Только поэтому Паша случайно застал ее дома.

— Привет, это Павел.

— Я узнала, Паша. Привет. Как дела?

— По-разному. Долго рассказывать. — Голос у него был каким-то глухим и больным.

— Что-то случилось, Паш?

— Мама у меня умерла. Вчера девять дней было.

— Господи! Как же так?!

— Не надо, Инга, не будем. Послушай, мне обязательно надо с тобой встретиться. Честно говоря, не знаю даже, зачем. Наверное, попрощаться.

— Попрощаться? — испугалась Инга.

— Я уезжаю. Мне предложили хорошую работу с повышением. В другом городе. На три года. Мамы больше нет, так что... Почему бы и не принять предложение. Давай встретимся.

— Конечно, Паша, давай. Когда?

— Я позвоню тебе на той неделе, тогда и договоримся. Ладно?

— Знаешь, — Инга хотела дать номер своего нового сотового телефона, но осеклась: было бы неловко, если бы ей пришлось разговаривать с ним при Сергее, — а давай встретимся в следующую пятницу. Я зайду за тобой и, если надо, подожду, а потом мы пойдем куда-нибудь и посидим, поговорим.

— Долго до пятницы. Ну да ладно, как скажешь. Давай. Я буду тебя ждать.

Положив трубку, Инга задумалась. Она никогда не видела мать Паши. Он так их и не познакомил. Поэтому жалко было прежде всего Павла. Но мать его была еще не старой женщиной, и вдруг — смерть. Не то чтобы она провела какие-то параллели, нет. Однако в душу заполз страх. Однажды Сергей уже исчезал из ее жизни на много лет. Пусть тогда это было совсем другое дело, но он же исчезал... А вдруг что-нибудь случится и он опять исчезнет? Вот так однажды в пятницу уйдет на свою работу, а в субботу за ней не приедет. Что тогда делать? «Но я же знаю, где он живет! Тогда я поеду к его дому и буду караулить у подъезда. Я знаю, где он работает. Поеду к нему в офис. Господи, да с чего ему исчезать?» Она взяла себя в руки и решила чем-нибудь заняться.

Для начала убралась в комнате. Посидела, отдохнула и принялась убираться на кухне. Потом опять посидела. Почитала. Сходила в магазин, купила себе поесть. Поела. Включила телевизор и стала смотреть фильм.

Проснулась она в половине второго ночи от стрельбы и криков. Шел ночной боевик. Она выключила телевизор, встала, поплелась на кухню попить. Налила себе холодного чая, сделала несколько глотков и вдруг ясно поняла: у Сергея есть другая женщина, и он сейчас с ней. Это было столь шокирующе очевидно, что ей стало нехорошо. Она рванула дверь и вышла на балкон. Теплый ветер принес запах бензина, прибитой дождем пыли и свежескошенной травы. У кого-то в доме заплакал маленький ребенок, и тут же тревожно заговорили о чем-то мужчина и женщина. Инга вернулась в комнату и легла. Она попыталась убедить себя, что все надумала, но не получилось. Была только твердая уверенность в том, что случилось самое для нее страшное, и почти физическое ощущение края бездонной пропасти, а в голове вертелась одна мысль: «Вот все и кончилось». Уличать, устраивать скандал она не собиралась, потому что это было бессмысленно. Если Сережа может ей изменять, то, значит, он ее не любит и все это время врал ей. Значит, все эти его планы, разговоры о будущем, о детях — фальшь и вранье.

Она уснула под утро и проснулась поздно, вялая, измученная и равнодушная.

Сергей явился только в шестом часу вечера, оживленный и деятельный. Не заметив, в каком она состоянии, или сделав вид, что не заметил, он буквально вытащил ее из дома за руку, и они поехали в центр. Основательно прошлись по книжным магазинам, поужинали в ресторане, по пути домой заглянули в супермаркет, набрали продуктов и там же прикупили пару фильмов. Дома Инга разобрала продукты, посидела в ванне. Они пили чай, и Сергей рассказывал ей какие-то смешные истории, и она даже смеялась. Потом надолго в ванную ушел Сергей. Инга разобрала постель, поставила фильм, потушила свет и легла. Когда она услышала наконец, что он выходит из ванной, притворилась, что спит. Он осторожно взял у нее из руки пульт и тихо лег на свою половину. Субботние ночи, как, впрочем, и пятничные, ей не принадлежали.

Следующая неделя тянулась невыносимо долго. Несколько раз Инга собиралась напрямую спросить Сергея, есть ли у него другая женщина, но так и не решилась. Ей очень хотелось, чтобы он обратил внимание на ее состояние, спросил, что происходит, и развеял ее страхи. Но он ничего не замечал, и именно этот факт с каждым днем все больше и больше убеждал ее в том, что она права в своих подозрениях. Всю ее наблюдательность и все ее аналитические способности, развившиеся с детства в результате насущной необходимости выжить, с появлением Сергея постепенно занесло золотым песком счастья, под тонким покрывалом которого они умиротворенно спали. Теперь же, проснувшись и словно наверстывая упущенное, они мчались назад в ее крошечное прошлое с азартом гончих, почуявших добычу, и приносили ей новые и новые доказательства его лжи.

Она еле дождалась пятницы и с облегчением самостоятельно отбыла к себе. Вечером она зашла за Пашей, и они пошли в ближайшее кафе. Разговор не клеился, обоим было грустно.

— А в какой город ты едешь? — спросила Инга.

— В Краснодар.

— Это опасно?

Паша невесело рассмеялся.

— Ну, если считать бумажную работу опасной, то очень.

— На три года?

— На три.

— Уже подписал контракт?

— Да это, на самом деле, не контракт. Но подписал.

— Когда ты уезжаешь?

— Через месяц.

— Понятно...

Они помолчали.

— Глупо, конечно, — заговорил Павел, — но я все-таки скажу. Послушай, Инга, я не знаю, что у нас с тобой было и было ли вообще что-нибудь. Но я тебя люблю. И этого не отменишь. Три года — очень большой срок, а ты совсем еще ребенок, и у тебя все впереди. Жизнь может сложиться по-всякому. Но если вдруг через три года я вернусь и ты будешь свободна, обещай мне, что мы с тобой встретимся.

— Знаешь, вряд ли что-то изменится в моей жизни за эти три года, — как-то медленно и с расстановкой ответила ему Инга. Помолчала и добавила: — Неподходящая я для тебя партия, Паша. Но я это уже тебе говорила.

— Инга, ну зачем ты держишься за эти глупости? Если только в этом все дело...

— Это не глупости, Паша, — перебила его Инга. — Интернат — не самое лучшее место для детей. Откуда ты знаешь, что там могло со мной случиться. — Инга сама не знала, почему она это говорит, но какое-то шестое чувство подсказывало ей говорить именно так. Павел дернулся, как будто его ударили по лицу, посмотрел на нее и сказал:

— Что бы с тобой там ни случилось, я сделаю все, чтобы ты об этом забыла. Поверь мне! Инга, у нас есть еще месяц. Подумай, я прошу тебя. Для себя я уже все решил.

— Ты мне оставишь свой адрес?

— Конечно! Я уже даже тебе его написал. — Он полез во внутренний карман пиджака и достал оттуда листок. — Вот, держи.

— Ага. Спасибо. А у меня есть сотовый. Запиши номер. — Инга продиктовала свой номер. — Что-то я устала сегодня. Ты меня проводишь?

— Провожу. Пошли пешком? Погода замечательная! — Он посмотрел на поникшую Ингу. — Ах да, ты устала.

— Нет, я не в том смысле... Не в физическом. Я морально устала. Пошли пешочком. Это здорово.

— Послушай, что-то ты мне не нравишься. Может быть, у тебя что-то случилось? А то я все про себя да про себя.

— Нет, ничего. Все то же самое. Пошли отсюда.

Ночью она стала тонуть в крутящихся в голове фактах и фактишках и попыталась ухватиться за соломинку логики: «С чего я взяла, что он не ночует дома с пятницы на субботу? Может быть, он ночует. Скорее всего, что ночует. Другой вопрос — один ли. А это легко проверить. Нечего сидеть, надо ехать и увидеть все своими глазами. Пусть даже самое худшее. И если он там один, я скажу, что мне стало страшно. Придумаю, что сказать». Инга посмотрела на часы. Было десять минут двенадцатого. Она выскочила в прихожую, схватила пачку накопившихся за неделю в почтовом ящике разнокалиберных листочков, перерыла их и нашла целых три рекламы с номерами телефонов такси. Вызвала такси и стала лихорадочно одеваться. Москва была почти пустой, и через полчаса Инга уже стояла у дома Сергея. Его окна были темными, и машины у подъезда не было. Обойдя два раза двор, машины она так и не нашла и устроилась на лавочке ждать.

Светящихся окон становилось все меньше и меньше, а вскоре и вовсе осталось одно на шестом этаже. Становилось прохладно. Инга прошлась еще раз по двору с тем же результатом и, услышав где-то неподалеку мужские явно пьяные голоса, поспешила к двери, нажала код и вошла в подъезд. Лифт стоял на первом этаже. Она, стараясь не шуметь, зашла в него и так же тихо вышла на нужном этаже. Постояла, подождала, пока перестанет бухать сердце, и нажала на кнопку звонка. В коридоре за дверью раздалась трель, после трели что-то заухало, завыло, запищало, защелкало и смолкло. Инга испугалась. Этих звуков она никогда не слышала. Сначала она подумала, что ошиблась то ли адресом, то ли подъездом, но дверь-то была его, и она сообразила, что просто никогда раньше не слышала звонка. К ним никто не приходил, а Сергей всегда закрывал и открывал ее ключом.

Она позвонила еще раз и еще раз. «Если они там, то он не откроет. Увидит меня в глазок и не откроет. А если его там нет, значит, он мне врал, что ночует дома. ЗНАЧИТ, ОН МНЕ ВРАЛ. Ничего. Я его дождусь. Мне не впервой шпионить».

В холле она устроилась на обшарпанной скамеечке и просидела там до первых собачников. Услышав, что заработал лифт, она вышла на залитую утренним солнцем улицу, теперь уже без страха обошла еще раз двор и затаилась на детской площадке. Около десяти она увидела подъезжающую машину Сергея, спряталась за деревом и дождалась, пока он зайдет в подъезд.

Выйдя на дорогу, она тормознула частника и скоро была уже дома.

Ни о чем не подозревающий Сергей, поначалу казнивший себя за двойную жизнь, постепенно втянулся в нее и даже стал находить в сложившейся ситуации свои прелести. Его любила и не хотела отпускать потрясающая взрослая женщина, опытная, раскованная, и его любила прекрасная юная девочка. В их похожести было что-то роковое, дразнящее, распаляющее воображение. В этом был какой-то особенный возбуждающий смак, терять который очень не хотелось. Он, конечно, понимал, что, возможно, очень скоро придется с Людмилой расстаться, но думал об этом с сожалением и даже прикидывал варианты, при которых можно было бы сохранить существующее равновесие. Имеют же некоторые мужчины по две семьи. «С другой стороны, — думал он, — Людмила через пяток лет потеряет свой лоск и будет представлять собой не более чем досадную обузу».

Чувства вины перед Людмилой он не испытывал. Да и с чего бы? Они никогда не говорили о будущем, он никогда не говорил ей, что любит ее, она не имела его координат, кроме запасного сотового номера телефона, и раз она никогда не заговаривала об этом, значит, ее устраивало такое положение дел. А жизненная позиция Сергея, сложившаяся к этому времени, была такой: ничего не подразумевается само собой. Обязательства начинают жить только тогда, когда они озвучены, а их условия четко оговорены.

О том, что будет с ним самим через пяток лет, он не задумывался. Сейчас он был полон сил, дела шли просто прекрасно. И Сергей ждал, что вот-вот произойдет главное событие его жизни, и не сегодня завтра Инга скажет ему заветные слова: «У нас будет ребенок». Вот тогда все само собой как-нибудь да решится. Июнь уже на исходе. Лето пролетит быстро. В сентябре они с Ингой уедут в любимую Италию, а загадывать дальше не имеет смысла.

ВОЗВРАЩЕНИЕ ЗВЕРЯ

В три часа за ней заехал Сергей, и они поехали к нему.

— Бледненькая ты какая-то. Ты хорошо себя чувствуешь? — спросил Сергей. — Не ешь ничего.

— Что-то аппетита нет, — тихо ответила Инга, сдерживая в себе рвущийся наружу ад только по той причине, что оставался ничтожный, жалкий шанс, что всему может еще найтись какое-то разумное объяснение.

— Может быть, хочешь чего-нибудь особенного?

— Нет.

— А хочешь, мы сейчас поедем на рынок и ты выберешь себе, чего душа запросит?

Ингина душа просила правды, но на рынке ею, к сожалению, не торговали. Она посмотрела ему в глаза и ответила:

— Не стоит. Не хочется никуда идти. Слабость какая-то.

— Знаешь, посиди-ка ты дома, а я съезжу сам. Привезу тебе того-сего.

— Не надо, Сереж. Что ты будешь ездить...

— Так. Не спорь. Я быстро вернусь. Не скучай без меня.

Инга слабо кивнула головой. Сергей моментально собрался, и вот уже за ним захлопнулась выходная дверь. Он не стал дожидаться лифта, потому что не было никаких сил стоять на месте, необходимо было бежать, лететь. Его переполняло ликование: Инга беременна и не знает, как ему об этом сказать. Наконец-то чудо свершилось! Колечко было наготове, оставалось дождаться заключения врача.

Оставшись одна, Инга подождала еще немного, выглянула в окно и, убедившись, что машина уехала, вскочила и полезла в шкаф. Обшарила все его карманы, но ничего не нашла. Покрутилась возле кейса, но он был закрыт, а кода она не знала. «Да, помнится, он рассказывал, что Наташа шарилась по его карманам. Бедная... Вот теперь и я, как она. Тоже роюсь в его вещах. Как бы до его сотового добраться? Если что-то и есть, то только там». Зашумел лифт, и она поспешно прыгнула на диван.

После нескольких безрезультатных попыток обнаружить улики Инга решила, что обязательно дождется момента и посмотрит его телефон. Если не найдет в нем ничего подозрительного, то спросит его напрямую, где он проводит ночи с пятницы на субботу. И вот если он даст ей разумное объяснение, она перестанет себя изводить и опять начнет жить.

Вернулся Сергей, навез каких-то небывалых фруктов и вкусностей. Он носился с ней, как наседка с единственным цыпленком, а ей хотелось только одного: уехать домой. Так сложилось, что ни он ее ни о чем не спросил, ни она его. А возникшее напряжение каждый понимал по-своему, как это слишком часто бывает в семейной жизни.

Четверг выдался суматошным и нервным. С утра позвонила секретарша из «Пигмалиона» и торжественно сообщила, что вся следующая неделя уже расписана под клиентов. Домой Сергей вернулся поздно. Он тихо открыл дверь и на цыпочках прошел на кухню. Инга, юная, прекрасная, трогательная, в японском халатике, черном, с золотыми драконами, который подарил ей Сергей, разогревала ужин. Волосы у нее были собраны сзади в пучок и держались на одной шпильке. «Вот сейчас она резко обернется, шпилька выпадет, и волосы ее рассыплются по спине, — подумал он. — Две женщины как одна, и в каждой — две женщины». От невыносимого желания свело челюсти, и вместо того чтобы позвать ее, как обычно: «Малыш», он промычал что-то невнятное. Она резко обернулась, шпилька выпала, волосы рассыпались, и он, ничего уже не соображая, подхватил ее на руки и понес в спальню. Она пыталась слабо сопротивляться, но бесполезно.

Довольный собой, Сергей ушел в душ, а Инга с невеселыми мыслями о том, что теперь она знает, что испытывают проститутки, поплелась на кухню. Мясо слегка подгорело. Она долила в сковороду воды, закрыла ее крышкой и тут услышала незнакомую мелодию. У кого-то звонил сотовый. Она пошла на звук в коридор и поняла, что звонок исходит из Сережиного кейса. Наудачу она попробовала открыть его, и у нее все получилось. В кейсе лежал аппарат, которого она до сих пор не видела. Как только Инга взяла в руки телефон, тот замолчал. Лихорадочно она стала проверять последние входящие звонки. Номер был один и тот же. В душе Сергей выключил воду. Инга, прошептав для верности цифры, вернула все на свои места, закрыла кейс и метнулась на кухню. Нужды записывать его не было: он был легко запоминающимся.

В пятницу утром она влетела в свою квартиру и бросилась звонить Павлу.

— Паша, это я, Инга! Паша, миленький, помоги мне!

Паша испугался.

— Помогу, помогу, не волнуйся. Что случилось?

— Паша, ты можешь по номеру телефона узнать, кому он принадлежит? Ты можешь, Паша, я знаю. Сделай это для меня! Это очень важно!

Паша помолчал, а потом сказал:

— Диктуй.

Инга продиктовала номер.

— Хорошо. Я записал. Ты где?

— Я дома, Паша, дома. Ты можешь сделать это быстро?

— Сиди и не паникуй. Я тебе перезвоню.

Очень скоро Паша перезвонил.

— Так, номер этот принадлежит некоей Бражниковой Людмиле Николаевне.

В ответ ему была тишина. Паша забеспокоился.

— Алло, Инга, ты меня слышишь?

— Слышу, Паша, — мертвым голосом ответила Инга.

— Кто эта женщина? Ты ее знаешь?

— Эта женщина — моя мать, Паша.

— Значит, ты ее все-таки нашла.

— Значит, я ее все-таки нашла... Спасибо тебе, Паша... — Инга повесила трубку.

Паша пытался ей перезвонить, но к телефону Инга не подходила.

Она сидела раздавленная, уничтоженная и даже не пыталась сдержать рвущиеся наружу рыдания. Голову сжало, сначала слабо и, можно даже сказать, нежно, осторожно, а потом невидимые щупальца сдавили ее изо всех сил, и она услышала тихий голос.

— Послушай, — сказал Зверь, — послушай меня. Он должен быть наказан. Такое не прощается. Я знаю, как это сделать. Ему будет очень больно. И ей тоже будет больно.

— Нет такой боли, какой они заслуживают, нет такой боли на всем белом свете! — закричала Инга.

— Есть. Я знаю такую.

— Так научи меня! Научи!

Времени впереди было много, а что ей делать, Инга уже знала. Не спеша она собрала все свои нехитрые документы и сложила их в папку. Под руку ей попался старенький блокнотик с сердечками. В нем она когда-то начинала писать свою сказку. Она раскрыла его, прочитала написанное, выдрала листочки, порвала их и выкинула вместе с блокнотом в мусорное ведро. Выбрала кое-что из вещей и аккуратно уложила их в большую клетчатую сумку. Туда же отправила сапоги, завернутые в целлофан, куртку и старую шубку. Позвонила Гуле с Виталиком.

— Ты с ума сошла — ехать в Турцию на заработки?! Да тебя там в проститутки продадут, и концов потом не найдешь! — орала на нее Гуля, когда услышала новость.

— Я уже все решила, Гуля. Не продадут. Ты лучше скажи, вы поможете мне сдать квартиру?

— Да поможем, поможем. Только напиши записку своему малахольному Сашке.

— Уже написала. Виталик сможет свозить меня сегодня в одно место?

— Сможет, раз уж такое дело. Когда тебе надо?

— Часам к пяти пусть заедет за мной. Слушай, Гуль, ты у меня тут пошуруй хорошенько. Если чего найдешь подходящее, бери и пользуйся. Я все равно вернусь нескоро.

Около семи Инга с Виталиком уже были на месте. Летом по пятницам шлагбаум в писательском поселке поднимался и до понедельника уже не опускался, так что никто их не остановил и не спросил, к кому они едут. Выбрав подходящее место, они припарковались и некоторое время сидели молча.

— Инга, — робко начал Виталик, — может быть, все-таки ты не поедешь в Турцию? Если тебе не хватает денег...

— Витка, ни в какую Турцию я не еду. Успокойся. Мне просто надо на время спрятаться.

— Во что ты вляпалась, дурочка?

— В свою мать.

Виталик присвистнул.

— Нашла ее все-таки...

— Да...

— Значит, это она здесь живет?

— Витка, не спрашивай меня ни о чем, не мучай. Когда-нибудь я вам все расскажу. И не держи на меня зла...

— А я и не держу. Ты же знаешь, я...

— Знаю.

Они опять помолчали.

— Что-то мне неспокойно, — сказала Инга. — Ты сиди здесь и жди меня.

Инга спустилась в перелесок, начинавшийся прямо у дороги, ведущей к дому Людмилы, немного углубилась в него и скоро исчезла из виду.

Серый «Лексус» мягко проехал мимо Виталика, завернул направо, остановился возле ворот и посигналил. Женщина, что-то делавшая на участке, открыла их. Машина Сергея въехала на участок и остановилась. Он вышел из нее, обнял женщину и поцеловал в губы долгим поцелуем. Потом подошел к багажнику, открыл его, достал оттуда кучу пакетов и понес их в дом. Следившая за ними Инга зажала рот рукой, чтобы не закричать. Еще несколько минут она стояла в кустах. Из дома вышел переодевшийся в незнакомые шорты и майку Сергей. Он достал из машины пакет с углем, подошел к мангалу и стал разводить костер.

— Все, Виталик. Теперь нам можно уезжать, — сказала Инга, садясь к нему в машину.

Дома она еще раз просмотрела всю комнату, положила в сумку несколько журналов с выкройками, железную коробочку с нитками-иголками и застегнула молнию. Все. Все дела сделаны. Теперь самое главное. Достав сотовый, Инга набрала номер.

— Паша, это я. Паша, ты возьмешь меня с собой в Краснодар?

— Собирай вещи, — ответил Паша.

— Я уже собрала.

— Я за тобой заеду.

— Не нужно, я приеду сама. У меня не так уж много вещей. Почти совсем нет. Дай мне адрес.

Паша продиктовал адрес.

— Все. Жди меня. Я скоро буду.

С вещами Инга вышла на улицу, поставила их на землю. Прежде чем набрать номер, она представила себе, как они сейчас сидят за столом, пьют чай и о чем-то разговаривают. А может быть, они уже в постели. «Уничтожь их, уничтожь!» — стучало в голове, пока она нажимала кнопки.

Людмила уже разобрала постель и теперь сидела перед зеркалом, расчесывая волосы, и ждала, когда из душа выйдет Сергей. Со сладким замиранием в душе она услышала, как он выключил воду. Сейчас он выйдет оттуда и подойдет к ней.

Дверь душевой открылась, и оттуда, как она и ожидала, вышел Сергей с полотенцем на бедрах. Не поворачиваясь, она улыбнулась ему в зеркало. В эту минуту на кухне зазвонил телефон.

— Тебе принести трубку? — спросил Сергей.

— Не надо. Я подойду сама. — Людмила встала и прошла на кухню.

— Не люблю ночные звонки, — сказал Сергей и пошел за ней.

— Я слушаю, — сказала она.

— Людмила Николаевна? — спросил молодой женский голос.

— Да, я вас слушаю.

— Это я, мама. Меня зовут Инга. Ты Сереже обо мне не рассказывала? — Окаменевшая Людмила молчала. Сергей с тревогой смотрел ей в лицо. — Нет? Так расскажи. Заодно передай, что у нас с ним будет ребенок. Твой внук. И я выброшу его точно так же, как ты выбросила меня. Вот как нам пришлось познакомиться с тобой, мама. Прощай.

Побелевшая Людмила с ужасом смотрела на Сергея. Губы ее тряслись.

— Люда, что такое? Что случилось? Кто тебе звонил? Тебе плохо? — пытался добиться от нее ответа Сергей.

И в эту минуту зазвонил теперь уже его телефон. Еле шевеля онемевшими губами, Людмила сказала:

— Не бери трубку.

Но он уже взял:

— Алло?

— Сереженька, король мой сероглазый, это я. Не перебивай меня. Я сейчас на вокзале, и у меня уже нет времени, поезд отходит. Я давно хотела тебе сказать, что так любить тебя, как я, больше никто не будет. Эта женщина, с которой ты сейчас, — Людмила Бражникова, — моя мать, та самая, которая оставила меня в коляске у магазина. А у нас с тобой будет ребенок. И знаешь, что я сделаю? Я сейчас уезжаю в один далекий город, там я рожу твоего ребенка и выкину его. А ты ищи его, если, конечно, хочешь. Вот только страна у нас большая и городов много. Прощай, любимый.

Сергей и Людмила молча смотрели друг на друга, лица их были искажены от ужаса, потому что обрушившееся на них было страшным, уродливым, огромным, и они стояли перед ним маленькими и грязными, и из всех существующих слов не осталось ни одного, которое они могли бы сказать друг другу.

Инга вскрыла свой телефон, достала сим-карту, сломала ее пополам, выкинула обломки в разные стороны, а сам аппарат разбила о стену дома. Подхватила сумки и пошла ловить такси. По дороге у нее закружилась голова.

Москва
Март 2009 г.

Литературно-художественное издание

ЛУЧШАЯ СОВРЕМЕННАЯ ЖЕНСКАЯ ПРОЗА

Бессмертная Анна Владимировна

РЕБРО И ГЛИНА

Ответственный редактор *Ю. Качалкина*
Художественный редактор *А. Сауков*
Технический редактор *Н. Носова*
Компьютерная верстка *А. Щербакова*
Корректор *Д. Горобец*

В оформлении переплета использована иллюстрация
художника *Ф. Барбышева*

ООО «Издательство «Эксмо»
127299, Москва, ул. Клары Цеткин, д. 18/5. Тел. 411-68-86, 956-39-21.
Home page: **www.eksmo.ru** E-mail: **info@eksmo.ru**

Подписано в печать 18.01.2010.
Формат 84×108 1/32. Гарнитура «Балтика».
Печать офсетная. Усл. печ. л. 21,84.
Тираж 3000 экз. Заказ № 122.

Отпечатано с предоставленных диапозитивов
в ОАО «Тульская типография». 300600, г. Тула, пр. Ленина, 109.

ISBN 978-5-699-39252-0

9 785699 392520 >

Галина ЩЕРБАКОВА

Яшкины дети

www.eksmo.ru

Уникальный образец современной русской литературы высочайшего уровня. Книга, поселившая чеховских героев в реалии XXI века. Автор, ведущий прямой и откровенный диалог с классиком на каждой странице.

Воскрешая в памяти читателя знаменитые чеховские рассказы, Щербакова каждый из них наполняет новым содержанием и смыслом. Её «Ванька», «Душечка», «Дама с собачкой», «Смерть чиновника», «Спать хочется» и другие миниатюры — это истории о наших современниках, драмы наших близких, коллег и соседей, наша собственная жизнь без прикрас и иллюзий.

Произведения Галины ЩЕРБАКОВОЙ
выходят в серии «ЛУЧШАЯ СОВРЕМЕННАЯ ЖЕНСКАЯ ПРОЗА»

Галина Щербакова

Мандариновый год

www.eksmo.ru

Сокровища Вашего прошлого заиграют новыми красками, когда Вы погрузитесь в чтение новых и уже полюбившихся произведений Галины Щербаковой. Это ностальгические путешествия во времени, где в центре всегда история любви, рассказанная так, что замирает сердце.

Произведения Галины ЩЕРБАКОВОЙ
выходят в серии «ЛУЧШАЯ СОВРЕМЕННАЯ ЖЕНСКАЯ ПРОЗА»

Галина ЩЕРБАКОВА

Нескверные цветы

Настоящий подарок поклонникам автора! Книгу открывает новая, никогда раньше не издававшаяся повесть «Нескверные цветы» – глубокая, острая и притягательная. Поздняя, последняя любовь – как цветение астры в саду – длится до самых морозов. Но потом приходит лютый холод, и даже эти нескверные цветы умирают. Как сложатся отношения поистине шекспировских героев, если встретятся они не в пору молодости, а на закате своих дней?

Произведения Галины ЩЕРБАКОВОЙ
выходят в серии «ЛУЧШАЯ СОВРЕМЕННАЯ ЖЕНСКАЯ ПРОЗА»

Галина ЩЕРБАКОВА

Галина ЩЕРБАКОВА

Женщины в игре без правил
Слабых несет ветер

«Женщины в игре без правил», «Слабых несет ветер» – романная дилогия классика русской литературы Галины Щербаковой.

В центре повествования – судьбы трех современных женщин, трех поколений одной семьи. Внучка-дочка, мать-дочка и мать-бабушка – между ними пропасть не только возраста, но ценностей и интересов. Бабушка, до поры до времени жившая по законам домостроя, вдруг влюбляется в молодого состоятельного мужчину и теряет голову... ее взрослая дочь, только что трагически пережившая развод, рожает ребенка от первого встречного незнакомца и понимает, это он – любовь всей ее жизни... внучка, мучимая подростковыми комплексами, достает мать и бабушку своей нереализованной сексуальностью...

Галина ЩЕРБАКОВА

Лизонька
и все остальные

www.eksmo.ru

Этот трогательный роман – история одной семьи. Он прежде всего о любви – реальной или придуманной, угаданной или непонятой. Её хотят и ждут все, но не каждый достоин этого дара судьбы...

Книги Галины Щербаковой вновь и вновь заставляют задуматься о превратностях судьбы, о неожиданной любви и надежде на спасение.

Произведения Галины ЩЕРБАКОВОЙ
выходят в серии «ЛУЧШАЯ СОВРЕМЕННАЯ ЖЕНСКАЯ ПРОЗА»